Histoire de lire

La littérature jeunesse
dans l'enseignement quotidien

Danièle Courchesne

Chenelière/McGraw-Hill
MONTRÉAL • TORONTO

Histoire de lire
La littérature jeunesse dans l'enseignement quotidien

Danièle Courchesne

© 1999 Les Éditions de la Chenelière inc.

Coordination : Lara Langlais
Révision linguistique : Ginette Choinière
Correction d'épreuves : Patrick Wauters
Infographie et couverture : Josée Bégin

Analyse des résultats du test de la page couverture

Si vous avez une majorité de :

A : Vous aimez lire mais vous savez garder votre équilibre.

B : Nous vous suggérons **fortement** de fréquenter votre bibliothèque plus souvent.

C : Peut-être qu'une participation au club de la livromagie pourrait vous aider.

D : Vous êtes un mordu de lecture, peut-être devriez-vous ouvrir une librairie.

Créé par Laure De Coussergues, Emmanuel Côté-Séguin, élèves de 5ᵉ et 6ᵉ années sous la supervision de leur enseignante, Michèle Côté.

Données de catalogage avant publication (Canada)

Courchesne, Danièle, 1958-

Histoire de lire : la littérature jeunesse dans l'enseignement quotidien

Comprend des réf. bibliogr.

ISBN 2-89461-139-0

1. Littérature de jeunesse – Étude et enseignement (Primaire). 2. Jeux de lecture. 3. Enfants – Livres et lecture. 4. Genres littéraires – Étude et enseignement (Primaire). 5. Personnages dans la littérature – Étude et enseignement (Primaire). I. Titre.

LB1575.C68 1999   372.64'044   C99-940350-8

Chenelière/McGraw-Hill
7001, boul. Saint-Laurent
Montréal (Québec)
Canada H2S 3E3
Téléphone : (514) 273-1066
Télécopieur : (514) 276-0324
chene@dlcmcgrawhill.ca

ISBN 2-89461-139-0

Dépôt légal : 1er trimestre 1999
Bibliothèque nationale du Québec
Bibliothèque nationale du Canada

Imprimé et relié au Canada

3 4 5 A 03 02 01

Table des matières

Introduction   1

Chapitre 1   L'anticipation   5
Le rôle de l'anticipation dans
  la compréhension en lecture   5
    Amusons-nous un peu   6
    L'anticipation, qu'est-ce que c'est finalement?   6
    Pourquoi est-ce important de pouvoir anticiper
      ce qu'ils vont lire?   7
    Comment faire et par où commencer?   7
    Des suggestions pour présenter les activités
      d'anticipation aux jeunes lecteurs   7
La couverture   8
Activités d'exploitation   9
Réinvestissement   11
Prolongement créatif   13
La quatrième de couverture entre dans la ronde   14
Activités d'exploitation   14
Réinvestissement   15
Prolongement créatif   17
Influence sur leur production écrite personnelle   17
Et voici la table des matières qui se montre
  le bout du nez   17
Activités d'exploitation   18
Réinvestissement   18
Prolongement créatif   20
    Influence sur leur production écrite personnelle   21
Le nom de la maison d'édition, de la collection
  ou de la série: un élément parfois révélateur...   21
Activités d'exploitation   21
Réinvestissement   23
    Des animations diverses   24
    Des animations ponctuelles avant
      et pendant la lecture   24
    Des animations à long terme   27
Et l'auteur dans tout cela?   28
    Où trouver...   29
Activité d'exploitation   30
Réinvestissement   31
Prolongement créatif   32
L'incipit ou comment débute un récit   32
Activités d'exploitation   34
Réinvestissement   35
Prolongement créatif   36
    Influence sur leur production écrite personnelle   37
Conclusion   37

Fiche 1   Qu'est-ce qu'il y a dans ce livre?   38
Fiche 2   La constellation du cadre   39
Fiche 3   La constellation du héros   40
Fiche 4   Jiji veut sa page couverture!   41
Fiche 5   Hypothèse – Vérification – Ajustement   42

Fiche 6   Intéressant ou ennuyeux?   43
Fiche 7   Est-ce difficile?   44
Fiche 8   Passeport Raton laveur   45
Bibliographie chapitre 1   46

Chapitre 2 Le personnage   48
Le personnage: un être de mots et de papier   48
    Le nom   48
    Amusons-nous un peu   49
L'apparence physique   49
    Qui suis-je?   50
    Le corps romanesque   50
Activités d'exploitation   51
Réinvestissement   54
Prolongement créatif   57
Mini-projet sur le personnage abordé
  sous l'angle de la description   59
Le héros: son identité   62
    L'identité sociale   62
    L'identité psychologique   63
    À la découverte du héros   63
        Qu'est-ce que le narrateur nous dit du héros?   63
        Qu'est-ce que le héros nous dit de lui-même?   64
        Qu'est-ce que le héros nous dit des autres?   64
        Qu'est-ce que les autres nous disent du héros?   65
        Dans quel cadre spatio-temporel
          le héros évolue-t-il?   66
        Quel est le statut social du héros?   67
        Comment le héros mène-t-il sa quête?   68
Le système de personnages   69
Les personnages sériels   71
    À la découverte d'un personnage sériel   71
        À la découverte de Simon   71
Activités d'exploitation   73
    En parallèle   76
Projet sur un type de personnage   78
Conclusion   81

Fiche 9   Descriptions de personnages   82
Fiche 10 Feuille-réponse, descriptions
                de personnages   83
Fiche 11 Portrait d'un personnage   84
Fiche 12 Le tour du personnage en coopératif   85
Fiche 13 Le tour du personnage en coopératif   86
Fiche 14 Le tour du personnage en coopératif   87
Fiche 15 Le tour du personnage en coopératif   88
Fiche 16 Le tour du personnage en coopératif   89
Fiche 17 Le tour du personnage en coopératif   90
Fiche 18 Le tour du personnage en coopératif   91
Fiche 19 Le tour du personnage en coopératif   92
Fiche 20 On compare les héros   93
Fiche 21 Le héros: ses amis et ses ennemis   94

Fiche 22 Les papas ... 95

Bibliographie chapitre 2 ... 96

Chapitre 3 Des albums pour les petits et les grands ... 98

Des images et des mots ... 98
  Amusons-nous un peu ... 99
Des illustrations, ça sert à quoi? ... 99
  Des catégories d'illustrations ... 99
  Des catégories d'albums ... 100
    Les imagiers ... 100
    Les albums d'images-phrases ... 102
    Les abécédaires et les chiffriers ... 102
Réinvestissement ... 105
  Les albums sans texte ... 105
Réinvestissement ... 106
  Les premiers récits en album ... 106
Réinvestissement ... 108
  Un spécial bébés-livres et imagiers ... 110
Un mariage sur tous les tons ... 111
  Les images prennent la parole ... 111
    Une question de lecture ... 111
    Une question de style ... 112
    Une question de décor ... 112
    Une question d'ambiance ... 113
    Une question d'angle de vue ... 113
    Une question de mouvement ... 114
  La relation texte-image ... 114
  Des images dénotatives ... 114
    Des illustrations qui reflètent fidèlement le texte ... 115
  Les images connotatives ... 116
    Des illustrations qui amplifient le texte ... 116
    Des illustrations qui enrichissent le texte ... 118
Jiji chez les petits ... 121
Jiji chez les grands ... 123
  Comment Ginette Anfousse raconte-t-elle ses histoires? ... 123
    Des images qui interprètent le texte ... 125
    Des images qui nuancent le texte ... 126
    Des images qui ont besoin du texte pour être comprises ... 127
    Des images qui contiennent des personnages accessoires ... 127
Conclusion ... 128

Fiche 23 Ce que je sais de Jiji ... 129

Bibliographie chapitre 3 ... 130

Chapitre 4 Les genres littéraires ... 134

Des histoires en tout genre ... 134
Qu'est-ce qu'un récit? ... 135
  Amusons-nous un peu ... 135
Dis, raconte-moi une histoire ... 137
Qu'est-ce qu'une histoire? ... 137
  Les éléments de l'histoire ... 138
    Une question de lieux ... 138
    Une question de temps ... 140

    Une question de quête ... 143
  Les éléments du récit ... 146
    Le narrateur ... 147
    Le narrataire ... 150
Des histoires à structure répétitive ... 150
  Des types de récits à structure répétitive ... 150
    La répétition de mots ... 150
    Exploitation et animation ... 151
    La répétition et la gradation ... 151
    Exploitation et animation ... 152
    Le parallélisme ... 152
    Exploitation et animation ... 153
Le festival Robert Munsch ... 153
En route vers le fantastique ... 157
  Les caractéristiques du genre ... 158
    Le merveilleux ou l'insolite ancré dans la réalité quotidienne ... 158
    Actions et raisons ... 158
    Personnages ... 158
Le festival fantastique ... 160
  Série de romans par Marie-Francine Hébert ... 160
  Structure générale des récits de Méli-Mélo ... 160
Il était une fois les contes ... 166
  Les caractéristiques du conte ... 166
    Entrée en matière ... 166
    Personnages ... 167
    Types d'intrigues ... 167
    Structure du conte ... 167
Le festival de contes ... 168
  La semaine des *Trois petits cochons* ou du *Petit chaperon rouge* ... 168
Le mois du conte ... 170
Banques d'activités ... 171
Le roman policier ... 174
  Les caractéristiques du roman policier ... 174
    Personnages ... 175
    Types d'activités ... 175
    Structure du récit ... 175
Spécial policier ... 177
Banque d'activités ... 179
Suivre les traces d'un auteur de roman policier ... 181
  Une banque d'activités pour l'animation de la série de Notdog ... 182
Conclusion ... 184

Fiche 24 Autrefois-Aujourd'hui ... 185

Fiche 25 Tchou-tchou ... 186

Fiche 26 Résumé en tableau ... 187

Fiche 27 Qui raconte cette histoire? ... 188

Fiche 28 Souvenir de lecture ... 189

Fiche 29 Je veux ma page couverture! ... 191

Fiche 30 Schéma de récits comportant plusieurs épisodes ... 192

Fiche 31 Fiche sur le personnage ... 193

Fiche 32 Fiche signalétique ... 194

Bibliographie chapitre 4 ... 195

Table des matières

Remerciements

Je tiens d'abord à remercier les patients lecteurs Micheline Couture, Colombe Labonté, Daniel Sernine et Jean-Marie Tremblay qui m'ont donné de précieux conseils au cours de la rédaction de cet ouvrage. Je veux aussi dire merci aux enseignantes Francine Constant, Hélène Fortin, Annick O'shaughnessy et Johanne Quintin avec qui j'ai expérimenté de nombreuses activités et qui ont bien voulu partager leurs bonnes idées avec moi. Merci aussi à l'équipe de l'école Meadowbrook (la direction et les enseignantes) qui m'a appuyée et soutenue tout au long de ces nombreuses expérimentations en littérature. Et finalement, un merci spécial à Pierrette Morrissette qui, la première, m'a entraînée dans cette drôle d'aventure avec les livres.

Danièle Courchesne

Introduction

Dans le nouveau programme d'enseignement du français du ministère de l'Éducation du Québec, la littérature pour la jeunesse occupe une place de plus en plus importante. Introduire la littérature pour la jeunesse dans les salles de classe modifie la dynamique de l'enseignement de la lecture. Cela ouvre la porte toute grande au plaisir de lire. La lecture en classe n'est plus une simple tâche à accomplir mais se transforme ainsi en une multitude d'univers à découvrir. Les jeunes s'initient au monde des mots, à l'art de raconter et développent ainsi, à leur insu, leur capacité à s'exprimer et à comprendre. Cette habileté, d'abord orale, se répercute automatiquement à l'univers de l'écrit, que ce soit en lecture ou en expression écrite.

Il y a déjà plusieurs années, une étude de Phillips[1] confirmait l'impact positif de la littérature sur l'apprentissage de la langue. Les résultats de cette recherche démontraient que les enfants qui lisent des livres de littérature pour la jeunesse produisent de meilleurs écrits tant sur le plan de la forme que sur celui du contenu en comparaison avec ceux qui ne lisent pas. En plus de sensibiliser les enfants à la langue, les auteurs et les illustrateurs pour la jeunesse fournissent de bons modèles d'écriture, une foule d'idées pour des activités créatrices touchant à différents domaines (arts plastiques, art dramatique, expression écrite, jeux, bricolages, etc.) tout en développant et en nourrissant l'imagination des jeunes lecteurs.

Pour développer le goût de la lecture, l'animation de livres semble être primordiale. Cette activité joue un rôle d'entraînement, déclenche un intérêt pour les livres et, par ricochet, montre aux enfants notre goût personnel pour la lecture. On devient ainsi un modèle de lecteur.

Il faut aussi que les enfants manipulent les livres, les lisent et en discutent. Parler de livres veut dire parler des jeunes eux-mêmes, des émotions suscitées par leur lecture, des liens avec leur vie ou avec le monde qui les entoure, de leurs coups de cœur. Parler de livres, c'est aussi parler de la matière dont ils lisent ou comprennent le texte, de leurs stratégies de lecture.

---

1. Linda M. PHILLIPS, *Using Children's Literature to Foster Written Language Development* (rapport n° CS-210-119), St. John's Institute for Educational Research and Development, St. John's Memorial University of Newfoundland, 1986.

Puis, il faut ouvrir le plus possible les horizons des jeunes lecteurs en leur présentant de nombreux types d'écrits. En étant exposés à plusieurs types de récits, les enfants pourront mieux définir leurs goûts en matière littéraire ou découvriront peut-être enfin le livre qui leur donnera le goût de lire.

Finalement, au fil des discussions et des découvertes, les enfants sont amenés à réaliser qu'ils ont le droit d'aimer ou de ne pas aimer un livre, qu'ils peuvent arrêter leur lecture si le récit ne leur plaît pas. C'est aussi cela, lire.

La place de la littérature en classe

Dans ce recueil, j'ai regroupé une panoplie d'activités visant à mettre les enfants en contact avec les livres de différentes manières parce que je vise d'abord à développer le goût de la lecture en plaçant le livre au centre de mon enseignement. Les personnages des livres viennent peupler peu à peu notre vie de classe. Ils nous visitent en mathématiques — les enfants composent des problèmes en les incluant — ou dans toute autre matière. Ce sont souvent les enfants qui font référence aux personnages et aux livres pour expliquer un point de vue particulier, pour faire comprendre une attitude, une situation, etc.

Les enfants perçoivent les activités de littérature comme un temps agréable, comme un jeu. Un livre de littérature n'équivaut pas à un travail à faire, une tâche à accomplir ou pire, une corvée dont il faut se débarrasser. Lire rime avec plaisir, désir et rire. Je lis à haute voix tous les jours à mes élèves et eux aussi ont un temps de lecture, individuelle ou en équipe. Il y a ainsi beaucoup de temps de lecture *gratuite*, juste pour le plaisir: plaisir des mots, de se laisser emporter par une histoire, ou d'en parler tout simplement si le cœur nous en dit. Je consacre environ une à deux heures par semaine à des activités de littérature, en dehors de la lecture *gratuite*, mais à chacune de décider du temps à allouer.

Parfois nos lectures nous entraînent hors des sentiers battus. Nous prenons des idées dans des livres, comme faire une marionnette avec une chaussette. Tout en s'amusant, les enfants font de l'art dramatique (théâtre de marionnettes), de l'expression orale (présenter la marionnette à la classe), de la lecture (lire avec la marionnette ou la faire lire), de l'expression écrite (création d'un album de photos avec commentaires), etc. Les enfants apprennent à s'amuser avec les livres. Pour réussir cela, il faut cependant se mettre à l'écoute et accepter les propositions des enfants lorsqu'une lecture donne des idées.

L'organisation de cet ouvrage

Chaque chapitre est consacré à un point précis de la littérature pour la jeunesse et est donc indépendant des autres. Ainsi, vous pouvez consulter le dernier chapitre sans avoir lu les premiers et votre compréhension n'en sera pas perturbée. Dans le premier chapitre, je traite de l'anticipation. La majorité des activités qui y sont présentées s'animent pendant la période précédant la lecture proprement dite. Les trois autres chapitres (le personnage, l'exploitation des albums et les genres littéraires) comprennent des activités à faire avant, pendant ou après la lecture.

Chaque chapitre comporte une partie théorique suivie d'une mise en application. La théorie littéraire se trouve ainsi morcelée et devient plus aisément assimilable. Après chaque partie théorique, la première activité est présentée sous forme de leçon. Elle est plus détaillée que celles qui suivent.

Les symboles 📖, 📖📖 et 📖📖📖 précédant le nom des activités indiquent le niveau requis de connaissance en littérature sans égard à l'âge des enfants. Ainsi, une activité identifiée 📖 requiert peu de connaissance en littérature et peut aussi bien s'adresser à des enfants de sixième année qu'à des enfants de première année. Il suffit d'adapter vos interventions à vos élèves.

Pour chaque activité, j'ai accolé des objectifs en lecture. Ces objectifs et leur explication suivent un peu plus loin. Je n'ai pas été aussi précise pour les autres champs de connaissance, comme les mathématiques, les sciences, etc.

Une explication sommaire des objectifs en lecture

Les numéros des objectifs correspondent aux numéros qu'on retrouve dans la description des activités du recueil.

OBJECTIF 1 — Dégager le sujet et les aspects traités

Cet objectif vise à développer l'habilité du lecteur à anticiper le contenu d'un texte en recourant à ses connaissances sur le sujet ou en s'aidant des indices fournis par le texte ou les illustrations. Il faut l'amener à anticiper avant d'entreprendre la lecture et pendant la lecture. En se servant du titre, des intertitres, des illustrations etc., le jeune lecteur devrait être mieux outillé pour le sujet d'un texte et les divers aspects qui y sont abordés.

OBJECTIF 2 — Dégager l'idée principale d'un texte

Il s'agit ici de repérer le ou les extraits qui traitent d'un aspect donné dans le texte ; de trouver l'idée principale d'un passage ou d'un texte et de le résumer brièvement. En littérature, cet objectif touche, par exemple, à la découverte des thématiques abordées dans un texte.

OBJECTIF 3 — Situer le contexte, les personnages et les péripéties d'un récit

Cet objectif vise à amener les jeunes à découvrir les personnages, à les rendre réels et vivants dans leur imagination. Ainsi, ils en ont une meilleure image grâce à leurs traits physiques et une plus grande compréhension de leur caractère grâce à leurs traits psychologiques. On situe aussi l'action dans un contexte social et un cadre spatiotemporel.

OBJECTIF 4 — Découvrir l'intrigue d'un récit

Le lecteur devrait pouvoir dégager la structure du récit en établissant la situation de départ, l'événement perturbateur, les péripéties et le dénouement final d'un récit. Aussi, cet objectif touche à la compréhension du système des personnages en découvrant les liens entre ceux-ci, leurs sentiments, leurs réactions et leurs intentions.

OBJECTIF 5   Reconstruire l'information d'un texte

Le lecteur doit pouvoir dégager le sujet principal d'un texte ou d'un paragraphe, trouver les éléments qui l'explicitent et préciser les liens entre ces éléments et l'idée principale. Pour ce faire, il effectue des liens entre les paragraphes, les phrases et les mots qui constituent ce texte.

OBJECTIF 6   Sélectionner des renseignements dans un texte

Pour répondre à une question, peu importe la question, les jeunes lecteurs effectuent une recherche d'information dans le texte pour trouver ou justifier leur réponse. On pense à la recherche sur l'identification du personnage ou à l'établissement de la séquence des péripéties d'un récit, par exemple.

OBJECTIF 7   Tirer profit des ressources d'une bibliothèque pour faire une recherche

Cet objectif touche à toutes les opérations effectuées lors d'une recherche à la bibliothèque. On pense ici à une recherche sur un sujet précis tel qu'un miniprojet sur un type de personnage, de récit, etc.

OBJECTIF 8   Exprimer sa réaction face à un texte

Par cet objectif, on invite l'enfant à exprimer ses sentiments, à divulguer les images mentales suscitées au cours de la lecture d'un texte et à expliquer les causes de ces émotions. L'enfant réagit à certains personnages ou à certains événements d'un récit et on tente de conscientiser ces réactions. On l'incite à créer des liens entre ce qui est lu et son expérience personnelle, à comparer ces deux univers.

On amène également les jeunes à s'interroger sur les différents aspects d'un récit : l'intérêt de l'intrigue, la vraisemblance des personnages et de leurs actions, les valeurs mises de l'avant par ce récit, etc.

OBJECTIF 9   Établir des liens entre diverses expériences artistiques

Cet objectif traite de la comparaison entre des livres, des films et d'autres moyens d'expression artistique. Par exemple, invitez les jeunes à comparer la façon dont un film et un livre ou deux livres différents traitent d'une même problématique. Comparez l'intérêt de l'intrigue, les personnages, le climat, les valeurs ou le thème de livres différents.

Mise en garde

Certaines activités requièrent la reproduction de parties de livre. Assurez-vous, lorsque vous choisissez un livre pour ce type d'activité, que vous respectez les droits de reproduction relatifs à ces ouvrages. Le symbole ⊘ se trouve près de la liste du matériel des activités pour lesquelles cette mise en garde s'applique.

L'anticipation

chapitre 1

Le rôle de l'anticipation dans la compréhension en lecture

« Quel animal au matin de sa vie marche à quatre pattes, au midi sur deux pattes, et au soir sur trois pattes ? » (Énigme posée par le Sphinx à Œdipe.) Bien sûr, vous connaissez la réponse, c'est l'homme. Mais, pour Œdipe, le premier à l'entendre, la réponse n'était pas évidente. Le propre d'une énigme est l'obscurité et l'ambiguïté du lien entre les différents éléments qui la composent. Ici, le cadre de référence est absent. Ce dernier est un élément clé de la compréhension de cette devinette. Ainsi, en sachant que l'on parle de l'homme, tout s'éclaircit et les indices fournis par le Sphinx deviennent tout à fait compréhensibles.

Lorsque les jeunes lecteurs abordent un texte ou un livre, le contenu leur apparaît souvent énigmatique. Selon une étude réalisée en 1984 par Watanabe *et al.*[1], les élèves de huitième année (13-14 ans) sont souvent incapables de se servir des titres ou d'autres éléments externes au texte pour se créer un cadre de référence, se construire un horizon d'attentes. Ainsi, la plupart de ces jeunes n'ont aucune idée de ce que contient le texte qu'ils s'apprêtent à lire. L'accès à la signification du texte est donc généralement plus laborieux. Nous, en tant que lecteur ou lectrice d'expérience, nous n'éprouvons plus ce genre de problème de lecture sauf s'il s'agit d'un texte d'un nouveau genre, par exemple lorsque nous lisons pour la première fois un roman faisant partie du courant « nouveau roman ». Pensons à des auteurs comme Nathalie Sarraute ou Alain Robbe-Grillet.

Cette situation est toujours très répandue dans nos écoles. Beaucoup de jeunes choisissent leurs livres selon la grosseur des caractères, la quantité d'illustrations ou l'épaisseur du livre. Leurs critères de sélection ne les dirigent pas nécessairement en ligne droite vers une lecture réussie et intéressante…

En résumé, les cadres de référence sont des représentations de connaissances qu'un individu a sur le monde. Ils nous permettent donc de percevoir, d'agir et de comprendre le langage commun. Nous, enseignantes, nous pouvons constater tous les jours ou presque que les jeunes ne possèdent pas toutes les connaissances nécessaires pour utiliser les cadres de référence adéquatement. Ils ne saisissent pas les indices mis à leur disposition qui leur permettraient d'activer les cadres de référence appropriés.

---

1. P. WATANABE, C. HARE et M. WOOD, « Predicting News Story Content from Headlines: An Instructional Study », *Journal of Reading*, vol. 27, n° 5, 1984, p. 436-443.

Amusons-nous un peu

Afin de bien saisir la portée du rôle joué par le cadre de référence dans le processus de compréhension en lecture, voici un court texte. Je vous invite à le lire avec toute votre attention. Par la suite, vous devrez le résumer en deux ou trois phrases afin de vérifier si vous en avez bien compris le propos. Notez aussi vos réactions en cas d'incompréhension.

Si les ballons éclataient, le son ne pourrait pas se propager partout car tout serait trop éloigné de l'étage concerné. Une fenêtre fermée empêcherait aussi le son de se propager, étant donné que la plupart des édifices ont tendance à être bien isolés. Par ailleurs, vu que l'opération dépend d'un courant d'électricité, une coupure du fil poserait des problèmes. Évidemment, la personne pourrait crier mais la voix humaine ne peut pas porter aussi loin. Un autre problème est qu'une corde peut casser sur l'instrument, alors il n'y aurait pas d'accompagnement à ce message. C'est clair que la meilleure situation consisterait en une distance réduite. Il y aurait alors moins de problèmes potentiels. Pour réduire au minimum le nombre de problèmes, il serait préférable d'avoir un contact direct.

(Bransford et Johnson (1972), traduction libre par Françoise Armand)

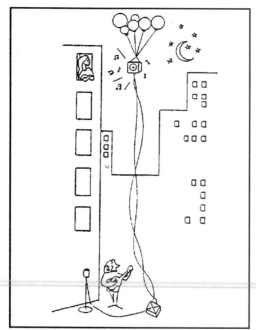

Extrait de : Bransford et Johnson (1972)[2]

Qu'avez-vous compris ? Difficile à dire, n'est-ce pas ? Ce texte est pourtant écrit en bon français, mais vous ne pouvez pas vraiment dire de quoi parle le narrateur. Cela ressemble à une devinette ! Maintenant, si je vous fournis le titre de ce texte, « Roméo moderne », et qu'en plus je vous montre l'illustration qui l'accompagne, tout le texte devient subitement limpide. Ce qui semblait obscur devient clair à la lumière du cadre de référence fourni par le titre et l'illustration.

Les jeunes lecteurs, par nature, se sentent régulièrement perdus devant un nouveau texte. Comme vous l'avez vous-même expérimenté, ils ressentent la désagréable impression de ne rien comprendre en lisant. Ces lecteurs sont ainsi souvent tributaires d'une intervention externe (enseignant ou enseignante, animateur ou animatrice) pour obtenir le cadre de référence nécessaire à la construction d'un horizon d'attentes.

L'anticipation, qu'est-ce que c'est finalement ?

L'anticipation en lecture, c'est la capacité de se construire, entre autres, un cadre de référence et, à partir de là, prédire le contenu du texte ou la suite du récit en cours. **Attention !** Prédire n'est pas deviner. Le lecteur se base sur des éléments tangibles pour anticiper. Il y a deux grandes catégories à partir desquelles il est possible de faire des prédictions. Elles sont fondées soit sur la structure du récit soit sur le contenu du texte. Dans son ouvrage traitant de la compréhension en lecture, Jocelyne Giasson[3] dresse une liste de sources possibles de prédictions en lecture.

2. J.D. BRANSFORD et M.K. JOHNSON, « Contextual Prerequisites for Understanding : Some Investigations of Comprehension and Recall », *Journal of Verbal Learning and Verbal Behavior*, no 11, San Diego, 1972, p. 717-726.

3. Jocelyne GIASSON, *La compréhension en lecture*, Boucherville, Gaëtan Morin éditeur, 1990, p. 138.

Prédictions sur les textes narratifs

1) Prédictions des événements fondées sur :
   a. le caractère des personnages ;
   b. la motivation des personnages ;
   c. les caractéristiques de la situation ;
   d. les indices présents dans le texte :
      – les illustrations,
      – le titre.
2) Prédictions à partir de la structure et fondées sur :
   a. la connaissance des genres littéraires ;
   b. les connaissances concernant la grammaire de récit.

On ne couvrira pas toutes ces catégories dans ce chapitre-ci. Ainsi, les prédictions fondées sur la connaissance des genres littéraires seront abordées dans le chapitre 4, consacré aux genres littéraires et aux structures de récit, et celles qui touchent aux personnages le seront au chapitre 2.

Pourquoi est-ce important de pouvoir anticiper ce qu'ils vont lire ?

Rendre les jeunes capables d'anticiper ce qu'ils vont lire, c'est les rendre plus autonomes. En acquérant cette autonomie, ils ont moins besoin d'une animation externe pour rendre un livre intelligible et intéressant. Les chances d'un bon choix de livre à la bibliothèque ou ailleurs sont plus grandes et les lectures réussies deviennent une expérience plus fréquente. Ainsi, « Plus on lit, plus c'est facile ; plus c'est facile, plus on lit. »

Comment faire et par où commencer ?

C'est bien joli tout cela, me direz-vous, mais par où commencer ? Et pourquoi pas par le commencement, c'est-à-dire par le cadre de référence que nous livre l'extérieur du livre. Après tout, avant d'être lu, un livre n'est-il pas d'abord un objet que l'on peut regarder et toucher ? Les divers éléments qui constituent son apparence externe révèlent déjà des indices quant au contenu, au genre, au(x) personnage(s) mis en scène, etc. Tout un réseau de significations et de schémas s'activent, ce qui aiguille le lecteur dans sa lecture. Plus il aura de renseignements, plus sa compréhension du récit en sera facilitée.

Cet encadrement est là pour remplacer peu à peu l'animatrice ou l'enseignante dans leur fonction de guide. Par ses différents éléments, il crée un horizon d'attentes, active les schémas adéquats et facilite ainsi la compréhension du récit à venir. Cette information fournie par la page couverture se nomme le paratexte en littérature. Le paratexte se compose d'un ensemble de signes qui ont pour fonction première de présenter, d'encadrer un texte : titre, sous-titre, illustrations, etc. Les éditeurs font tout pour rendre leurs livres attrayants. Ils nous donnent une foule de renseignements alléchants sur le contenu du livre afin de nous inciter à l'ouvrir, à le lire et, par ricochet, à l'acheter… Alors, aussi bien s'en servir !

Je vous propose donc de me suivre dans une visite guidée de ce chapitre où nous nous attarderons sur chacun des éléments du paratexte. Nous verrons leur utilisation possible comme moyen d'anticipation ou comme porte d'entrée du récit à venir.

Des suggestions pour présenter les activités d'anticipation aux jeunes lecteurs

Les activités d'anticipation suggérées plus loin n'ont pas à être réalisées les unes à la suite des autres. Les jeunes se fatiguent de toujours faire la même chose. Quand ils vous voient arriver avec un livre à la main, ils se disent qu'il y aura encore un travail à faire. Il ne faut surtout pas mettre de côté le simple plaisir de lire. Tous les jeunes du primaire, même ceux de sixième année, adorent se faire lire des histoires, se laisser envoûter par l'univers décrit dans un livre. Alors, profitons-en.

Cela aussi donne le goût de lire. De simples questions, réflexions personnelles ou commentaires faits à haute voix avant et pendant la lecture amènent les jeunes à réfléchir à ce qu'ils sont en train d'écouter. Plus tard peut-être, enfin on le souhaite, ils transféreront cette habileté dans leur lecture personnelle.

Je travaille à développer la capacité d'anticipation des élèves tout au long de l'année. J'y reviens régulièrement, environ une ou deux fois par semaine, de façon plus structurée, mais avec des approches et des activités variées. J'ajuste toujours mes interventions en fonction de l'intérêt et des réactions du groupe auquel je m'adresse. Quelquefois, j'organise une activité très brève faisant appel à l'oral seulement. D'autres fois, l'écrit est mis à contribution. Parfois, c'est juste un point particulier que l'on essaie d'élucider, et parfois il y en a plusieurs. Peu importe l'approche, qu'elle soit coopérative, par projets ou traditionnelle, toutes ces activités tournent autour d'un perpétuel questionnement sur ce qui se cache dans un livre. Je vous recommande d'aller du plus simple au plus complexe : où et quand se déroule l'histoire ; qui est le héros, quels sont ses buts, ses motivations, les moyens possibles qu'il met en œuvre pour les atteindre, etc. ? À vous de juger. Adaptez votre intervention selon le livre présenté.

Si la manière de présenter une activité d'anticipation varie beaucoup, la démarche reste toujours la même. Je privilégie la démarche scientifique : hypothèse, expérimentation-vérification de l'hypothèse énoncée et évaluation-ajustement. Voir pourquoi nous avons fait une bonne ou une mauvaise prédiction fait partie de l'apprentissage et nous aide à mieux réussir la prochaine fois. Malheureusement, nous escamotons trop souvent cette dernière étape pourtant fort importante. C'est dommage, car elle sert justement à intégrer et mieux comprendre la matière vue. Quant à l'expérimentation, elle s'effectue au cours de la lecture. Nous combinons ainsi l'expérimentation avec la vérification.

La couverture

La couverture est formée de quatre « pages ». Sur la première page, nous retrouvons le titre souvent accompagné d'une illustration, le nom de l'auteur ou auteure, le nom de la collection, de la maison d'édition, etc. Les deuxième et troisième pages de la couverture sont à l'intérieur du livre. Elles sont parfois agrémentées de motifs faisant référence au récit, dans les albums, mais très rarement dans le cas des romans. Enfin, sur la quatrième page (appelée quatrième de couverture), on retrouve souvent :

1. un résumé alléchant du récit du livre ;
2. la présentation de l'auteur, de l'illustrateur ;
3. des titres de cette collection ;
4. un dessin ou la suite de l'illustration de la première de couverture ;
5. parfois, il n'y a rien.

Activités d'exploitation

📖 Dans ce livre il y a...

Objectifs	• Exprimer son opinion • Anticiper le sujet et les aspects traités dans un texte • Situer le contexte, les personnages et les péripéties • Sélectionner et catégoriser les renseignements
Matériel	• Albums ou romans ayant des illustrations et des titres intéressants • Fiche n° 1 agrandie: *Qu'est-ce qu'il y a dans ce livre?*

Déroulement

Organisation physique

1. Faire asseoir les jeunes en grand groupe dans le coin où vous lisez des histoires. Dans les classes plus avancées, les élèves peuvent s'asseoir à leur pupitre.

2. Faire lire le titre en cachant l'illustration.

3. Les élèves tentent d'expliquer le contenu du livre en justifiant leur réponse.

4. Montrer l'illustration et faire l'ajustement des hypothèses. Les élèves justifient leur réponse en se servant des éléments du titre ou de l'illustration.

5. Tenter de remplir collectivement la fiche n° 1 *Qu'est-ce qu'il y a dans ce livre?*

Expérimentation

6. Lire l'histoire à haute voix.

7. Vérifier si les élèves avaient bien trouvé le contenu de l'histoire en comparant le contenu de la fiche-questionnaire et celui du livre.

Évaluation-ajustement

8. Évaluer si les indices présents sur la page couverture permettaient de trouver les bonnes réponses et déterminer ce qui a induit les jeunes en erreur.

Commentaire

Évidemment, il est impossible de remplir toute cette fiche avec seulement les indices fournis sur la page couverture. L'important, c'est de meubler l'horizon des attentes des jeunes le plus adéquatement possible. Si de mauvaises hypothèses sont élaborées, mais pourraient être plausibles, je les considère comme justes. ◼

📖📖 Constellation⁴ du cadre

Objectifs	1, 3 et 6
Matériel	• Album ou roman qui nous permet d'établir facilement le cadre (comme l'album *Les fantaisies de l'oncle Henri*) • Fiche n° 2 *La constellation du cadre*

---

4. « Constellation » est le terme employé par Jocelyne Giasson pour identifier cette technique de réflexion.

Commentaire

Je me limite parfois à trouver le cadre où se déroulera le récit. J'amène les jeunes à le décrire le plus possible. Nous trouvons d'abord le temps et le lieu. À partir de là, nous utilisons la technique de la constellation. Nous pouvons remplir cette fiche en tout ou en partie. ∎

L'activité

Séparez votre groupe en équipes de deux ou trois. Chaque équipe sera responsable d'une section de la fiche de travail. Au moment de la vérification des hypothèses, toutes les réponses acceptées doivent être justifiées d'après les illustrations ou le texte. Cela incite les élèves à limiter leur recherche dans le domaine du possible. À la fin, une vue d'ensemble de ce que pourra être le récit est obtenue.

Commentaire

Je vous conseille de présenter une section de la constellation à la fois. Les élèves, peu importe leur âge, vont mieux saisir ce que vous attendez d'eux. Si vous exigez tout ce travail d'un bloc la première fois que vous travaillez avec les constellations, vous risquez de perdre l'intérêt des élèves. Vous passerez ainsi à côté de votre objectif premier, celui de leur faire aimer les livres. ∎

ACTIVITÉ 3   Durée : 30 min

📖📖 Constellation du héros

Objectifs	1, 3 et 6
Matériel	• Album ou roman où le héros est facilement identifiable, (ex. : *Une gardienne pour Étienne*) • Fiche n° 3 *La constellation du héros*

Une démarche similaire à celle de l'activité « Constellation du cadre » (p. 9) est adoptée. Cette fois-ci, nous cernons le personnage principal : ses caractéristiques physiques, ses émotions possibles, ses qualités et ses défauts.

ACTIVITÉ 4   Durée : 15 à 20 min

📖 Penser, partenaire, parler

Objectif	1
Matériel	• Album ou roman dont le cadre ou le héros est présent sur la page couverture (ex. : *Les fantaisies de l'oncle Henri*)

Commentaire

Les premières fois que vous faites des activités portant sur l'anticipation, il peut être suffisant de répondre à une seule question. Vous pouvez vous servir des questions sur les fiches de constellation du cadre ou du héros (*Voir fiches reproductibles n° 2 et n° 3*.) ∎

L'activité

D'abord, vous posez une question à tout le groupe comme : « Qui est le héros de cette histoire ? » ou « Quelles sont les qualités possibles du héros ? Justifiez votre réponse. » Ensuite, vous leur donnez une minute pour réfléchir. Puis, chacun ou chacune se tourne vers son voisin ou sa voisine et lui dit sa réponse. Finalement, le groupe classe trouve des réponses plausibles et procède à la vérification de ses hypothèses en lisant ladite histoire. N'oubliez surtout pas la période d'objectivation à la toute fin !

Tout le monde a eu la chance de donner son opinion en très peu de temps.

Parfois, les enfants ne trouvent rien à dire, n'ayant aucune idée du contenu du livre. Cela est possible, et parfois même inévitable. Pour faire ce genre d'activité, il faut absolument que l'erreur soit permise et acceptée par l'enseignante et surtout par les élèves. C'est souvent par nos erreurs que nous apprenons. ■

Réinvestissement

ACTIVITÉ 5 — Durée : 2 sessions de 15 min

📖 Retour de la bibliothèque

Objectifs	1, 3 et 6
Matériel	Un livre par élève

Au retour de la bibliothèque, j'invite quelques élèves seulement, autrement ce serait trop long, à nous lire le titre de leur livre et à anticiper ce qui se cache à l'intérieur. Ils le lisent ensuite à la maison. Enfin, au moment d'un retour sur cette activité, ils nous disent si leurs hypothèses étaient exactes ou non.

ACTIVITÉ 6 — Durée : 5 à 30 min

📖 À qui le titre ?

Objectifs	1, 3 et 6
Matériel	• Série de livres • Cartons-étiquettes ou liste des titres (Les cartons-étiquettes sont utilisés pour la variante et pour cacher le titre des livres.) • Pochettes en plastique transparent

Préparation

Pour construire un jeu d'appariement « À qui le titre ? » :
- cachez les titres sur la page couverture et sur l'épine à l'aide de cartons ;
- numérotez les livres ;
- dressez une liste des titres sur une feuille et photocopiez-en une par équipe ou par élève ;
- étalez les livres sur un présentoir ou le rebord du tableau.

L'activité

Les enfants retrouvent la page couverture correspondant aux différents titres inscrits sur leur feuille. Au moment du retour, ils doivent pouvoir justifier leur réponse.

Variante

Donnez à chaque enfant de votre groupe un titre inscrit sur un carton ou un livre inséré dans une pochette en plastique transparent, ne laissant voir que l'illustration. N'oubliez pas de cacher également la quatrième de couverture et le titre qui se trouve sur l'épine du livre. À votre signal, les élèves circulent dans la classe pour trouver celui ou celle qui détient l'item qui s'apparie avec le leur.

Une fois leur partenaire trouvé, les élèves tentent de découvrir le contenu de ce livre d'après la page couverture. À deux, ils remplissent la fiche n° 1 *Qu'est-ce qu'il y a dans ce livre ?* ou une grille de constellation. Ou encore, ils lisent tout simplement le livre à deux.

ACTIVITÉ 7　　　　　　　**Durée : 15 à 20 min**

Découvrez le titre

Objectifs	2 et 4
Matériel	Album ou autre courte histoire (nouvelle)

Vous lisez une histoire et vos auditeurs doivent en découvrir le titre. Pour que leur suggestion soit retenue, ils doivent pouvoir justifier leur proposition. Certains titres seront sans doute tout à fait acceptables même s'ils sont différents du titre réel du livre lu. Pensez à souligner les bonnes trouvailles ! Leurs idées peuvent être géniales, même si l'auteur ou auteure n'y a pas pensé...

ACTIVITÉ 8　　　　　　　**Durée : 30 à 40 min**

Lecture à haute voix

Objectifs	2 et 4
Matériel	Album

Commentaire

Pour cette activité, je choisis un album ayant un nombre de pages équivalent au nombre d'équipes de deux enfants. Les albums de Robert Munsch sont très bien pour ce genre d'activité : le texte est entièrement écrit sur la page de gauche et l'illustration qui l'accompagne est sur la page opposée. D'autres albums sont également conçus de cette manière.

Chaque équipe a entre les mains la seule page concernant sa tâche de lecture. (Moi, j'ai défait un vieil album.) Je ne leur dévoilerai le titre du livre qu'à la toute fin de l'activité. Pendant leur pratique de lecture ou au moment de la mise en commun, les élèves tentent de découvrir le titre de l'histoire. Certains enfants l'ont certainement déjà lue auparavant. Bien sûr, vous aurez d'abord pris soin de discuter en groupe de la lecture à haute voix ainsi que de la façon de bien s'exercer avec un partenaire[5]. ■

L'activité

Groupez les enfants en équipes de deux. Donnez-leur une quinzaine de minutes pour s'exercer à lire. Au moment du retour en grand groupe, un membre de chaque équipe lit son texte. Le choix du lecteur ou de la lectrice

---

5. Lecture à haute voix avec une approche coopérative : **a)** Les deux membres de l'équipe se choisissent un numéro : 1 ou 2. **b)** Le numéro 1 lit alors que son ou sa partenaire l'écoute et l'aide pour certains mots au besoin. **c)** Le numéro 2 commente positivement la lecture de son ou sa partenaire et lui suggère des pistes pour s'améliorer. **d)** Les deux partenaires échangent leur rôle jusqu'à ce que chacun ou chacune ait lu trois fois l'extrait.

Chapitre 1

se fait au hasard. Par exemple, vous pouvez décider que les élèves qui ont les yeux les plus clairs dans les équipes liront. Si je tiens à entendre certains enfants, je choisis un critère de sélection qui leur est commun. Par exemple, ces enfants peuvent porter quelque chose de rouge cette journée-là...

À la fin, vous avez lu une histoire collectivement. Si des élèves ont trouvé le titre, demandez-leur quels indices leur ont permis de le découvrir. Sinon, quelles propositions de titres suggèrent-ils et pourquoi?

Extrait de: *De la petite taupe qui voulait savoir qui lui avait fait sur la tête,* Les 400 coups.

Quelquefois, il ne faut pas se surprendre, l'activité d'anticipation ne marche pas. Voici un livre avec lequel ce genre d'activité n'a pas fonctionné du tout: *De la petite taupe qui voulait savoir qui lui avait fait sur la tête.* Cette difficulté était voulue, question de s'amuser un peu...

Des francophones auraient pu mieux saisir le sens du titre et faire le lien avec l'illustration mais, pour des anglophones ou des allophones, c'est une tâche très difficile, pour ne pas dire impossible. Et une histoire comme celle-là, ça ne se raconte pas dans une classe! (Toujours d'après les élèves...)

Prolongement créatif

Plus tôt, je vous ai parlé de la distinction entre anticiper et deviner. Bien qu'anticiper soit important, deviner est amusant. Ce type d'activité stimule la créativité des jeunes.

ACTIVITÉ 9 **Durée: 30 à 60 min**

Donne-moi un titre, je t'invente une histoire

Objectif	3
Matériel	• Album ou collection de livres • Un assortiment de trois crayons de couleur par équipe

Maintenant que les jeunes connaissent un peu plus le rôle des titres dans les récits, mettez des titres dans une boîte, par exemple ceux d'une collection inconnue des élèves, et pigez-en un. Vous pouvez aussi montrer l'illustration d'une page couverture pour les aider à mieux situer l'action de leur récit. Dans ce cas, en groupe, discutez brièvement des personnages et du cadre de l'action avant de commencer l'écriture.

En équipes de deux ou trois, les jeunes doivent composer une histoire qui se rapporte au titre pigé. Cette activité peut se faire à l'oral ou à l'écrit. Quand je fais cette activité à l'écrit, je demande à chaque membre de l'équipe d'utiliser un crayon d'une couleur différente. Ainsi, je peux vérifier rapidement la participation de chacun ou chacune.

Pour réaliser cette activité, accordez 10 à 15 min à l'oral et 20 à 30 min à l'écrit. Ensuite, procédez à une mise en commun. Chaque équipe lit ou dit son histoire. Acceptez les commentaires constructifs de l'auditoire. Au moment de cette discussion, les objectifs des critiques en herbe sont de féliciter les auteurs et auteures pour leurs bonnes trouvailles et de les conseiller pour leurs prochaines productions.

En conclusion, lisez ce que l'auteur ou l'auteure a écrit à partir de ce titre en leur précisant que toutes leurs idées étaient bonnes. Ne vous étonnez pas trop du fait qu'ils préfèrent parfois leurs idées !

Variante

Chaque équipe peut avoir un titre différent et nous présente son histoire. Laissez ces livres à la disposition des jeunes. Ils auront sans doute la curiosité d'aller lire la production de l'auteur ou auteure. Lorsque vous lirez une de ces histoires, commencez par celle imaginée par les enfants.

La quatrième de couverture entre dans la ronde

Examinons à présent la quatrième de couverture, celle qui présente souvent un résumé alléchant de l'histoire. En prenant connaissance du résumé, les jeunes découvrent une autre façon de savoir ce qui se cache dans un livre. Ainsi, avant de lire le livre, nous pouvons confronter les hypothèses élaborées à partir du titre et de l'illustration avec le résumé. Quelquefois, les enfants ne veulent pas connaître le résumé afin de conserver tout le suspense de l'histoire.

Activités d'exploitation

ACTIVITÉ 10	Durée : 30 min

📖 Êtes-vous un bon ou une bonne détective ?

Objectifs	• Exprimer son opinion • Anticiper le sujet et les aspects traités dans un texte • Sélectionner et catégoriser l'information
Matériel	• Album ou roman dont la couverture porte un titre, une illustration intéressante et un résumé de l'histoire (Ex. : *Une gardienne pour Étienne*) • Fiche n° 1 *Qu'est-ce qu'il y a dans ce livre ?* (Une copie grandeur normale par équipe et une copie agrandie ou sur transparent.)

Déroulement

Organisation physique

1. Groupez les jeunes en équipes de trois. Chaque membre de l'équipe se voit attribuer une tâche : le premier vient chercher la fiche, le suivant le crayon et la gomme à effacer, et le troisième trouve un endroit de son choix où travailler : à des pupitres, à une table, par terre... À tour de rôle, les membres de l'équipe devront écrire une réponse sur la fiche de travail.

2. Présentez la première et la quatrième de couverture d'un album ou d'un livre que vous vous apprêtez à lire et distribuez la fiche de travail.

Hypothèse

3. Les élèves ont entre 10 et 15 min pour remplir la fiche de travail.

4. Mise en commun des réponses sur une fiche de travail agrandie ou sur un transparent. Demandez toujours aux enfants de justifier leurs réponses. Quels indices leur permettent d'avancer ces hypothèses ?

Vérification

5. Lisez l'histoire à voix haute.

6. Vérifiez si les élèves avaient bien trouvé le contenu de l'histoire.

Évaluation-ajustement

7. Évaluez s'il était possible de trouver les bonnes réponses à partir des indices présents sur la page couverture et cherchez ensemble ce qui a induit les élèves en erreur.

Commentaire

Il est normal, je le répète, que les petits de première ou de deuxième année aient plus de difficulté à répondre à toutes les questions. L'important, c'est d'essayer et d'être capable de justifier ses réponses. ■

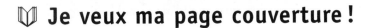

Réinvestissement

| **ACTIVITÉ 11** | **Durée : 5 à 10 min** |

📖 Je veux ma page couverture !

Objectifs	2, 4 et 6
Matériel ⊘	• Collection ou série de livres • Une transcription par équipe des résumés en quatrième de couverture dans un protège-feuille en plastique (*Voir un exemple fait avec la série Jiji, p. 41.*) • Feutre à l'eau

Commentaire

Pour présenter une collection de livres, voici une activité courte et efficace. Elle fonctionne très bien à tous les niveaux. Après cette animation, les enfants ont tous très hâte de lire cette collection. ■

L'activité

Distribuez une copie de la transcription des résumés et un feutre à l'eau par équipe. Disposez les livres sur le rebord du tableau ou sur un présentoir.

En équipes de deux ou trois, les enfants retrouvent le livre auquel les résumés appartiennent sans retourner lesdits livres. Ils justifient également leur réponse en soulignant les mots qui leur ont permis de trouver le bon livre.

Trouve-moi

Objectifs	2 et 6

Matériel ⊘

- Série d'illustrations tirées d'albums ou de romans (Insérer l'album dans une pochette de plastique transparent en cachant la légende qui l'accompagne.)
- Légendes des illustrations choisies transcrites sur des cartons individuels
- Feutres à l'eau
- Une série des mêmes livres disposés sur un présentoir ou le rebord du tableau

Commentaire

Voici une activité de renforcement et d'incitation à la lecture d'une série de livres. Cette activité peut servir de jeu pour former des équipes de deux. ■

L'activité

Chaque enfant de votre groupe a soit une illustration tirée d'un album ou d'un roman, soit une légende accompagnant une des illustrations sélectionnées (ou un extrait du roman représenté par l'illustration). Ensuite, les enfants trouvent leur partenaire et, ensemble, découvrent de quel livre leurs items sont issus. Les extraits sélectionnés doivent être représentatifs et identifiables d'après les indices présents sur la page couverture.

 La chasse aux livres

Objectifs	1, 3, 6 et 7
Ressource	Bibliothèque de l'école ou municipale

Organisez une chasse aux livres. Lors de votre prochaine visite à la bibliothèque, demandez à vos élèves de trouver un livre qui traite d'un thème particulier. Ça peut être un thème que vous travaillez en classe. Pour cette activité, je ne pense pas nécessairement à des textes informatifs. Les possibilités de thèmes varient à l'infini: l'image du père dans les albums, les toutous, etc. Toute la classe peut avoir le même thème ou chaque équipe peut en choisir un différent.

Si chaque équipe choisit un thème différent, de retour en classe, demandez aux élèves de déposer leur série de livres sur des tables différentes. Ensuite, les enfants circulent et feuillettent les différentes séries. Ils essaient de discerner le thème choisi. Au moment du retour en grand groupe, les élèves présentent leurs hypothèses et leurs justifications. Le tout se termine par une correction collective.

Prolongement créatif

À vos crayons

Objectif	1
Matériel	Album ayant un résumé en quatrième de couverture

Voici une variante de l'activité « Donne-moi un titre, je t'invente une histoire » (p. 13). Cette fois-ci, vous ajoutez le résumé aux indices déjà fournis (titre et illustration). Invitez les jeunes (en équipes de deux ou trois) à imaginer le récit. Ils peuvent le prédire ou tout simplement le composer. En raison des contraintes de temps, je vous conseille d'animer cette activité à l'aide d'un album, peu importe l'âge des élèves de votre groupe.

À la fin de l'activité, chaque équipe présente son histoire. Vous pouvez voir si les récits composés par les jeunes collent ou non aux éléments de départ. Je le répète, il est toujours bon de commenter positivement ou de donner une critique constructive aux élèves.

En conclusion, on lit l'histoire de l'auteur. Quelles équipes se sont le plus rapprochées de l'original ? La discussion est ouverte.

Influence sur leur production écrite personnelle

Étudier la littérature incite les élèves à exploiter leurs nouvelles connaissances dans leurs écrits. En classe, on écrit et on publie de petits livres d'histoire (publication maison, bien sûr). Regarder de plus près en quoi consiste une page couverture et son utilité pour le lecteur ou la lectrice a amené certains jeunes auteurs à garnir eux aussi leurs pages couvertures de ces éléments. Ainsi, après avoir appris à quoi sert le résumé, ils ont commencé à écrire de petits résumés à leur tour. Certains imitent même assez bien le style de ces résumés accrocheurs qui en disent suffisamment pour faire saliver ceux qui les lisent.

Et voici la table des matières qui se montre le bout du nez

Quittons quelques instants la page couverture du livre et allons fouiner à l'intérieur, mais à partir de la fin. Non, non, non ! Pas la fin du récit ! La page suivante, c'est-à-dire celle qui contient la table des matières. N'est-ce pas merveilleux d'avoir ainsi à la portée des yeux le contenu du récit qu'on s'apprête à lire, présenté de façon succincte, comme une sorte de radiographie de son squelette ?

Ainsi, par ce nouvel élément, les jeunes peuvent anticiper encore plus facilement la teneur d'un roman. Vous pouvez utiliser sensiblement les mêmes activités que celles proposées au sujet du titre, de l'illustration et du résumé.

Activités d'exploitation

ACTIVITÉ 15 — Durée : 30 min

📖📖 Êtes-vous un bon ou une bonne détective ? (Variante)

Objectifs	• Exprimer son opinion • Anticiper le sujet et les aspects traités dans un texte • Sélectionner et catégoriser l'information
Matériel	• Roman ayant un titre, une illustration, un résumé de l'histoire et une table des matières (Ex. : *Valentine Picotée*) • Une fiche n° 1 *Qu'est-ce qu'il y a dans ce livre ?* par équipe et une agrandie ou sur transparent

Déroulement

Le déroulement de l'activité est le même que celui de l'activité « Êtes-vous un bon ou une bonne détective ? » (p. 14) mais, au cours de la lecture, il est préférable de faire un retour régulier sur ce que les jeunes trouvent. Pendant la période d'évaluation, les jeunes prennent conscience qu'ils peuvent anticiper l'histoire avec plus d'exactitude.

Réinvestissement

ACTIVITÉ 16 — Durée : 10 min

📖 Table des matières cherche titre

Objectifs	1 et 4
Matériel ⊘	• Un roman • Une transcription de la table des matières

Commentaire

Cette activité sert d'amorce à la lecture d'un roman. ■

L'activité

Cachez le titre du roman et placez-le sur un présentoir ou sur le rebord du tableau.

Ne donnez aux élèves que la table des matières et l'illustration. En équipe ou individuellement, ils trouvent un titre qui pourrait correspondre à ces éléments. Au moment de la discussion qui suivra, les jeunes devront être capables de justifier le choix de leur titre. Bien sûr, plusieurs titres peuvent être appropriés. En conclusion, lisez ensemble le roman à l'étude.

Commentaire

Vous pouvez noter et conserver les titres trouvés pour créer une banque de titres à utiliser comme déclencheurs dans le cadre de futures productions écrites. ■

📖 Table des matières cherche page couverture

Objectifs	2, 4 et 6

Matériel ⊘
- Collection ou série de romans
- Une série de transcriptions des tables des matières par équipe

Disposez la collection ou la série de romans sur un présentoir ou le rebord du tableau. Associez les tables des matières avec les pages couvertures. Vous pouvez reprendre la démarche utilisée pour l'activité « Je veux ma page couverture ! » (p. 15). N'oubliez pas, les jeunes doivent toujours justifier leur choix.

📖📖 Dis-moi la suite

Objectifs	1 et 3
Matériel	Roman

Lisez ou faites lire individuellement ou en équipe le premier chapitre du roman. Pour les autres chapitres, révélez-en seulement le titre. Les jeunes anticipent le contenu de ce chapitre d'après le titre et leur lecture du chapitre précédent. Cette activité peut se faire à l'oral ou à l'écrit, en équipe ou individuellement.

📖📖 Donne-moi une table des matières

Objectifs	1, 3 et 6
Matériel	Roman

Commentaire

Avec les éléments du paratexte (titre, illustration, résumé), composez une table des matières. Cette activité est plus facile à faire en équipe. Pensez à faire une mise en commun des idées des élèves accompagnée de commentaires constructifs. ▪

L'activité

Cet exercice introduit l'idée de plan de travail auprès des jeunes. Ultérieurement, lorsqu'ils auront une histoire à composer, vous leur suggérerez de commencer par en écrire la table des matières.

Prolongement créatif

ACTIVITÉ 20
Durée : 45 à 60 min

📖📖 Attention, on écrit !

Objectifs	1 et 6
Matériel	Paratexte d'un roman

En équipes de deux ou trois, à l'oral ou à l'écrit, les élèves écrivent l'histoire d'après les éléments fournis par le paratexte. Ils doivent faire appel à leur imagination pour trouver le contenu de chacun des chapitres.

ACTIVITÉ 21
Durée : 4 à 5 sessions de 20 min

📖📖 Histoire en chaîne

Objectifs	1, 3 et 6
Matériel	Un ou des romans

Commentaire

Semblable à l'activité précédente, celle-ci permet de structurer davantage la façon d'écrire des enfants. En s'aidant des éléments du paratexte, les élèves composent une histoire collectivement. ▮

L'activité

Séparez votre groupe en équipes. Chaque équipe est responsable d'un chapitre. Quand la première équipe a terminé un chapitre, elle le remet à la suivante, et ainsi de suite, jusqu'à ce que le récit soit complété. Pour que toutes les équipes soient occupées à la même tâche en même temps, il peut y avoir autant d'histoires à composer qu'il y a d'équipes dans la classe. Vous pouvez écrire un chapitre par jour.

Variante

Chaque équipe écrit la même histoire, mais chaque membre de l'équipe est responsable d'un chapitre, un peu dans le style du jeu du « cadavre exquis ». Vous obtenez donc plusieurs versions inspirées des mêmes éléments.

En conclusion, les jeunes lisent aux autres ce qu'ils ont imaginé. Vous pouvez commenter leur création de façon positive. Quels éléments de leur récit sont plausibles compte tenu des éléments de base ? Quelles sont les bonnes trouvailles ?

Commentaire

L'objectif de ces activités peut être d'essayer de se rapprocher le plus possible de ce que l'auteur ou auteure a imaginé ou tout simplement d'inventer son propre récit en tenant toutefois compte des éléments fournis par le paratexte. Les jeunes auteurs bénéficient d'une structure de récit, ce qui les oblige à écrire une histoire plus structurée. C'est un élément à ne pas dédaigner ! ▮

Influence sur leur production écrite personnelle

Vous verrez apparaître de petits chapitres dans leur production écrite et les titres seront généralement plus pertinents. L'organisation de leur récit s'améliorera également ; elle sera plus structurée.

Les enfants aimeront aussi, lorsque vous arrêterez la lecture d'un roman (généralement à la fin d'un chapitre), que vous leur dévoiliez le titre du chapitre suivant, question de saliver avant de déguster…

Le nom de la maison d'édition, de la collection ou de la série : un élément parfois révélateur…

Si je vous mentionne les noms de certaines maisons d'édition ou de certaines collections, je suis certaine que quelques-uns inspireront votre confiance et que d'autres, peu importe le titre du roman présenté, ne vous intéresseront pas ou peu. Par exemple, si vous optez pour un roman publié chez Harlequin, vous savez à quoi vous attendre : un roman d'amour avec une structure de récit spécifique et des personnages prévisibles. Si l'ouvrage est publié par la Pléiade, vous prévoyez une certaine qualité d'impression et un contenu qui ne correspond pas à une recette, mais à une pléiade de classiques de la littérature, surtout française. Nos attentes face à la maison d'édition ou à la collection sont le fruit de notre expérience en lecture. On fait parfois confiance à la maison d'édition dont la plupart des romans nous ont plu, et ce, même si on ne connaît pas l'auteur ou auteure qu'elle nous présente. C'est un élément non négligeable au moment de la sélection d'un livre. Le hasard devient moins imprévisible… Ce qui me plaît ne plaît pas nécessairement à quelqu'un d'autre. Les jeunes ont aussi besoin d'être sensibilisés à cet autre élément qu'est la collection, qui peut les aiguiller dans leur choix. Pour ce faire, il faut leur présenter plusieurs collections, en leur indiquant que les livres qui font partie de chacune ont des caractéristiques communes.

Activités d'exploitation

Vous pouvez présenter les collections comme un ensemble de livres qui forment des familles. Comme dans une famille, les membres ont des traits communs, qui leur sont spécifiques, mais ils ont aussi des différences individuelles.

Vous pouvez également faire le rapprochement entre les livres et les objets de tout acabit collectionnés par les jeunes de votre groupe. Les jeunes aiment en parler, alors, invitez-les à vous les montrer ! Découvrez ensemble pourquoi nous appelons cela une collection. Il suffira par la suite de tout simplement transférer ces connaissances dans le domaine des livres. Facile à dire… Alors voici des activités pour parvenir à le faire.

Durée : 2 à 3 sessions de 15 min

ACTIVITÉ 22

📖📖 Pourquoi sommes-nous ensemble ?

Objectifs	• Exprimer son opinion
	• Établir des liens entre diverses expériences artistiques
	• Sélectionner et catégoriser l'information

Matériel	• Collection d'albums (ex.: « Drôles d'histoires » aux éditions de la courte échelle ou « Monstres, Sorcières et autres Féeries » chez Les 400 coups)
	• Longues bandes de papier ou de carton
	• Crayons feutres
	• Grand tableau : Hypothèse-Vérification-Ajustement (*Voir fiche n° 5*)

Déroulement

Hypothèse

1. En groupe classe, discutez de ce qui pourrait être le lien commun dans la collection présentée, d'après les titres et les couvertures. Notez ce que les jeunes disent sur des bandes de papier ou de carton et collez-les dans la section hypothèse du grand tableau.

Vérification

2. En équipe de deux à quatre élèves, les jeunes découvrent ce qui est semblable dans les livres qui leur sont présentés. Pour cela, ils doivent d'abord les lire. Après chaque période de lecture, prévoyez une brève période de discussion sur ce qu'ils ont trouvé. Chaque équipe note ses trouvailles sur une feuille de papier.

3. Mise en commun des trouvailles de toutes les équipes. Écrivez sur des bandes de papier ou de carton les trouvailles des jeunes. Vous pouvez transférer la bande de la colonne hypothèse dans la colonne vérification quand cette dernière est vérifiée et justifiée.

Ajustement

4. Animez une discussion pour voir ce qui est valable ou pas pour la majorité des albums de la collection et ce qu'on doit retenir dans la définition de cette collection. Transférez les items retenus dans la troisième colonne.

Commentaire

Je vous suggère fortement d'utiliser des albums pour présenter le concept de collection même si vous enseignez à un niveau de deuxième cycle. C'est beaucoup plus rapide et l'étape de la vérification est plus facile. Les collections de romans posent des difficultés additionnelles, car elles regroupent des récits d'un même genre littéraire ou d'une même difficulté de lecture, etc.

J'utilise souvent des grandes bandes de carton ou de papier pour écrire les remarques ou les trouvailles de mes élèves. Elles offrent une grande souplesse. On peut les changer de place ou de catégorie très rapidement.

Voici ce que nous avons découvert avec la collection « Drôles d'histoires » :
- même format de livre ;
- même facture pour la présentation graphique ;
- livres assez faciles à lire ;
- différents auteurs, mais quelques auteurs ont écrit plus d'un livre (ex.: Robert Munsch) ;
- même genre d'histoires (drôle et il y a des répétitions).

Évidemment, avec une classe de deuxième année, vous ne pouvez pas trouver tout ça en une seule activité. C'est au fil de la lecture des différents albums de la collection qu'on a pu remplir notre tableau. Prévoyez quelques périodes de 30 min. Avec les plus grands, le processus est plus rapide : une leçon de 45 à 60 min et le tour est joué !

Vous pouvez utiliser les mêmes activités avec une série, comme la série « Les aventures de Jiji et Pichou ». Les séries se limitent souvent à un auteur ou une auteure, et un personnage (Jiji de Ginette Anfousse, Simon de Gilles Tibo, Zunik de Bertrand Gauthier). Vous pouvez aussi les utiliser pour les romans qu'on trouve dans les collections-revues « J'aime lire » chez Bayard Presse ou « Nature jeunesse » aux éditions Michel Quintin. ■

Durée : 3 à 4 sessions de 20 min

ACTIVITÉ 23

📖 Affichette et commentaires

Objectif	8
Matériel	Une collection d'albums ou de romans

Pour chaque album lu, l'enfant dessine son passage préféré sur un carton (12 cm x 20 cm). Il écrit une ou deux phrases descriptives au bas de son illustration. À la fin de la période, assemblez tous ces cartons à l'aide de papier gommé de manière à créer un long accordéon. Répétez cette activité deux ou trois fois et l'accordéon fera peut-être la longueur de la classe !

Durée : 2 à 3 sessions de 30 min

ACTIVITÉ 24

📖📖 Pauses publicitaires

Objectifs	2, 3 et 8
Matériel	Une collection d'albums ou de romans

Invitez les enfants à jouer à partir des livres qu'ils aiment. Ils imaginent une présentation originale et amusante d'un livre de la collection à l'étude, à l'intention des autres élèves de la classe ou d'enfants plus jeunes. Ils peuvent utiliser des objets, en interpréter des extraits ou trouver n'importe quel autre moyen de présentation.

Durée : 2 à 3 sessions de 45 min

ACTIVITÉ 24 (VARIANTE)

Objectifs	2, 3, 8 et 9
Matériel	• Une collection d'albums ou de romans • Une caméra vidéo

Cette fois-ci, les enfants créent des publicités pour annoncer un livre ou une collection. Vous pourrez ensuite filmer leurs créations et les présenter aux autres classes.

Des animations diverses

La présentation d'une collection de livres à votre groupe s'étend sur une période de temps assez longue. Alors, une animation soutenue de votre part joue un rôle primordial dans le maintien de l'intérêt de vos élèves. Pour ma part, j'opte souvent pour de nombreuses petites interventions ponctuelles qui exigent un minimum de préparation et de matériel, tout en organisant en même temps des activités pour motiver la lecture autonome, activités qui s'étalent sur une période plus longue.

DES ANIMATIONS PONCTUELLES AVANT ET PENDANT LA LECTURE

ACTIVITÉ 25 | **Durée : 5 min**

📖 Fais comme moi !

Objectif	2
Matériel	Un album ou un roman

Le simple fait de lire aux enfants des albums ou des romans passionnants, qu'ils pourront à leur tour lire individuellement, contribue à entretenir leur intérêt. Cela facilite leur compréhension et, par ricochet, leur lecture. Après votre lecture, demandez aux enfants leur appréciation : « Avez-vous aimé ça ? Aimeriez-vous lire ce livre vous aussi ? Si oui, allez l'em-prunter à la bibliothèque. » Envoyez le premier volontaire immédiatement. Ou encore, dressez une liste d'attente de ceux que cela intéresse. Le premier sur la liste va emporter le livre à la maison le soir même. Lorsque sa lecture sera terminée, il le remettra à un autre élève, et ainsi de suite. Comme le dit le proverbe, il faut battre le fer pendant qu'il est chaud !

ACTIVITÉ 26 | **Durée : 10 à 20 min**

📖 Continue tout seul !

Objectif	2
Matériel	Un album ou un roman

Lisez seulement le premier chapitre ou le début d'un récit, juste assez pour bien démarrer la compréhension et attiser la curiosité de votre auditoire. Laissez les enfants terminer eux-mêmes l'album ou le roman.

Vous pouvez demander à des personnes de votre entourage ou à des parents d'enregistrer le premier chapitre sur une cassette audio.

Vous aurez ainsi une banque de cassettes qui aideront vos jeunes à démarrer leur lecture du bon pied.

Variante

Un élève peut jouer le rôle de lecteur pour aider un enfant plus faible à bien démarrer la lecture d'un récit.

📖 Je lis avec un ami

Objectif	2
Matériel	Un album ou un roman

Les jeunes qui éprouvent des difficultés en lecture peuvent lire avec un partenaire à la condition de leur enseigner comment le faire et comment s'entraider. Chaque membre de l'équipe lit sa page avec l'aide de son partenaire. S'il s'agit d'un roman, les enfants peuvent s'entraider en discutant ensemble des passages les plus difficiles à comprendre, un chapitre à la fois.

📖 Une expression idiomatique

Objectifs	1 et 8
Matériel	Un album ou un roman contenant une expression idiomatique ou dont le titre est une expression idiomatique

Tirez avantage d'une expression idiomatique servant de titre ou puisée du récit. Cette technique d'animation peut s'appliquer à plusieurs livres. Par exemple, avant de lire *Une petite course au bout du monde*, chaque enfant émet son avis sur l'endroit où se situe le bout du monde. «Que veut dire l'expression *au bout du monde* ? C'est quoi le bout du monde pour toi ?» Chacun nous révèle où se trouve **son** bout du monde.

📖 Peux-tu répondre à cette question ?

Objectifs	1 et 8
Matériel	Un album ou un roman dont le titre est une question

Si le titre est une question, essayez d'y répondre avant la lecture du livre, comme dans *Où est le thon ?* D'abord, clarifiez les mots du titre qui pourraient causer des difficultés, à l'aide de la page couverture. Ensuite, invitez votre auditoire à répondre à la question du titre. Pendant la lecture, vérifiez la justesse des réponses.

ACTIVITÉ 30
Durée : 5 min

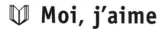

Une paire hors de l'ordinaire

Objectifs	1 et 8
Matériel	Un album ou un roman présentant deux éléments qu'on ne voit pas souvent ensemble

Comme amorce à la lecture, vous pouvez prendre deux éléments présents et importants dans un album et tenter de deviner ce qui pourrait les relier. Quand c'est possible, vous pouvez apporter ces objets en classe. Par exemple : «Qu'est-ce qu'un fermier fait avec une doudou? un fantôme avec une bicyclette? une maman avec un bébé alligator?» Inscrivez les bonnes trouvailles des enfants sur des petites cartes afin de créer une banque d'idées pour composer des versions originales. En conclusion, lisez le livre choisi à haute voix ou laissez les enfants le lire.

ACTIVITÉ 31
Durée : 5 min

Moi, j'aime

Objectifs	1 et 8
Matériel	Un album ou un roman où un objet est au centre du récit

Par exemple, avec *Un merveilleux petit rien*, vous pouvez montrer aux élèves votre doudou la plus douce et parler avec eux de leurs doudous préférées, des nouvelles comme des vieilles. Beaucoup d'albums et de romans se prêtent à ce genre d'animation prélecture. Pensons aux toutous et autres objets chéris de l'enfance.

ACTIVITÉ 32
Durée : 10 à 30 min

Qu'est-ce que tu ferais si...

Objectifs	1, 2, 3 et 8
Matériel	Un album ou un roman présentant une problématique intéressante

Certains albums ou romans contiennent au cœur de leur récit une problématique particulière et intéressante à débattre en grand groupe. Par exemple, dans *Le ballon rouge*, le petit garçon reçoit un ballon en cadeau, mais personne d'autre ne peut y toucher. Que feraient les enfants à la place du petit garçon? Dans *Le vrai père de Marélie*, l'héroïne orpheline cherche son père partout et le voit partout. Que feraient les enfants à sa place? Vous pouvez même arrêter votre lecture pour redemander leur opinion au fil des nouveaux événements qui surviennent pendant le récit.

DES ANIMATIONS À LONG TERME

Les animations servant à motiver la lecture peuvent être réutilisées régulièrement en y apportant de petites variantes.

Durée : Plusieurs sessions de 10 min

ACTIVITÉ 33

📖 Un passeport pour la lecture

Objectifs	2 et 8
Matériel	Une collection d'albums ou de romans

Affichez un passeport de lecture géant (inspiré des passeports de lecture de Communication-Jeunesse). Voici, à titre d'exemple, un passeport pour la collection « Raton laveur ».

Chaque enfant possède aussi son passeport de lecture dans lequel tous les titres de la collection sont inscrits. Après la lecture de chaque album, il inscrit son appréciation.

Au moment de la mise en commun, chaque enfant inscrit son appréciation sur le passeport agrandi. Ainsi, vous voyez rapidement quels albums sont les plus appréciés. Invitez ensuite les enfants à commenter quelques albums. Ils adorent exprimer leurs idées.

Spécial Raton laveur				Quel livre as-tu préféré ?
Rira bien				
Après la pluie, le beau temps				**Dessine ce que tu as aimé dans ce livre**
Au cinéma avec papa				
Au lit, princesse Émilie				
C'est pas juste				
Les grandes menaces				
Mais que font les fées avec toutes ces dents ?				
Nom de nom				
Le petit capuchon rouge				
Pourquoi les vaches ont des taches ?				
Qu'est-ce que vous faites-là ?				
Un prof extra				
La soupe aux sous				

Durée : 2 sessions de 15 min

ACTIVITÉ 34

📖 Mon défi, c'est...

Objectif	2
Matériel	Une collection d'albums ou de romans

Lancez un défi aux enfants. Combien de livres de cette collection pourront-ils lire pendant une période déterminée à l'avance ? Pour chaque livre lu, donnez aux élèves une étoile à coller dans leur passeport personnel afin de marquer leur appréciation. Ils peuvent aussi coller cette étoile sur une affiche et cette affiche deviendra le prix du tirage. En effet, je vous suggère de prévoir un prix relié au défi de lecture. Il peut prendre la forme d'un tirage d'un cadeau parmi tous ceux qui ont réussi leur défi ou encore d'une petite récompense remise à tous ceux qui complètent leur défi.

Pour chaque livre lu, donnez-leur un morceau d'un casse-tête représentant la page couverture d'un des albums ou romans à lire. Si les élèves travaillent en équipe (deux ou trois), ils vont se motiver mutuellement à lire afin de terminer leur casse-tête le plus tôt possible.

L'anticipation

Commentaire

Pour ma part, je propose le défi de lecture tout au long de l'année. J'établis des échéances mensuelles. C'est bon pour la lecture et c'est aussi excellent pour développer le sens de l'organisation et saisir l'importance de la planification. Les enfants qui décident de lire six « romans de transition » ou premiers romans en quatre semaines ne devront pas attendre à la dernière semaine pour commencer leur lecture. Les prix ou récompenses pour ceux et celles qui ont su relever leur défi varient d'un mois à l'autre. ■

Durée : 20 à 30 min	60 min
pour la préparation des questions par les enfants	*pour le jeu*

ACTIVITÉ 35

📖 Jeu-questionnaire

Objectifs	2 et 8
Matériel	Une collection d'albums ou de romans

Organisez un jeu-questionnaire collectif pour clore un festival de littérature. Pour chaque livre lu, les enfants composent des questions qui serviront au cours du jeu de clôture. Les questions touchent au contenu des albums, au vocabulaire, aux thématiques abordées, aux personnages, etc. Rien n'empêche l'animatrice ou l'enseignante de préparer aussi des questions. Transcrivez toutes les questions sur de petits cartons.

Groupez les enfants en équipes de quatre ou cinq. À tour de rôle, les équipes doivent répondre à une question. Chaque bonne réponse donne le droit de jeter le dé et permet la progression du jeton de l'équipe sur la planche de jeu. Vous pouvez utiliser un jeu d'échelles et serpents géant décoré d'illustrations rappelant les titres de la collection.

Variante

Pour chaque bonne réponse, l'équipe reçoit un morceau de casse-tête représentant une des pages de couverture d'un livre de la collection ; la première équipe qui complète son casse-tête gagne.

Après utilisation en grand groupe, ce jeu peut être laissé à la disposition des jeunes, si les réponses sont inscrites sur les cartons de questions. Il devient ainsi un jeu autocorrecteur.

Et l'auteur dans tout cela ?

Avec l'illustrateur ou l'illustratrice, l'auteur ou l'auteure occupe certainement une place de choix au moment de la présentation d'un livre. Ne mentionner que son nom semble être un minimum. Les enfants apprennent à connaître un peu plus cette personne qui a si bien su captiver leur attention et alimenter leur imagination. Lorsqu'ils ont beaucoup aimé une histoire, annoncez-leur que vous leur lirez un autre album ou roman écrit ou illustré par la même personne le lendemain. Soyez attentive à leur réaction. Je suis certaine qu'ils seront déjà très enthousiastes à l'idée d'entendre votre prochaine lecture et d'admirer les illustrations.

Beaucoup d'auteurs écrivent pour différentes clientèles : des albums, des premiers romans, des romans un peu plus étoffés et des romans pour adolescents. Si un enfant aime beaucoup les Jiji de Ginette Anfousse, peut-être aura-t-il la curiosité de lire ses Arthur, puis ses Rosalie et ensuite ses romans destinés aux adolescents...

Présenter plus concrètement la personne qui a écrit ou illustré un roman incite les jeunes à lire ce qu'elle écrit. Ça ne veut pas nécessairement dire qu'ils vont aimer son roman, mais leur curiosité sera piquée.

Où trouver...

- S'il s'agit d'auteurs d'ici, Communication-Jeunesse pourra probablement répondre à vos questions. Vous pouvez acquérir, moyennant quelques dollars, une série de fiches-auteurs.
- La revue *Lurelu*, qui traite de littérature pour la jeunesse, présente dans chaque numéro une entrevue avec un auteur ou une auteure ou un illustrateur ou une illustratrice. Notez que la publication d'une entrevue avec un auteur ou une auteure peut devenir prétexte à la présentation de son œuvre.
- La revue *Québec-Français* consacre dans chaque numéro des articles portant sur la littérature pour la jeunesse et présente également une entrevue avec un créateur ou une créatrice : un auteur ou une auteure, ou un illustrateur ou une illustratrice.
- Surveillez aussi la section « Livres » des grands quotidiens. On y traite parfois de littérature pour la jeunesse. Certains auteurs nous sont présentés à l'occasion, surtout au moment de la remise de prix prestigieux tel celui du gouverneur général.
- Les visites d'auteurs sont aussi un bon moyen de susciter la lecture et de rendre plus personnelle, plus intime, par la suite la relation lecteur-auteur. Pour retirer le maximum de bénéfices de cette visite, préparez-la avec soin. Après avoir lu ses livres, organisez une surprise pour votre invité. Faites participer les enfants à la préparation de cette visite. Plus ils seront impliqués dans l'organisation de cette rencontre, plus elle les enrichira.
- Si vous pouvez vous y rendre avec les enfants, les salons du livre représentent aussi une excellente occasion de rencontrer des auteurs ou des illustrateurs.
- Vous pouvez aussi utiliser la quatrième de couverture ou une brève présentation insérée à l'intérieur d'un livre pour découvrir un petit coin de la vie des auteurs et des illustrateurs.
- Certains sites Internet offrent une alternative intéressante. Je vous conseille de faire votre recherche en utilisant le nom de l'auteur ou de l'illustrateur.
- Finalement, pour obtenir de plus amples renseignements sur un auteur en particulier, vous pouvez toujours vous adresser aux maisons d'édition qui les publient. Par contre, il s'agit d'un procédé un peu plus long.

Quand les jeunes connaissent un auteur ou ont l'impression de le connaître, ils ont tendance à rechercher ses livres à la bibliothèque ou dans une librairie. Soyez certaine d'une chose, lorsqu'un ou une de vos élèves met la main sur un roman ou un album étudié en classe, il se fait un plaisir de vous présenter sa trouvaille. Et tous les autres élèves ont hâte de lire ou d'entendre ce qui se cache sous cette couverture.

Personnellement, je parle tous les jours des auteurs ou des illustrateurs. Souvent, je ne fais que mentionner leur nom. Parfois, je les présente plus en profondeur. Si on travaille un personnage sériel ou un certain type de récit dans lequel certains auteurs se spécialisent, on ne peut faire autrement que de parler d'eux. Aussi, parfois, on se fait tout simplement plaisir en les lisant ou seulement en les regardant. Je pense ici à la série Madame Ming de Sharon Jennings, qui comporte de merveilleuses illustrations faites par Mireille Levert. On observe le style du dessin, la rondeur des formes, la fantaisie des éléments secondaires et la palette de couleurs de l'illustratrice. On s'amuse à la découvrir davantage et à ainsi mieux se l'approprier. Attention ! Ne lisez pas tous les livres de la série ! Laissez aux enfants le plaisir de les lire individuellement, de les découvrir eux-mêmes. Dans ma classe, les élèves reconnaissent tout de suite les illustrations de Mireille Levert.

Activité d'exploitation

Voici une activité qui demande beaucoup de préparation de la part des enfants. Il leur faut beaucoup de temps de lecture et de recherche. Cette activité permet à vos élèves de présenter des auteurs et des illustrateurs au reste de la classe. Elle ne suivra donc pas le déroulement habituel « hypothèse-vérification ajustement » parce que, avant de pouvoir anticiper le contenu ou le genre de récit d'un auteur, il faut d'abord le connaître.

Durée : 5 min
par enfant ou équipe qui présente

ACTIVITÉ 36

L'auteur que je préfère

Objectifs	• Exprimer sa réaction à un ou des textes
	• Exprimer et justifier son point de vue sur un ou plusieurs aspects d'un ou plusieurs récits
	• Sélectionner et catégoriser l'information

Matériel	Des livres de l'auteur à présenter

Déroulement

Préparation

Chaque enfant aura lu au préalable les livres écrits par l'auteur qu'il veut présenter.

L'activité

1. Invitez les enfants à venir présenter leur auteur ou auteure préféré devant la classe. Ce travail peut se faire individuellement ou en équipe. Les enfants doivent se remémorer les livres qu'ils ont lus et ont bien aimés. Ensuite, ils peuvent aller vérifier qui les a écrits et commencer leur recherche à partir de là.

Variante

Vous pouvez utiliser la vidéo comme élément pour motiver les enfants. Par exemple, invitez-les à préparer une émission spéciale sur leurs auteurs préférés. Elle sera le résultat de leurs recherches et sera par la suite disponible à la bibliothèque.

Pistes de travail suggérées

Les enfants peuvent préparer une devinette du type « Qui suis-je ? » pour présenter leur auteur fétiche. Ensuite, ils peuvent nous parler de leur livre préféré, de la manière dont ils l'ont découvert, de ce qu'ils aiment de ce livre (les personnages, la façon dont il est écrit, le genre littéraire utilisé : roman policier, d'aventures, d'amour, fantastique, d'humour, etc.), pourquoi ils le recommandent à leurs amis, etc. Les enfants peuvent même lire un petit extrait du livre qu'ils ont choisi ou reprendre un jeu déjà fait en classe. Ça peut être un auteur ou une auteure qu'ils lisent présentement ou qu'ils ont lu ou lue quand ils étaient plus jeunes.

L'activité

2. L'enfant ou l'équipe présente son auteur ou auteure aux autres. Ses livres ou ses illustrations peuvent servir comme support visuel.

3. On peut prévoir une période de questions et de commentaires constructifs.

Réinvestissement

Voici une activité qui peut servir de conclusion à une session. Il faut bien sûr avoir eu le temps de présenter plusieurs auteurs et illustrateurs avant de mettre en branle cette activité.

ACTIVITÉ 37   Durée : 30 à 60 min

Qui suis-je ?

Objectifs	2 et 9
Matériel	Une série d'albums ou de romans

Groupez les enfants en équipes de trois ou quatre et faites-les asseoir en cercle. Chaque enfant se choisit un numéro entre un et trois ou quatre, selon le nombre de membres dans l'équipe. Avant chaque réponse, les membres de chaque équipe peuvent se consulter pendant 30 s. Après cette période de consultation, il faut déterminer quelle équipe va répondre et qui dans l'équipe va donner la réponse à haute voix. Voici un truc que j'utilise : je jette deux dés de couleurs différentes. Un dé désigne l'équipe, l'autre le membre de l'équipe qui va répondre.

Lisez une devinette qui comporte des indices, par exemple : « Qui suis-je ? J'ai écrit et illustré plusieurs albums dont le héros est un petit garçon d'environ cinq ans. Dans un des albums, il a essayé de compter les flocons de neige, mais il n'a pas réussi. » (Réponse : Gilles Tibo[6].)

Les enfants doivent tenter de deviner comment s'appelle la personne-mystère. Après une tentative, ils peuvent poser deux questions fermées, c'est-à-dire dont la réponse ne peut être que oui ou non. Le nombre de points accordés pour la réponse diminue bien sûr au fur et à mesure que le nombre d'indices donnés augmente. Si l'équipe s'avère incapable de fournir la bonne réponse, une autre équipe répond à sa place et obtient ainsi les points restants.

L'équipe qui accumule le plus de points gagne.

---

6. Gilles TIBO, *Simon et les flocons de neige*, Toronto, Livres Toundra, 1988.

📖 Lettre à mon écrivain

Objectifs	2, 8 et 9
Matériel	Un exemplaire de *Lettre à mon écrivain*

Chaque enfant choisit des albums ou des livres d'un auteur ou auteure qu'il aime beaucoup. En m'inspirant du recueil *Lettre à mon écrivain*, j'invite les jeunes à écrire une lettre à leur écrivain préféré. Je leur lis quelques exemples tirés de ce recueil. Par la suite, nous pouvons faire un recueil de leurs lettres ou les envoyer aux personnes concernées.

Dans les chapitres subséquents, nous reparlerons des auteurs et des illustrateurs.

L'incipit ou comment débute un récit

Commencer à lire un récit et bien le comprendre dès le début n'est pas si simple pour un jeune lecteur ou une jeune lectrice. Pourtant, la façon dont l'auteur ou auteure entame son récit nous révèle très bien comment se déroulera la suite. On oublie malheureusement souvent d'en parler à nos élèves. Lisez ce début d'histoire et essayez de découvrir quel genre d'histoire suivra et d'en dégager le cadre et les personnages.

J'aurai ta peau mon salaud ! Il était un peu moins de huit heures. La circulation, sur le boulevard Henri-Bourassa, comme toujours, était lente. Lente comme cette pluie qui n'en finissait pas de tomber depuis trois jours. La pluie était sur toutes les lèvres. Sujet de conversation banal, mais pratique, lorsqu'on n'a rien à dire.

Pour Giuseppe Benetto, cependant, cette pluie représentait le moindre de ses soucis. Ce matin, il tenait entre ses doigts le but de sa vie. Entre ses mains larges et puissantes, il détenait fermement sa prochaine victime. Ses mains épaisses et poilues serreraient de plus en plus cette gorge rose si délicate.

(Robert Soulières, *J'aurai ta peau mon salaud !*, nouvelle tirée de *L'affaire Léandre*, Montréal, Pierre Tisseyre, coll. «Conquêtes», 1987.)

Question primordiale, à laquelle il faut répondre avant toutes les autres : « Est-ce que ce récit sera difficile à lire ? » Jugez d'après le vocabulaire employé par l'auteur. Cet extrait ne comporte aucune difficulté langagière. L'auteur emploie un vocabulaire usuel, connu des jeunes lecteurs et lectrices. Les phrases sont courtes et ont une structure simple. L'histoire s'ouvre par une chaîne métaphorique dans le premier paragraphe qui nous fait passer rapidement, mais tout naturellement, de la circulation à la pluie, qui est somme toute un sujet de conversation banal. Malgré les phrases courtes, qui généralement créent un effet de rapidité, ici, peut-être à cause de ces métaphores, on se laisse envahir par la lenteur de la pluie, la banalité de la vie. Dans le second paragraphe, même facilité de lecture. L'auteur ne nous révèle cependant pas l'identité de cette victime. Il crée du suspense…

Assistons-nous à un meurtre? On peut donc conclure: le texte est plutôt facile, même si l'auteur adopte un style qui lui permet de taquiner les lecteurs. Disons qu'il sait bien apprêter son hameçon!

Est-ce qu'on peut déjà situer le cadre de l'action? Le temps: L'histoire débute un peu avant huit heures, probablement le matin, puisque la circulation est lente sur le boulevard Henri-Bourassa. Cette information est confirmée dans le second paragraphe. Le lieu est probablement Montréal, dans le secteur nord.

Les personnages: Il s'agit d'un dénommé Giuseppe Benetto et de sa victime, dont on ne connaît toujours pas l'identité. De l'homme, on peut dire qu'il est fort et costaud d'après la description de ses mains et, de la victime, qu'elle a une gorge rose et délicate. Les jeunes lecteurs et lectrices peuvent supposer qu'il s'agit probablement d'une femme ou d'un enfant à cause de la délicatesse du cou…

Est-ce que ce sera un récit surtout descriptif ou plutôt d'actions? Difficile à dire. Le premier paragraphe descriptif crée une ambiance plutôt morne alors que, dans le second, le lecteur assiste, impuissant, à un meurtre probable.

Est-ce que vous pouvez dire à quel genre littéraire appartient ce récit? Est-ce un roman d'amour? un récit d'épouvante? une histoire humoristique? De toute évidence, il ne s'agit pas d'un roman d'amour mais d'une nouvelle policière. Le titre et le second paragraphe nous l'indiquent clairement. Si vous continuez votre lecture, vous comprendrez que l'auteur s'est amusé à vos dépens: cette gorge rose si délicate appartient à un petit cochon. Ce serait donc une nouvelle policière facile à lire, présentant un mélange bien dosé entre les descriptions et les actions grâce auquel l'auteur va certainement entraîner le lecteur ou la lectrice sur de fausses pistes!

Comme vous voyez, on se fait déjà une petite idée du récit dès les deux premiers paragraphes. Les lecteurs d'expérience font cette relation sans même y penser, mais pas les autres. Par contre, il faut garder à l'esprit qu'un auteur ou une auteure peut changer le cours de son récit. D'une amorce toute en lenteur et en descriptions, un récit peut accélérer la cadence et entraîner son lecteur ou sa lectrice de rebondissement en rebondissement. L'incipit n'est qu'une piste. Si un ou une enfant ne comprend pas de 10 à 15 mots dans les deux premiers paragraphes et qu'il ou elle a besoin du dictionnaire pour savoir ce qu'ils signifient, le contexte général étant trop nébuleux pour le ou la guider, peut-être devrait-il ou elle changer de livre, même si c'est un excellent roman. À quoi sert de lire un roman, si bon soit-il, si on ne le comprend pas?

À celles qui doutent de l'utilisation possible de cet élément dans le choix d'un livre, je propose une petite activité. Voici une série de quatre incipits. Donc, à vous de jouer. À l'aide de la fiche reproductible n° 7 *Est-ce difficile?*, classez ces débuts d'histoire d'après leur difficulté et leur intérêt.

L e cœur serré, les yeux perdus dans le noir à la recherche d'un repère, elle s'appuie au bastingage. Un vent d'enfer! Clara Vic n'aime pas le bateau, elle n'a pas encore eu le temps de s'y habituer. L'odeur de mazout, le grondement des machines, le roulis ou les rafales subites qui le rappent de flanc, qu'est-ce qui la trouble à ce point?

Clara ne saurait le dire.

Non, ce n'est pas le bateau, mais le fait d'être plongée dans le noir, de ne rien voir encore de cette île où elle habitera à partir de ce soir. Ici, l'hiver, le soir tombe tôt. On navigue de nuit à partir de cinq heures. On a beau s'écarquiller les yeux, on ne voit rien. Rien.

(Christiane Duchesne, *La vraie histoire du chien de Clara Vic*, Montréal, Québec/Amérique, 1990.)

Un soir, il y a de cela très longtemps, la lune brillait, toute seule dans le ciel noir.

Sur la Terre, une jeune fille était seule, elle aussi.

Assise sur la plage, Brilla fixait intensément la lune d'un œil triste, tout en jouant inconsciemment avec le sable doux. Elle le laissait couler entre ses doigts, en faisant des monticules qu'elle aplatissait et reformait... Il faisait doux et elle sentait le sel dans l'air. Le bruit de la mer berçait ses pensées.

> (Marie-Andrée Clermont (sous la dir.), *À la belle étoile*, Montréal,
> Pierre Tisseyre, coll. « Papillon », 1995.)

Moi, c'est Jeanjean. J'ai huit ans. Lui, c'est monsieur Rousseau, le douanier. Il est beaucoup plus vieux que moi ; au moins dix fois plus. La chaise sur laquelle il dort, elle l'est au moins cent fois plus. C'est simple, des fois je me dis que si j'étais à sa place, ben, je serais drôlement essoufflé d'être une chaise, parce que monsieur Rousseau, il est gros, très fantastiquement gros... En tout cas, il est plus gros que sa chaise.

> (Robert Davidts, *Les parfums font du pétard*, Montréal, Boréal,
> coll. « Boréal junior », 1992.)

En pénétrant dans l'embouchure du Saint-Laurent après avoir traversé l'océan Atlantique, Jacques Cartier est le premier Européen à s'aventurer aussi loin dans l'inconnu. Poussé par la curiosité, il remonte le fleuve et navigue à contre-courant en compagnie des baleines et des bancs de poissons. Le 2 octobre 1535, il atteint une grande île dans laquelle est établie la bourgade iroquoise d'Hochelaga.

> (Marie-Josée Cardinal, *Montréal d'est en ouest*,
> ill. Doris Barette, Laval, Les 400 coups, 1994.)

Après ce petit exercice, vous avez certainement compris qu'il est possible d'enseigner l'utilisation des éléments de l'incipit aux jeunes. Ils constateront même que l'incipit est un outil drôlement utile au moment de leur choix de livres à la bibliothèque ou à la librairie. Pour ce qui est de la vérification de vos hypothèses, je vous laisse le plaisir de la faire seule. Si vous ne connaissez pas encore ces romans, ça vous donne une bonne raison d'aller les emprunter à la bibliothèque ! Je vous garantis que vous ne vous ennuierez pas. Bonne lecture !

Activités d'exploitation

ACTIVITÉ 39 · Durée : 5 min

📖📖 Intéressant ou ennuyeux ?

Objectifs
- Exprimer sa réaction à un texte
- Anticiper le sujet et les aspects traités dans un texte
- Sélectionner et catégoriser l'information

| Matériel | • Un album ou un roman au choix (Je vous conseille un album, même pour les élèves des classes plus avancées, car c'est plus rapide.)
• Fiche n° 7 *Est-ce difficile?* agrandie (réflexion sur l'incipit)
• Carton dont les deux faces sont de couleurs différentes ou montrent des formes géométriques différentes (Une face pour «intéressant», l'autre pour «ennuyeux».) |

Déroulement

Hypothèse

1. Montrer la page couverture, lire le titre et le premier paragraphe.

2. Lire l'incipit et répondre aux différentes questions de la fiche reproductible n° 7 *Est-ce difficile?* en grand groupe.

   Posez la question: «Est-ce que ce livre sera intéressant ou ennuyeux?»

3. En tenant compte des réponses contenues dans la fiche *Est-ce difficile?*, les jeunes votent à l'aide de leur carton. Les élèves devront justifier leur réponse ultérieurement. Vous pouvez aussi utiliser l'activité «Penser, partenaire, parler» (p. 10).

4. Demander à quelques élèves de justifier leur vote.

Vérification

5. Lire l'histoire. Au fur et à mesure de la lecture, vérifier si les éléments de la grille de réflexion s'avèrent justes ou non.

Évaluation-ajustement

6. Retour sur leurs jugements et discussion sur leur validité: ce qui les avait guidés sur une bonne piste ou induits en erreur.

Variante

Matériel additionnel: Une photocopie de la fiche reproductible n° 6 *Intéressant ou ennuyeux?* sur laquelle on aura inscrit les titres des livres présentés.

Plutôt que de remplir collectivement la fiche n° 7 *Est-ce difficile?*, elle sert de guide pour une réflexion individuelle. Chaque enfant a une fiche n° 6 *Intéressant ou ennuyeux?* Vous lisez le début de chaque livre et leur accordez du temps pour réfléchir. Ils cochent dans la colonne de leur choix. Par un mot ou deux, ils notent les raisons de leur choix. Après chaque livre évalué, animez une discussion de quelques minutes pour permettre aux élèves de mettre leurs idées en commun.

Commentaire

Ne lisez pas ces livres, laissez plutôt du temps aux élèves pour les explorer. Allouez deux semaines si ce sont des romans et une semaine si ce sont des albums. Ensuite, faites un retour sur ces lectures et ouvrez une discussion. Les commentaires des élèves sauront sans doute vous rappeler que «tous les goûts sont dans la nature». ■

Réinvestissement

| ACTIVITÉ 40 | Durée: 10 min |

📖 On forme des équipes de trois!

| Objectifs | 1 et 6 |

Matériel

- Des albums ou des romans au choix (Le nombre d'élèves divisé par trois donne le nombre de livres requis.)
- Pochettes de plastique pour placer les livres (Cachez l'endos.)
- Transcription des résumés de la quatrième de couverture sur des cartons individuels
- Transcription des incipits sur des cartons individuels

Commentaire

Cette activité peut servir à présenter une collection ou une série de livres. Je l'utilise pour former des équipes de trois.

Le nombre d'élèves dans votre groupe doit être un multiple de trois, sinon prévoyez une ou deux équipes de deux. Dans ce cas, associez seulement la page couverture et l'incipit pour

ces équipes. Chaque élève a l'un des trois éléments (livre, résumé, incipit) en main et doit trouver les deux enfants qui possèdent les éléments reliés au sien. Une fois l'équipe réunie, les membres contrôlent la validité de leurs réponses en vérifiant dans le livre.

À vous maintenant de déterminer la tâche à accomplir ! ■

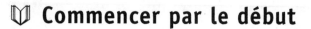

Prolongement créatif

ACTIVITÉ 41 | Durée : 15 à 30 min

📖 Comment commencerais-tu cette histoire ?

Objectifs	1 et 6
Matériel	Un album ou un roman au choix

Invitez vos élèves à examiner les éléments présentés sur la page couverture et à lire la table des matières, s'il y a lieu. Individuellement ou en équipe, les enfants doivent écrire le début de l'histoire. Exigez une longueur de

un ou deux paragraphes au maximum. Au moment de la mise en commun, des différences notables dans les amorces surgiront probablement. Discutez ensemble des raisons de ces différences.

ACTIVITÉ 42 | Durée : 30 à 45 min

📖 Commencer par le début

Objectifs	1 et 6
Matériel	Un album ou un roman au choix

Commentaire

Commencer une histoire est toujours ardu. Les enfants bloquent souvent devant la fameuse page blanche. Voici une activité qui les aidera à amorcer plus facilement leurs futurs récits. ■

L'activité

Demandez à vos élèves d'écrire seulement des premiers paragraphes sans se préoccuper de trouver un titre, une suite, etc. Donnez-leur une période d'une demi-heure pour écrire. Quand ils ont fini un paragraphe, ils recommencent ce processus pour une autre histoire, et ainsi de suite, jusqu'à ce que tout le temps alloué soit écoulé. Ramassez les paragraphes écrits et conservez-les pour créer une banque de débuts d'histoires.

Ensuite, à titre d'exemple, prenez un paragraphe au hasard et, en grand groupe, inventez un ou plusieurs des éléments qui peuvent faire la suite de l'histoire commencée. Il peut s'agir du titre, de la table des matières, des personnages ou d'un cadre.

Commentaire

Laissez ces amorces d'histoires à la disposition des élèves comme banque génératrice d'idées. Mentionnez-leur qu'il n'est pas obligatoire de copier intégralement ce qui est écrit. Ils peuvent l'adapter, s'en servir comme source d'inspiration. ▪

Influence sur leur production écrite personnelle

Après avoir examiné avec les élèves la façon dont les experts s'y prennent pour commencer leur récit ou même leur texte informatif, plusieurs se sentiront plus rapidement inspirés et varieront davantage leur amorce. Observer les professionnels les amène à adopter de nouvelles techniques d'écriture, à mieux se servir des mots. Démarrer n'est alors plus aussi problématique... Malheureusement, cela ne fonctionne pas pour tous les enfants, ce serait trop beau ! Si tous n'y parviennent pas à l'aide de ces techniques, à la longue, grâce à des activités d'éveil à la créativité, ils réussissent à contourner leur blocage. Je vous conseille le recueil d'activités d'écriture *À vos plumes*.

Conclusion

C'est ici que se termine notre tour d'horizon du paratexte. Avec ces nouveaux outils et ces activités, vous et vos élèves détenez maintenant certaines habiletés nécessaires pour mieux choisir vos futures lectures à la bibliothèque. En plus des éléments visuels (qualité des illustrations, typographie, etc.), les jeunes anticiperont plus justement et plus facilement le contenu d'un livre. Leur choix, qui était davantage lié au hasard, se transforme peu à peu en un choix plus éclairé. Ils ont ainsi plus de chances de trouver un livre qu'ils aimeront. Ils développeront peut-être même un goût pour ce genre d'activité qu'est la lecture pour le simple plaisir... Qui sait ?

FICHE 1   Qu'est-ce qu'il y a dans ce livre ?

Qui est le héros du récit ? _____

_____

_____

Qu'est-ce que tu sais déjà à son sujet ? _____

_____

_____

Qu'est-ce qu'il veut faire ? _____

_____

_____

Comment va-t-il atteindre son but ? _____

_____

_____

Pourquoi est-ce qu'il veut faire cela ? _____

_____

_____

Où se déroule le récit ? _____

_____

_____

Quand se déroule le récit ? _____

_____

_____

Quelle sorte d'histoire est-ce que ça va être ? (Drôle, triste, d'aventures, etc.)

_____

_____

La constellation du cadre

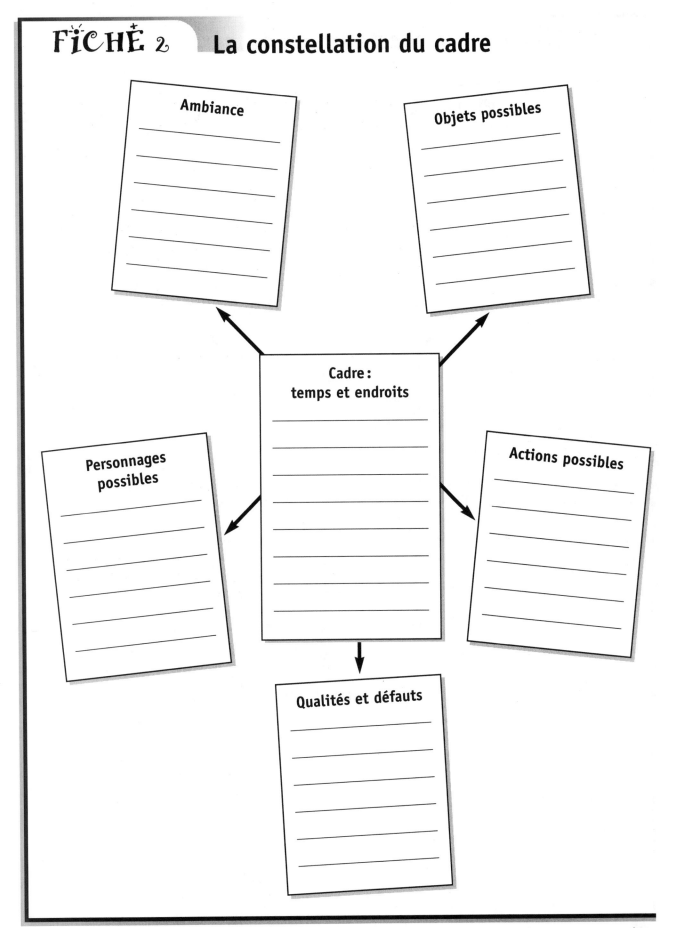

Ambiance

Objets possibles

Cadre :
temps et endroits

Personnages
possibles

Actions possibles

Qualités et défauts

Description physique

Buts

Héros

Émotions

Amis ou ennemis

Qualités et défauts

Autres sujets possibles :

Actions possibles :

FICHE 4   Jiji veut sa page couverture !

Résumés	Titres
À travers le thème des saisons, une petite fille du nom de Jiji nous présente Pichou, son bébé-tamanoir-mangeur-de-fourmis-pour-vrai.	
Jiji trouve un sac. Elle fait deviner à Pichou, son inséparable bébé-tamanoir-mangeur-de-fourmis-pour-vrai, ce qu'il y a dedans.	
Jiji est de mauvaise humeur et boude dans son coin. Dans cette nouvelle aventure, nous découvrons que Jiji n'est pas toujours sage comme une image.	
Jiji veut jouer à la cachette, mais elle est toute seule. Elle décide de jouer avec nous. Par la même occasion, nous découvrons chaque pièce de sa maison et nous apprenons à compter jusqu'à dix.	
Cloclo Tremblay vient d'avoir un bébé-sœur. Et Jiji, elle, n'a que Pichou, son bébé-tamanoir-mangeur-de-fourmis-pour-vrai.	
Jiji attend le père Noël avec Pichou, son inséparable bébé-tamanoir-mangeur-de-fourmis-pour-vrai. Une chose inquiète Jiji : le père Noël réussira-t-il à passer par la cheminée ?	

Hypothèse - Vérification - Ajustement

Hypothèse	Vérification	Ajustement

Intéressant ou ennuyeux ?

Exemple de fiche utilisée

Titres	Intéressant	Ennuyeux
Les parfums font du pétard		
À la belle étoile		
La vraie histoire du chien de Clara Vic		
Montréal d'est en ouest		
L'affaire Léandre, J'aurai ta peau mon salaud !		

Titres	Intéressant	Ennuyeux

FICHE 7   Est-ce difficile ?

Difficulté de lecture	Facile	Difficile
Vocabulaire		
Expressions		
Phrases	courtes	longues

Cadre	**Temps**	**Endroits**

Personnages : Nom	**Physique**	**Qualités-défauts**

Récit	**Lent (descriptions)**	**Rapide (actions)**

Genre littéraire		

Chapitre 1

Spécial Raton laveur

Rira bien

Après la pluie, le beau temps

Au cinéma avec papa

Au lit, princesse Émilie

C'est pas juste

Les grandes menaces

Mais que font les fées
avec toutes ces dents ?

Nom de nom

Le petit capuchon rouge

Pourquoi les vaches
ont des taches ?

Qu'est-ce que vous faites-là ?

Un prof extra

La soupe aux sous

Quel livre as-tu préféré ?

Dessine ce que tu as aimé dans ce livre

BIBLIOGRAPHIE

CHAPITRE 1

Littérature jeunesse

BROUSSEAU, Linda. *Le vrai père de Marélie.* Montréal, Pierre Tisseyre, coll. « Papillon », n° 44, 1995.

CARDINAL, Marie-Josée. *Montréal d'est en ouest,* ill. Doris Barette. Laval, Les 400 coups, 1994.

COLLECTIF. *L'affaire Léandre.* Montréal, Pierre Tisseyre, coll. «Conquêtes», 1987.

COLLECTIF. *Lettre à mon écrivain.* Montréal, éditions Lacombe, Les communications Claire Lamarche, Association des libraires du Québec, 1993.

CLERMONT, Marie-Andrée (sous la dir.). *À la belle étoile.* Montréal, Pierre Tisseyre, coll. « Papillon », 1995.

DAVIDTS, Robert. *Les parfums font du pétard.* Montréal, Boréal, coll. « Boréal junior », 1992.

DEMERS, Dominique. *Valentine Picotée.* Montréal, Les éditions de la courte échelle, coll. « Premiers romans », 1991.

DUCHESNE, Christiane. *La vraie histoire du chien de Clara Vic.* Montréal, Québec/Amérique, 1990.

FROISSART, Bénédicte. *Les fantaisies de l'oncle Henri,* ill. Pierre Pratt. Toronto, Annick Press, 1990.

GAGNON, Cécile. *Doux avec des étoiles.* Montréal, Pierre Tisseyre, coll. «Cœur de pomme», 1989.

GAGNON, Gilles. *Un fantôme à bicyclette,* ill. Doris Barette. Saint-Lambert, Les Éditions Héritage, coll. « Libellule », 1986.

GILMAN, Phoebe. *Un merveilleux petit rien!,* trad. Marie-Andrée Clermont. Richmond Hill (Ontario), Scholastic Canada, 1992.

GUAY, Marie-Louise. *Lapin bleu.* Saint-Lambert (Québec), Héritage Jeunesse, 1993.

HOLZWARTH, Werner. *De la petite taupe qui voulait savoir qui lui avait fait sur la tête,* ill. Wolf Erlbruch. Laval, Les 400 coups, 1998.

JENNINGS, Sharon. *Jérémie et Madame Ming,* ill. Mireille Levert. Willowdale, Annick Press, 1991.

JENNINGS, Sharon. *Une journée avec Jérémie et Madame Ming,* ill. Mireille Levert. Willowdale, Annick Press, 1992.

JENNINGS, Sharon. *Dormez bien, Madame Ming,* ill. Mireille Levert. Willowdale, Annick Press, 1993.

LABROSSE, Darci. *Où est le thon?* Montréal, Pierre Tisseyre, coll. « Cœur de pomme », 1989.

LAMOUREUX, Marie-France. *Le ballon rouge,* ill. Marc Fortier. Montréal, Pierre Tisseyre, coll. « Cœur de pomme », 1991.

LEVERT, Mireille. *Les nuits de Rose.* Saint-Lambert (Québec), Dominique et cie, 1998.

MUNSCH, Robert. *Un bébé alligator,* ill. Michael Markhenko. Richmond Hill (Ontario), Scholastic Canada, 1997.

PARÉ, Roger. *Plaisirs d'hiver.* Montréal, Les éditions de la courte échelle, 1990.

SOULIÈRES, Robert. *Une gardienne pour Étienne,* ill. Anne Villeneuve. Laval, Les 400 coups, coll. « Grimaces », 1998.

SOULIÈRES, Robert. *Une petite course au bout du monde.* Montréal, Pierre Tisseyre, coll. « Cœur de pomme », 1989.

TIBO, Gilles. *Simon et les flocons de neiges.* Toronto, Livres Toundra, 1988.

WILCOX RICHARD, Nancy. *Pas de dodo sans doudou,* ill. Werner Zimmerman. Richmond Hill (Ontario), Scholastic Canada, 1997.

Ouvrages de référence

BRANSFORD, J.D. et M.K. JOHNSON. «Contextual Prerequisites for Understanding: Some Investigations of Comprehension and Recall», *Journal of Verbal Learning and Verbal Behavior,* n° 11, San Diego, 1972, p. 717-726.

GIASSON, Jocelyne. *La compréhension en lecture.* Boucherville, Gaëtan Morin éditeur, 1990.

MAILLÉ, Myriam. *À vos plumes, 1001 conseils pour écrivains et conteurs en herbe*, ill. Pascal Lemaître. Paris, Casterman, coll. «Les heures de bonheur», 1996.

WATANABE, P., C. HARE et M. WOOD. «Predicting News Story content from Headlines: An Instructional Study», *Journal of Reading*, vol. 27, n° 5, 1984, p. 436-443.

Adresses utiles

Communication–Jeunesse
5307, Saint-Laurent, Montréal, H2T 1S5
(514) 273-8167

Lurelu
5307, Saint-Laurent, Montréal, H2T 1S5
(514) 273-6693

Québec-Français
Les publications du Québec
2095, boulevard Jean-Talon Sud,
bureau 222, Sainte-Foy
ou C.P. 9185, Sainte-Foy, G1V 4B1

Le personnage : un être de mots et de papier

Des personnages de tout acabit peuplent notre imaginaire. Qui ne connaît pas Daniel Boone, Aladin, Blanche-Neige, Bob Morane, etc.? Si je vous demandais la définition du terme *personnage*, vous hésiteriez peut-être un tantinet avant de répondre. Vous savez très bien en quoi consiste un personnage, mais l'expliquer clairement, en définir les paramètres, les contours, les nuances devient quelquefois malaisé, surtout si votre auditoire est âgé de 6 à 12 ans. Comment rendre réel et vivant dans l'imagination des enfants un être conçu uniquement à l'aide de mots? Ce n'est pas évident! Bien sûr, dans plusieurs cas, l'illustration aide grandement le lecteur dans cette tâche.

Plusieurs avenues nous permettent d'accéder au personnage. Aucune ne surpasse les autres. Alors, laquelle choisir? Tout dépend du personnage étudié, d'une part, et de votre groupe, d'autre part. Il en va de même pour les moyens permettant d'approfondir sa personnalité, de découvrir sa complexité, s'il y a lieu. Plusieurs possibilités s'offrent à vous. Dans ce chapitre, je vous propose donc d'explorer ces différentes voies d'accès au personnage.

Le nom

Un premier contact avec le personnage s'établit souvent par son nom. En littérature jeunesse, le nom du personnage principal, c'est-à-dire le héros, est très souvent mentionné dans le titre. L'auteur le choisit rarement au hasard. Le nom dévoile une partie, si infime soit-elle, de la personnalité du personnage. Il amplifie certaines caractéristiques, certaines tendances, ou en signifie le contraire de manière à y jeter un éclairage en contre-jour. Ainsi, Puce[1] est un chien immense, le prince de Motordu[2] se spécialise dans la contorsion des mots et le Méchant Méchant Loup[3] n'est qu'un pauvre loup qui se laisse facilement berner par une

---

1. Peter COTTRIL, *Puce*, Paris, Albin Michel, 1991.
2. PEF, *La belle lisse poire du prince de Motordu*, Paris, Gallimard, coll. «Folio Benjamin», 1980.
3. Tony ROSS, *La soupe au caillou*, Paris, Flammarion, coll. «Albums Jeunesse», 1987.

poule. Comment Anastasie[4] pourrait-elle représenter une petite fille sage ? C'est plutôt un nom de grand-mère… Et Anastasia[5], celui d'une princesse.

Saisir toute la subtilité des noms de personnages exige du lecteur allophone une certaine connaissance de la culture francophone. Il en va de même pour le lecteur francophone face à des noms d'origine étrangère. On peut penser qu'un récit dont le héros s'appelle Juanito se déroule ailleurs, dans un autre pays, ou qu'il met en vedette un personnage d'origine hispanophone qui a émigré. Le lecteur n'a pas accès, du moins *a priori*, aux connotations culturelles que ce prénom évoque.

Amusons-nous un peu

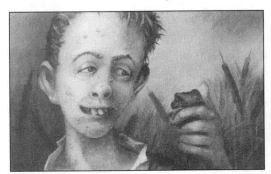

Illustration 1
Extrait de : *Poil de serpent, dent d'araignée.* Les 400 coups

Illustration 2
Extrait de : *Le chat qui revient*
avec l'autorisation de Kids Can Press Ltd., Toronto.
Tous droits réservés © 1992 par Bill Salvin.

Je vous propose un petit jeu d'appariement, question de vous détendre un peu avant de continuer. Il s'agit d'associer un nom à un personnage. Ces personnages vivent dans les livres de votre bibliothèque scolaire ou municipale. Bien sûr, beaucoup de personnages portent des noms assez communs, ce qu'il ne faut pas oublier non plus. Par exemple, il existe de nombreuses Sophie dans la littérature jeunesse ; c'est, somme toute, un prénom assez banal. Un fait est à noter cependant, rares sont les Sophie calmes et sereines…

Illustration 3
J'aime lire. Bayard Presse-1990.
Fanny Joly

Demandez à vos connaissances d'associer les noms et les illustrations ci-dessus, puis comparez vos résultats… De même, quand un nom se prête à ce jeu, pourquoi ne pas vous en amuser ou du moins le faire remarquer à vos jeunes lecteurs ou auditeurs.

Personnage	Illustration
A. Quentin Corbillon	
B. Crapoussin	
C. Monsieur Roger	
Réponses : A-3 B-1 C-2	

L'apparence physique

Après le nom, vient l'apparence physique. Cette facette des personnages nous aide à imaginer leur personnalité, à s'en créer une image mentale. Le lecteur les perçoit en deux dimensions par les illustrations. Leur image sert en quelque sorte de support visuel aux différents attributs psychologiques qui leur sont inhérents. L'aspect physique se construit au fil d'une description, à la vue d'une illustration ou encore par la combinaison des deux.

---

4. Céline CYR, *Les lunettes d'Anastasie*, Montréal, Québec/Amérique, 1987.
5. Adèle MONGAN FASICK, *Celle qui ne voulait pas filer*, Richmond Hill (Ontario), Scholastic, 1989.

49

Qui suis-je ?

Devinez qui se cache derrière la description suivante. C'est ainsi que les petits voisins de ce personnage l'ont perçu la première fois qu'ils l'ont vu.

> **S**es cheveux étaient rouge carotte, tressés en deux nattes qui se tenaient raides de chaque côté de sa tête. Son nez avait la forme d'une pomme de terre nouvelle et était constellé de taches de rousseur. Au-dessous de son nez, on voyait une grande bouche aux dents saines et blanches. Sa robe était assez bizarre. [...] l'avait faite elle-même. Elle aurait dû être entièrement bleue. Mais manquant de tissu, [...] avait été obligée d'y coudre par endroits des morceaux rouges[6].

Plutôt singulier comme personnage, n'est-ce pas ? Vous avez certainement deviné qu'il s'agit d'une fille : « Ses deux tresses rouge carotte, sa robe, elle-même... » Tout le monde l'a certainement reconnue, sinon ajoutons qu'elle est pourvue d'une force exceptionnelle. C'est nulle autre que Fifi Brindacier. Par cette seule description physique, le lecteur s'attend à un personnage peu banal. Si la lecture permettait déjà de deviner la personnalité spéciale de ce personnage, cette description faite par des personnages secondaires du récit vient confirmer cette perception.

Ainsi, le premier contact avec un personnage se crée très facilement, tout simplement en prenant connaissance de son apparence physique. En plus de donner des détails purement physiologiques, la description de son physique nous renseigne sur sa personnalité, son caractère ou ses sentiments. C'est ce que certains auteurs appellent le corps romanesque.

Le corps romanesque

L'étude du corps romanesque amène les jeunes à déduire ce que l'apparence physique d'un personnage leur révèle de sa personnalité. Quels nouveaux horizons d'attente ces éléments purement physiques leur ouvrent-ils ? De deux dimensions, le personnage en acquiert ainsi une troisième. Il s'approfondit et se nuance.

La notion de corps romanesque intègre, outre la pure description physique, un regard, une perception qu'a le personnage de lui-même ou des autres. Généralement, dans les livres pour la jeunesse, albums ou mini-romans, les personnages agissent. Ainsi, dans *Flocon et le lapin de Pâques*, Flocon désire être autre chose qu'un simple lapin des neiges semblable à tous les lapins des neiges. Il aspire à la différence. Il se confie sans détour à sa mère plutôt que de discourir sur son apparence... En réponse, sa mère lui fait remarquer que la pointe bleue d'une de ses oreilles le différencie déjà des autres lapins de son espèce. Les descriptions sont habituellement courtes et de lecture rapide. L'illustration joue souvent ce rôle. Le portrait est instantané.

Dans les romans destinés aux élèves de la fin du primaire, ce regard qu'un personnage pose sur lui-même ou sur les autres se rencontre plus souvent. Il nous révèle alors les états d'âme du personnage ainsi regardé. Par exemple, *Le héros de Rosalie* s'ouvre sur un monologue de la narratrice Rosalie où elle nous confie :

> **D**'abord, j'ai le nez trop petit, trop pointu. Le pire, j'ai un énorme bouton qui pousse dessus. Un sapristi de mocheté de bouton qui sera aussi gros que mon nez tout entier. Marie-Ève, elle, n'a jamais de boutons sur son nez parfait. J'ai le nez trop petit et trop pointu. Exactement comme celui de ma vraie mère. Tante Alice ne me fera jamais avaler qu'il me donne un petit air coquin. Je déteste tante Alice ce matin[7].

---

6. Astrid LINDGREN, *Fifi Brindacier*, Paris, Hachette, coll. « Le livre de poche », 1962, p. 12.
7. Ginette ANFOUSSE, *Le héros de Rosalie*, Montréal, Les éditions de la courte échelle, coll. « Roman Jeunesse », p. 9.

Et elle continue ainsi avec ses cheveux, son chandail, ses joues de bébé, son cou, alouette! Deux pages et quart à se trouver moche! Même si c'est écrit avec humour, le lecteur sent parfaitement que Rosalie traverse une période difficile. Elle est jalouse de cette Marie-Ève qui est toujours parfaite. Un bouton sur le nez peut parfois faire passer de vie à trépas certaines jeunes filles et même quelquefois certains garçons… surtout si la Saint-Valentin est toute proche!

Retournons à ce roman, mais cette fois 28 pages plus loin.

Je voyais ma tignasse noire dans le miroir. Je n'avais plus du tout envie de verser une bouteille de peroxyde dans mes cheveux pour les faire blondir. Mon nez me semblait d'une grosseur normale. Tante Alice avait raison: il me donnait un petit air spécial [8].

Dans cet extrait, le ton a radicalement changé. Pourquoi? À vous de le découvrir en lisant le roman.

Parfois aussi, seulement par l'illustration, le lecteur perçoit la personnalité d'un personnage. Prenons la célèbre Martine [9]. Elle est toujours bien mise, on ne la voit jamais sale ni les cheveux défaits. Elle est l'image parfaite de la petite fille sage et obéissante.

Revenons à Quentin Corbillon. Ce que vous voyez sur l'illustration ci-contre, c'est l'apparence qu'il a au début du récit. Que pouvons-nous penser de ce petit garçon? Il a l'air studieux, attentif, intelligent. Il y a souvent un garçon comme cela dans une classe. L'élève modèle qui ne dit jamais un mot de travers, qui a toujours la main levée pour répondre aux questions, même les plus difficiles. Le bollé de la classe quoi!

Regardez maintenant son allure à la fin du récit. Il est toujours assis au même pupitre à côté du même voisin. Ne remarquez-vous pas, vous aussi, que sa personnalité s'est légèrement transformée? Que s'est-il passé entre les deux moments?

J'aime lire. Bayard Presse, 1990. Fanny Joly.

J'aime lire. Bayard Presse, 1990. Fanny Joly.

Activités d'exploitation

Voici quelques activités qui exploitent une rencontre avec le personnage sous l'angle de la description et du corps romanesque. Même les plus jeunes élèves ou ceux qui parlent peu français peuvent réussir ce type de tâche. Par contre, il faut choisir des textes adaptés à leur niveau. ***Il est important de prendre les enfants là où ils sont rendus et non là où ils sont censés être.*** Obliger un lecteur à lire un texte trop difficile sous le simple prétexte que c'est une lecture adaptée à son âge représente, à mon humble avis, la meilleure façon de l'éloigner des livres et de la lecture.

Voici une première activité servant d'appât, d'incitatif à la lecture. Elle exploite surtout l'image physique des personnages. Après une telle activité, les enfants veulent en savoir plus sur les personnages.

8. Ginette ANFOUSSE, *Le héros de Rosalie*, Montréal, Les éditions de la courte échelle, coll. « Roman Jeunesse », p. 39.

9. Personnage créé au début des années 60 par Gilbert Delahaye et Marcel Marlier, Martine est l'héroïne d'une série d'aventures publiée chez Casterman (Paris). (*Martine en bateau*, *Martine à la mer*, etc.)

📖 Où suis-je ?

Objectifs	• Exprimer sa réaction à un texte (8) • Situer les personnages (3) • Établir des liens entre diverses expériences artistiques (9) • Sélectionner l'information dans un texte (6)
Matériel	• Série de descriptions de personnages tirés de différents récits par équipe (Chaque description est retranscrite sur des cartons individuels, plastifiés de préférence.) • Illustrations représentant les personnages décrits • Un crayon feutre à l'eau par équipe • Une feuille-réponse par équipe

Note

Voir la fiche n° 9, *Descriptions de personnages,* pour des exemples. Ces descriptions de personnages ont été tirées de différents livres. Je m'en suis servi pour un projet particulier où nous étudiions la relation humain-animal familier. Cette activité s'anime à l'aide d'une multitude de livres. Il suffit d'une description et d'une illustration.

Déroulement

Préparation

Collez au tableau les illustrations représentant les personnages décrits (une illustration par personnage). Numérotez les illustrations. (J'ouvre le livre à la page de l'illustration et je l'insère ainsi dans une pochette de plastique transparent. Je cache évidemment le texte qui l'accompagne.)

Hypothèse

1. Séparez votre groupe en équipes de trois ou quatre. Le premier membre de l'équipe vient chercher le matériel. Celui qui a la plus longue description joue le rôle de secrétaire. Les enfants doivent se partager les descriptions à lire de façon équitable. (Les plus faibles ont les plus courtes. Chaque équipe devrait avoir au moins un bon lecteur ou une bonne lectrice. Je forme les équipes en choisissant soigneusement les membres.)

2. À tour de rôle, chaque enfant lit une description aux autres et, en groupe, ils décident de l'illustration correspondant à ce personnage. Ils doivent justifier leur réponse à l'aide des indices contenus dans la description. En utilisant un crayon feutre à l'eau, ils soulignent les principaux indices leur permettant d'identifier le personnage.

Vérification

3. Retour en grand groupe. Un enfant choisi au hasard lit sa description et justifie sa réponse. Petite discussion.

4. Nous vérifions dans les livres pour confirmer nos réponses.

Évaluation-ajustement

5. Nous évaluons s'il était possible de trouver les bonnes réponses à l'aide des indices présents dans la description et identifions ce qui nous a induits en erreur, s'il y a lieu.

Sortie en beauté

6. Discussion sur le personnage qui nous attire le plus : « Quel livre aimerais-tu que l'on choisisse de lire tous ensemble pour se récompenser ? »

Commentaire

Dans les extraits que je vous ai fournis, vous remarquerez que l'auteur nous donne plus qu'une simple description du personnage. En plus de décrire son apparence physique, et parfois une partie de son environnement, il nous fait entrevoir la personnalité du protagoniste. En lisant ce que le narrateur nous dit de Mathieu, sa richesse nous saute aux yeux. Son ennui et sa solitude aussi. Quant à Sylvestre et son singe, ils ne peuvent se passer l'un de l'autre. (J'ouvre ici une parenthèse pour signaler la difficulté du vocabulaire utilisé dans cette description en situation d'immersion ou de français langue seconde. Malgré cette difficulté, les enfants ont pu résoudre l'énigme. La présence du singe leur a servi d'indice principal.) Vous noterez aussi que certaines descriptions sont très faciles à apparier comparativement à d'autres... C'est voulu! Ainsi, chacun y trouve son compte et peut participer activement au travail d'équipe. Qui sait? Les lecteurs faibles découvriront peut-être un livre qu'ils seront non seulement capables de lire et de comprendre, mais qu'ils trouveront intéressant... Les illustrations aussi doivent piquer leur curiosité le plus possible. En général, toutes les équipes réussissent à faire les bonnes associations textes-illustrations. ■

ACTIVITÉ 44   **Durée: 30 min**

Constellation du personnage (variante)

Objectifs	1, 3, 6 et 9
Matériel	• Roman ou album • Description du personnage principal extraite de ce texte • Fiche n° 3 *La constellation du héros*

Il s'agit tout simplement de reprendre l'activité «Constellation du héros» (p. 10) mais, cette fois, le lecteur bénéficie d'une plus grande quantité de renseignements. En plus de la page couverture, il dispose d'une description plus ou moins élaborée pour anticiper le genre de personnage créé par l'auteur. Si un personnage comme M. Bardin[10] est présenté, le lecteur peut non seulement imaginer son allure physique, mais aussi entrevoir toute son originalité. Il est évidemment important de toujours tenter de justifier ses réponses. À partir de cette description et de la page couverture, le lecteur peut tenter d'attribuer au personnage des caractéristiques physiques, des traits de caractère, de meubler son horizon d'attentes quant aux actions possibles.

Vient ensuite une mise en commun des hypothèses énoncées par les enfants. On vérifie nos hypothèses en lisant le livre. En conclusion, un retour sous forme de discussion sur cette activité incite les enfants à se sensibiliser à leur processus de réflexion.

Commentaire

Avec les plus jeunes, je limite les champs d'exploration. Je choisis un ou deux éléments de la constellation, quitte à les varier d'une fois à l'autre, d'un récit à l'autre. Je sélectionne donc les éléments qui se prêtent le mieux au récit que je prévois leur faire découvrir. Lorsque les élèves sont vraiment familiers avec chacun des champs d'anticipation, chaque équipe peut travailler sur un ou deux d'entre eux. Au moment de la mise en commun, un portrait global du personnage se dégage de toutes ces cogitations.

La constellation du personnage peut également servir de base de réflexion après la lecture complète du récit. Plutôt que de réviser leurs anticipations, les enfants font un retour sur leur connaissance de ce personnage et de ses différentes caractéristiques ou actions. ■

---

10. Pierre FILION, *À l'éco...l...e de Monsieur Bardin*, Saint-Lambert (Québec), Soulières, coll. «Ma petite vache a mal aux pattes», 1998.

📖📖📖 Et quoi encore ?

Objectifs	2, 3 et 6

Matériel	• Descriptions de personnages tirées de récits, écrites sur des cartons individuels (Dans ces descriptions, on peut sentir les états d'âme des protagonistes, par exemple dans celle tirée du *Héros de Rosalie*, présentée précédemment.) • Fiche n° 11 *Portrait d'un personnage*

Séparez votre groupe en équipes de trois. Les élèves lisent la description et en tirent le plus d'informations possible sur l'apparence physique du personnage étudié. Évidemment, vous prenez soin de ne pas leur montrer l'illustration. Ils peuvent même dessiner le personnage au verso de la fiche de travail si le cœur leur en dit.

Ensuite, d'après cette description, ils tentent de définir le type de sentiments que ce personnage éprouve, et essaient de prédire les raisons de ses états d'âme. Suit une mise en commun où les élèves observent les différences entre les interprétations.

En conclusion, les enfants vérifient leurs hypothèses par une lecture du premier chapitre. Cette lecture peut se faire en grand groupe, en petits groupes ou individuellement.

Commentaire

Dans l'exemple de Rosalie cité précédemment, vous pouvez inciter les jeunes à comparer la perception de Rosalie avec celle de ses tantes. Ensuite, vous pouvez leur faire lire le début du chapitre 4 et leur demander quelle perception Rosalie a d'elle-même à ce moment-là. Ce type d'activité aide à développer l'esprit critique et la perspicacité chez les jeunes. Cela les aide aussi parfois à nuancer davantage leur interprétation d'un événement quelconque. ◼

Réinvestissement

Au fil des interventions et des animations que j'ai réalisées en classe, je me suis aperçue que les élèves éprouvaient parfois des difficultés à décrire physiquement certains personnages. Ce problème n'implique pas nécessairement une construction boiteuse de leur imagerie mentale, mais relève davantage de leurs lacunes langagières. Voici donc des activités qui les sensibiliseront aux différentes façons employées par les auteurs pour décrire un personnage.

📖 Dessine ce que tu vois dans ta tête

Objectifs	3, 5 et 6

Matériel	• Description d'un personnage tirée d'un récit • Feuille blanche 12 cm x 17 cm • Crayons de couleur

Vous vous souvenez de la description physique de Fifi Brindacier donnée aux début de ce chapitre? Vous pouvez en faire la lecture à vos élèves ou la leur fournir par écrit. Attention! Si vous optez pour animer cette activité à l'oral, assurez-vous que vos auditeurs aient une bonne capacité d'écoute. Combinez alors écoute et littérature.

Les enfants dessinent un portrait de Fifi Brindacier ou de tout autre personnage de votre choix, d'après la description que vous leur lisez. Ils aiment bien comparer leurs dessins entre eux. Vous pouvez discuter des différences entre les dessins et voir ce qui a causé ces différences. En conclusion, on regarde l'illustration présentée dans le livre.

Variante

Vous pouvez aussi faire cette activité en cours de lecture. Prévenez vos auditeurs de bien écouter parce qu'ils devront dessiner le nouveau personnage qui fait son entrée dans le récit.

ACTIVITÉ 47 — Durée: 30 à 45 min

📖 Rencontre de deux personnages

Objectifs	3, 5 et 6

Matériel 🚫
- Descriptions de deux personnages d'un même récit, transcrites sur des cartons individuels (Prévoir une description par équipe de deux.)
- Feuille blanche 12 cm x 17 cm
- Crayons de couleur

Cette activité est une variante de l'activité «Dessine ce que tu vois dans ta tête» (p. 54). Lorsque vous rencontrez deux personnages intéressants dans un récit, profitez-en pour la réaliser. Dans un premier temps, il s'agit de les dessiner et, dans un second temps, d'imaginer leur histoire.

En équipe de deux, les enfants doivent dessiner les personnages tels que décrits sur leur carton.

Commentaire

Dans mes classes, les lecteurs faibles avaient la muse, et les plus forts monsieur Buse. Voici les résultats obtenus en deuxième année et en cinquième année pour les descriptions tirées de *La muse de monsieur Buse*[11].

a muse

Comme dans le désert. Je vois un... chameau! Oui, oui: un minuscule chameau qui a deux bosses, deux ailes et deux paires d'yeux...

                    Bziou!
Cette drôle de bestiole me passe encore juste sous le nez.

2e année

5e année

---

11. Yvon BROCHU, *La muse de monsieur Buse*, Saint-Lambert (Québec), Les Éditions Héritage, coll. «Carrousel», 1996.

Monsieur Buse

Soudain, tout le monde s'arrête. Un drôle de fantôme court sur notre terrain. Il porte sur sa tête une serviette de bain rose. Elle monte en spirale. Très haut. Drôle de chapeau! On dirait une énorme crème glacée molle aux fraises. De grosses lunettes de soleil tombent sur le bout de son nez. Un large nœud papillon à pois pend à son cou. Ses deux bras battent l'air comme les ailes d'un aigle. Tout son corps est couvert d'un grand drap blanc.

5e année

2e année

Au moment de la discussion en groupe, les enfants ont remarqué que toutes les équipes avaient plus ou moins dessiné le même genre de bestiole

pour représenter la muse. Seuls la taille de la bête et le décor variaient. Quant à monsieur Buse, il a été un peu plus difficile à visualiser. Certaines subtilités de la langue sont demeurées incomprises pour quelques élèves. Le dessin de la serviette de bain a causé bien des tracas en deuxième année.

Ces personnages sont si surprenants, ils les ont tellement amusés que les enfants sont retournés en équipe pour leur inventer une histoire. Cette partie s'est faite à l'oral. On s'est bien amusé à se les raconter. Ensuite, ils avaient très hâte de connaître l'histoire imaginée par Yvon Brochu. ∎

ACTIVITÉ 48   Durée: 30 min

📖 Décris-moi

Objectifs	3 et 6
Matériel	• Albums, un exemplaire par équipe • Fiche n° 15 *Le Tour du personnage en coopératif*

Lisez un album à tout le groupe en même temps. Même avec les groupes d'élèves plus âgés, je vous suggère de commencer ce type d'activité par un album. *Primo*, c'est plus facile, car il y a l'illustration pour les aider. *Secundo*, la rapidité d'une deuxième lecture encourage les jeunes à retourner au texte pour vérifier leurs affirmations. Prévoyez plusieurs exemplaires de cet album afin que chaque équipe en ait une copie en sa possession.

Pendant 10 min, en équipes de trois, les élèves trouvent le plus grand nombre de caractéristiques physiques d'un personnage, puis inscrivent leurs résultats sur la fiche de travail. Si vous choisissez une approche coopérative, l'animateur du groupe voit à ce que tous les membres de l'équipe participent; le secrétaire collige les idées émises; le correcteur vérifie l'orthographe des mots. Quand

ils en sont capables, ils écrivent, à côté de l'élément descriptif, ce que cette information dévoile de la personnalité de ce personnage.

Cette activité se conclut par une mise en commun. Les jeunes se rendent alors compte des nombreux éléments pourtant présents dans le texte qui leur sont passés sous le nez. Peu à peu, ils découvrent les différentes façons utilisées pour décrire physiquement un personnage tout en lui donnant plus de consistance.

Commentaire

Par la suite, vous verrez apparaître des descriptions plus riches dans leurs productions personnelles. Être plus attentif à la façon dont les auteurs écrivent incite les lecteurs à devenir de meilleurs scripteurs. Ils réutilisent les différentes techniques observées pour créer un personnage.

Autre avantage, les enfants s'habituent à lire entre les lignes. Ils apprennent à inférer le caractère d'un personnage à partir d'éléments descriptifs ou visuels. Si Mathieu a des allumettes dans les cheveux lorsqu'il prend son bain avec ses poux, cela démontre une grande gentillesse de sa part et beaucoup d'amour pour ses minuscules amis, en plus de mettre en relief tout son côté créatif. ■

Prolongement créatif

📖📖 C'est moi l'auteur !

Objectif	1
Matériel	Illustration d'un personnage

Présentez à vos élèves l'illustration d'un personnage que vous aimez bien. Demandez-leur de jouer le rôle des auteurs. Ils vous le décrivent comme bon leur semble. Pour ma part, je les invite fortement à inclure dans leur description des attributs psychologiques ou des sentiments que le personnage peut ressentir. Bien sûr, leurs descriptions correspondent toujours aux illustrations présentées au départ. Ce travail se fait à l'oral ou à l'écrit, en équipe ou individuellement. Ensuite, chacun lit son texte. Je les laisse libres de lire ou non leur production à toute la classe. Ils finissent toujours par présenter leurs écrits un jour ou l'autre. Il suffit de savoir les attendre... Les commentaires et les critiques positives sont permis.

Variante

On peut varier la dernière étape de cette activité en regroupant les élèves en petites équipes (3 ou 4) et chaque membre lit son texte aux autres membres de l'équipe. Ainsi, en cinq minutes, tout le monde a lu et a eu droit à des commentaires.

Commentaire

Évidemment, il ne faut pas oublier de lire le récit en récompense pour tout ce beau travail ! Attirez l'attention de vos auditeurs sur la description écrite par l'auteur ou sur le fait qu'il n'y a tout simplement pas de description, comme dans *Les malheurs de Sophie*. ■

📖 Dessine-moi un personnage

Objectifs	• 3 et 6 • Objectifs en expression écrite
Matériel	• Cartons de 12 cm x 17 cm • Crayons de couleur

Voici une autre variante de l'activité « Dessine ce que tu vois dans ta tête » (p. 54). Elle peut se faire avec des élèves de tous les niveaux du primaire, chacun y allant selon ses habiletés langagières.

Chaque enfant ou groupe de deux enfants invente un personnage et en fait une description par écrit seulement. Ensuite, chaque enfant de l'équipe va lire sa description à un autre enfant qui, de son côté, doit dessiner ce personnage d'après ce que son partenaire lui dit. Les résultats sont parfois surprenants ! Certains enfants s'offusquent de ce que le dessin de leur partenaire ne ressemble pas du tout à ce qu'ils avaient imaginé.

Commentaire

Dans la description que les enfants font de leur personnage, l'aspect physique doit bien sûr être présent. Par contre, si vous voulez rendre la tâche un peu plus complexe, demandez-leur d'inclure des éléments qui permettraient aux lecteurs d'inférer la personnalité de ce personnage. Remémorez-vous la description de Fifi Brindacier ou de Mathieu dans *Rendez-moi mes poux*. Vous pouvez ainsi créer une banque de descriptions de personnages qui serviront ultérieurement d'amorces à de futurs récits.

Un retour sur cette activité et ses résultats met en lumière l'importance de la précision et de la concision dans les descriptions. Vous pouvez aussi allègrement faire dévier la conversation et discuter des causes des divergences observées dans l'interprétation de chacun. « Qu'est-ce qui crée ces différences ? » Voilà le sujet idéal pour de profondes réflexions... ∎

ACTIVITÉ 51 — Durée : 20 à 40 min

📖📖📖 Voici ce que je pense de...

Objectifs	Objectifs en expression écrite
Matériel	Illustrations de personnes ou d'animaux

Vous trouverez différentes sortes de photos toutes plus intéressantes les unes que les autres dans des revues comme *Hibou, Coulicou, National Geographic, Géo,* etc. À partir de ces photos ou illustrations, invitez les élèves à écrire des descriptions où le corps romanesque du personnage est abordé. Cette activité peut se faire à l'oral ou à l'écrit, individuellement ou en équipe. Vous pouvez utiliser des photos d'humains ou d'animaux. En conclusion, les enfants lisent leur description aux autres. Le public est libre de commenter ou critiquer positivement les présentations.

Commentaire

Ces descriptions pourront enrichir une banque de descriptions de personnages. Elles pourront servir d'amorces à de futurs récits. ∎

Variante

Invitez les élèves à se décrire en entier ou en partie en essayant de transmettre à leurs lecteurs potentiels le sentiment qu'ils éprouvent parfois face à eux-mêmes, à leur vie ou autres. Aidez-les en les situant dans certains contextes particuliers : lorsqu'ils se regardent dans le miroir le matin du premier jour d'école, avant d'aller à une fête ou avant une sortie spéciale. Ils peuvent inventer leur jugement sur eux-mêmes. Certains jeunes n'ont pas nécessairement le goût d'étaler au grand jour leurs pensées les plus intimes. Ceux qui le désirent peuvent lire leur description aux autres. Comme d'habitude, les commentaires et les critiques sont les bienvenus.

Mini-projet sur le personnage abordé sous l'angle de la description

À titre d'exemple, voici un projet axé sur le personnage. Dans ce cas-ci, je voulais présenter à mes élèves un corpus littéraire traitant de la relation humain-animal de compagnie sous différents angles et à différents âges. Pour approcher un tant soit peu les motivations des protagonistes dans leur quête ou dans leur relation avec leur animal, l'étude du personnage m'apparaissait être la voie la plus efficace. Je n'ai pas fait une étude approfondie de chacun de ces personnages avec les enfants, pour éviter un possible acharnement pédagogique... Le plaisir des livres prendrait alors sans doute la poudre d'escampette. Je me suis surtout servie de *Rendez-moi mes poux*, de Pef comme point central.

Voici donc une suite d'activités à l'aide desquelles j'ai étudié les personnages de ce corpus. Je tiens à mentionner que le corpus est constitué d'albums déjà disponibles dans la classe. Il faut aussi pouvoir utiliser les ressources présentes dans notre milieu.

Livres utilisés

PEF. *Rendez-moi mes poux*. Paris, Gallimard, 1984.

SLAVIN, Bill. *Le chat qui revient*. Richmond Hill (Ontario), Scholastic Canada, 1992.

WATERTON, Betty. *Moutarde*. Richmond Hill (Ontario) Scholastic Canada, 1983.

MULLER, Robin. *La petite surprise*. Richmond Hill (Ontario) Scholastic Canada, 1994.

THAYER, Jane. *Le petit chien qui voulait un garçon*. Richmond Hilll (Ontario), Scholastic Canada, 1991.

HOEST, Bunny. *Un amour de gros toutou*. Saint-Lambert (Québec), Héritage Jeunesse, 1992.

CROTEAU, Marie-Danielle. *Le chat de mes rêves*. Montréal, Les éditions de la courte échelle, coll. « Premier roman », 1994.

JOUR 1	Durée : 60 min

Matériel ⊘

- Série de descriptions de personnages tirées de différents récits par équipe. (Chaque description est transcrite sur des cartons individuels, plastifiés de préférence.)
- Illustrations représentant les personnages décrits
- Un crayon feutre à l'eau par équipe
- Une feuille-réponse par équipe *(Voir la fiche n° 9 Descriptions de personnages pour des exemples.)*

Préparation

Collez au tableau des illustrations représentant les personnages décrits (une illustration par personnage). Numérotez les illustrations. (J'ouvre le livre à la page de l'illustration et je l'insère ainsi dans une pochette de plastique transparent. Je cache le texte qui l'accompagne.)

L'activité

1. Activité « Où suis-je ? » (p. 52), et les enfants ont choisi de lire *Rendez-moi mes poux*.

2. Lecture et animation du livre choisi. Par exemple, avec ce livre on s'amuse des jeux de mots, des activités des poux, etc. On essaie même d'inventer de nouveaux jeux de mots avec « pou ».

Commentaire

Pour ce type de projet, je prends souvent le livre que les enfants ont choisi comme point central de l'étude. Ils aiment le relire, puisque c'est celui qui a le plus piqué leur curiosité. ▪

Matériel   Un objet fétiche

Définissez d'abord en groupe ce qu'est un sentiment ou une émotion. Poursuivez la discussion par une activité de réflexion, du type remue-méninges, portant sur tous les sentiments possibles que l'on peut ressentir dans n'importe quelle circonstance. On remplit le tableau de sentiments. On les classe en sentiments positifs et négatifs. «On se sent bien et on se sent mal.» On fait le cercle magique «Je me sens (vous choisissez un sentiment) quand ...» Chaque enfant peut s'exprimer ou non lorsque l'objet fétiche passe dans ses mains. Dans ce groupe, un mini-toutou lion servait d'objet fétiche. Seul l'enfant qui l'a entre les mains a droit de parole. Les enfants ont beaucoup aimé faire le cercle magique. Alors, nous répétons l'expérience régulièrement lorsqu'on a cinq minutes de libres dans l'horaire...

Matériel
- Un exemplaire par équipe d'un livre tiré de la sélection *Livres utilisés*
- Fiche n° 16 *Le tour du personnage coopératif*

Activité «Décris-moi» (p. 56). Au cours de la mise en commun, j'ai demandé pour ma part aux enfants de me dire ce que certains éléments nous révélaient du personnage étudié. Pour travailler, chaque équipe avait un exemplaire de l'album.

Matériel   Fiche n° 17 *Le tour du personnage coopératif*

Activité «Constellation du personnage (variante)» (p. 53).

Pour cette activité, j'ai demandé aux enfants de faire ressortir les sentiments du personnage et de les relier aux actions se déroulant dans le récit. Le tout a été suivi d'une mise en commun. Par exemple, dans *Rendez-moi mes poux*, les enfants ont réussi à établir un système de personnages opposant les adultes et Mathieu. Une petite fille de la classe s'est reconnue dans la situation familiale de Mathieu en spécifiant toutefois qu'elle était plus chanceuse que lui parce qu'elle avait sa grand-mère et ses sœurs pour lui tenir compagnie.

Matériel   Fiche n° 20 *On compare les héros*

Lecture en grand groupe d'un album choisi par les enfants. En équipes de trois, les élèves dressent une liste par écrit des similitudes et une autre des différences entre les deux personnages étudiés jusqu'à présent. Mise en commun, discussion et justification des différentes idées émises par les enfants. Dans ma classe, les enfants ont choisi de lire l'album *Le petit chien qui voulait un garçon*. Ils ont alors comparé Mathieu et Olivier, les deux personnages qui entretiennent une relation avec un animal.

Matériel Album tiré de la sélection *Livres utilisés*

1. Lecture de l'album choisi et discussion en groupe sous le signe de la comparaison.

2. Tout au long de ces exercices, les livres demeurent à la disposition des enfants. Aussi, on discute de notre animal, de la relation qu'on entretient avec lui, de ce qu'on aime faire avec lui, du rôle qu'il joue dans nos vies, etc. On compare notre « vécu » à ce qui se passe dans les livres. Dans ma classe, les enfants ont d'ailleurs suggéré que Mathieu demande un chien ou un chat à ses parents, jugeant que cette option serait peut-être mieux acceptée que des poux, même magiques.

Matériel Livres tirés de la sélection *Livres utilisés*

Classez les livres de ce corpus selon le type de besoins comblés par la présence d'un animal familier. Ce jour-là, dans ma classe, les enfants ont trouvé les catégories et les livres qui en faisaient partie. Ce travail s'est effectué en équipes et chacune avait accès à la série de livres.

Pour ne pas être seul	Un ami spécial	Les animaux finissent par se trouver un maître
Rendez-moi mes poux *La petite surprise* *Le petit chien qui voulait un garçon*	*Un amour de gros toutou* *Le chat de mes rêves* *Moutarde*	*Le chat qui revient* *Moutarde*

Après avoir réalisé ce classement, nous nous sommes amusés à choisir une catégorie à laquelle nous nous identifiions.

Le héros : son identité

Parfois individuellement, parfois en groupe, le héros de littérature pour la jeunesse est le personnage auquel le lecteur s'attache le plus. L'idée de héros renvoie directement à l'enfant-lecteur. Pour ce jeune, identifier le héros, c'est identifier le personnage «qui l'interpelle, le captive, l'émeut et, bien sûr, force l'identification[12].» Le jeune lecteur le suit pas à pas, s'inquiète, rit et pleure avec lui. Pour le reconnaître à coup sûr, réveillez votre regard d'enfant ou sinon traquez celui des jeunes lecteurs qui vous entourent. Qui, dans *La soupe au caillou*, du loup ou de la poule est le héros ou l'héroïne ? Je parierais sur la poule. Elle est plus petite, plus gentille, donc plus proche des enfants.

Dans le corpus de la littérature pour la jeunesse, le personnage principal joue un rôle de pivot autour duquel s'articule toute l'intrigue et se développe le système de personnages. Son étude nous permet donc, non seulement de mieux saisir l'ensemble du récit, mais aussi de faciliter notre progression dans les nombreuses péripéties qu'il vit. Somme toute, c'est la porte d'entrée privilégiée de l'univers romanesque.

L'identité sociale

L'univers social des héros de la littérature pour la jeunesse se concentre autour des lieux communs de l'enfance : la famille, l'école, le quartier. La littérature pour la jeunesse représente souvent l'univers de son lectorat. «Il était une fois» des lecteurs exclusivement issus de familles royales ; alors, les livres reflétaient généralement leur milieu. Puis la littérature s'est libéralisée, devenant accessible à un plus grand nombre d'enfants. L'univers qu'elle représentait s'est aussi transformé. Aujourd'hui, elle illustre toute une panoplie de milieux socioéconomiques. Ce coup d'œil sur l'évolution de la littérature pour la jeunesse est simplifié à l'extrême, mais il suffit pour réaliser l'importance du milieu social où évoluent les héros.

Mathieu, dans *Rendez-moi mes poux*, appartient à une famille aisée. Le décor dans lequel il vit nous en informe. Ses parents carriéristes n'ont pas le temps de s'occuper de lui. Leurs interactions nous l'indiquent. C'est un enfant «la clé dans le cou», souvent laissé seul à s'ennuyer. Zunik, personnage créé par Bertrand Gauthier[13], vit avec son père. Comme son nom le sous-entend, il est enfant unique, tout comme Mathieu. Il vit une relation très harmonieuse avec son père malgré les aléas du quotidien. Sa famille est éclatée, comme celle de beaucoup d'enfants aujourd'hui. D'autres, comme Marcus[14], vivent dans un milieu plus défavorisé et subissent des situations familiales difficiles (où le père a des problèmes d'alcoolisme, par exemple).

Aujourd'hui, l'univers social des héros est diversifié. Il faut pouvoir en tenir compte lors de l'étude du personnage principal. Son identité sociale influence toujours son comportement.

---

12. Dominique DEMERS, *Du petit Poucet au dernier des raisins*, Montréal, Québec/Amérique, coll. «Explorations», 1994, p. 193.
13. Il y a toute une série dont Zunik est le héros. Écrits par Bertrand Gauthier et illustrés par Daniel Sylvestre, ces albums sont publiés aux Éditions de la courte échelle (Montréal).
14. Gilles GAUTHIER, *Les gros problèmes du petit Marcus*, ill. Pierre-André Derome, Montréal, Les éditions de la courte échelle, coll. «Premier roman», 1992.

L'identité psychologique

Extrait de : *Simon et le vent d'automne* © 1989 Gilles Tibo publié aux Livres Toundra.

Extrait de : *Devine ?*, Ginette Anfousse, publié aux Éditions de la courte échelle, Montréal, Canada, H2T 1S4

Les héros de la littérature pour la jeunesse sont variés. Certains se bornent à des personnalités stéréotypées et d'autres, comme Jiji, sont plus nuancés. Des caractéristiques contradictoires se rencontrent alors dans le même personnage. Par exemple, Jiji peut être obéissante ou tout à fait l'opposé, selon les situations qu'elle vit. L'un n'empêche pas l'autre. Elle évolue d'un album à l'autre ; elle y dévoile un aspect différent de sa personnalité. Certains héros reviennent dans plusieurs épisodes et d'autres n'apparaissent qu'une seule fois.

L'âge et le sexe des héros jouent aussi un rôle dans l'interprétation de leurs faits et gestes. Un petit garçon de 5 ans n'agit pas comme son grand frère de 15 ans. Habituellement, le héros humain a environ l'âge de son lecteur, qui adhère ainsi beaucoup plus facilement au récit et s'identifie mieux à lui.

Comme nous l'avons déjà mentionné, par la description physique ou tout simplement l'illustration, le lecteur acquiert déjà une certaine connaissance de la psychologie du héros. En regardant seulement les illustrations de Simon (Gilles Tibo) et Jiji (Ginette Anfousse), le lecteur sait tout de suite qu'ils ont des personnalités tout à fait différentes, l'une étant plus exubérante que l'autre. Je ne donnerai pas de nom…

Un récit raconte souvent une quête. Les étapes et les obstacles rencontrés par le héros le laissent rarement indemne. Ainsi, son identité psychologique évolue au fil du récit. Le lecteur en découvre peu à peu toutes les facettes, les contours, et s'aperçoit des changements et des transformations.

À la découverte du héros

Pour découvrir la personnalité de notre héros ou de tout autre personnage, on l'a déjà mentionné, plusieurs avenues s'offrent à vous. Voici quelques pistes pour vous aider à mieux le traquer et, par ricochet, aider aussi vos élèves à le faire.

Qu'est-ce que le narrateur nous dit du héros ?

Le lecteur peut découvrir le héros par ce que le narrateur en dit, la description qu'il en fait, les actions qu'il lui prête. Parfois il peut y avoir contradiction. Il nous affirme qu'un tel est très gentil et sage et, pourtant, à la ligne suivante, on le voit casser son jouet… Cette mise en opposition amplifie la violence de ce geste, surprend le lecteur dans ses attentes et suscite un questionnement. À titre d'exemple, jetez un coup d'œil à la première partie de l'album *Au lit, princesse Émilie !*, où les versions du narrateur et de l'illustrateur divergent grandement. Par exemple, lorsque le narrateur nous dit qu'elle ne refuse jamais de finir de manger ses petits pois, on la voit les donner au chien qui est caché sous la table.

ACTIVITÉ 52   **Durée : 30 min**

📖 Le narrateur me dit...

Objectifs	3, 6 et 8
Matériel	Un album par équipe

Séparez votre groupe en équipes de deux ou trois et demandez aux élèves d'identifier ce que le narrateur dit du héros. Je vous conseille de choisir un album narré à la troisième personne. Au moment de la mise en commun, discutez de la justesse des propos du narrateur : « Est-ce que le héros est vraiment comme le narrateur le décrit ou non ? »

Lorsqu'ils en sont devenus capables, et qu'ils sont confiants, conviez-les à la lecture d'un petit récit. Cette aventure livresque pourrait bien leur jouer des tours ! Ce que les descriptions physiques ou factuelles nous révèlent sur un personnage dépassent parfois la simple énumération. Ainsi, dans le merveilleux album de Tony Ross, *Attends que je t'attrape !*, on ne voit jamais les deux personnages sur la même page. Le narrateur nous présente un monstre vraiment épouvantable, qui fait des choses tout à fait dignes du plus horrible monstre, et un petit garçon, Léo Olivet, sans défense, peureux et agissant comme tel. Arrêtez votre lecture juste avant la rencontre du monstre et du petit garçon. Faites dessiner ou écrire leur rencontre. Vous constaterez à quel point les enfants perçoivent le danger pour ce garçonnet. Le monstre est vraiment gigantesque et le petit Léo vraiment sans défense. Discutez brièvement des résultats, de leurs interprétations. Poursuivez votre lecture. Ils s'apercevront, à leur grand plaisir, que le narrateur les a bernés tout au long de leur lecture lorsqu'ils verront enfin les deux personnages illustrés ensemble sur une même page.

Tony Ross, Attends que je t'attrape ! © Tony Ross © Éditeurs Gallimard, pour la traduction française.

Qu'est-ce que le héros nous dit de lui-même ?

On connaît le héros par ce qu'il nous dit de lui-même. C'est souvent le cas des héros narrateurs. Et il y en a beaucoup en littérature pour la jeunesse. Par exemple, ce que Rosalie nous dit d'elle nous renseigne sur sa personnalité, sur ce qu'elle vit et la manière dont elle le ressent. Il est toujours enrichissant de mettre en relation ces révélations et la perception que les autres personnages ont du héros.

Qu'est-ce que le héros nous dit des autres ?

Ce que le héros nous dit des autres peut également nous renseigner sur sa propre personnalité. Dans *Marélie de la mer* de Linda Brousseau, il est très révélateur de mettre en relation ce que la narratrice nous dit d'elle et ce qu'elle nous dit des autres. CES AUTRES qui ont tout, qui ne la comprennent jamais et surtout qui ne l'aiment pas. Son interprétation de leurs faits et gestes passe par le filtre de sa personnalité torturée, de son mal de vivre. Le lecteur voit malgré tout que Marélie perçoit mal son environnement, et cette constatation l'amène à mieux comprendre l'héroïne et sa problématique.

Comme on l'a vu, ce que quelqu'un dit des autres nous renseigne souvent sur sa personnalité. Aussi, plutôt que de m'arrêter à demander « Qu'est-ce que le personnage principal pense ? », j'élargis cette question pour inclure également ce que ce personnage pense des autres. Parfois, le lecteur voit ce que le protagoniste pense des autres par les gestes qu'il fait.

📖📖 Ce que le héros pense des autres

Objectifs   3, 6 et 8

Matériel   Un album par équipe

Séparez votre groupe en équipes de deux ou trois. Les élèves établiront une liste de ce que le héros pense des autres personnages du livre. Au moment de la mise en commun, invitez-les à tirer les conclusions qui s'imposent. « Qu'est-ce que vous avez appris au sujet du héros ? D'habitude, quel genre de personne dit ou fait ce genre de choses ? »

Commentaire

Par exemple, avec l'album *Chloé la copieuse*, les enfants ont pris conscience que Chloé était finalement une petite fille probablement malheureuse ayant peut-être de la difficulté à s'accepter comme elle est. Chloé trouve les autres, et surtout ce qu'ils portent, toujours très beau, tellement qu'elle les copie à longueur de page. ◾

Qu'est-ce que les autres nous disent du héros ?

Le lecteur découvre le héros par ce que ses amis ou ennemis lui dévoilent sur lui. Selon le point de vue narratif, ces descriptions peuvent mettre en lumière la relation entre les différents personnages ou relativiser ce que le héros nous révèle de lui.

Dans la prochaine activité, j'inclus dans la question ce que les autres personnages pensent du héros. Ce que le lecteur peut sentir par les gestes qu'ils font. Par exemple, dans *Bébé monstre*, il y a bien sûr ce que les autres personnages (sa maman et un petit garçon) pensent du héros, ce pauvre petit monstre qui a peur des humains. N'oublions pas ici ce que, dans son for intérieur, le lecteur pense des monstres. En confiant sa peur des humains, le narrateur confond le lecteur qui a habituellement peur des monstres.

📖📖 Ce que les autres disent de...

Objectifs   3, 6 et 8

Matériel   • Album ou mini-roman
                             • Fiche n° 15 *Le tour du personnage en coopératif*

En équipes de deux ou trois, les enfants identifient d'abord tous les personnages du récit. Ensuite, ils énumèrent leurs opinions au sujet du personnage principal. J'essaie d'avoir un album par équipe. En élucidant ce que les autres personnages pensent du héros, les enfants éclairciront aussi comment eux-mêmes considèrent ce personnage principal et leurs sentiments à son égard.

Au moment de la mise en commun, les élèves présentent leurs trouvailles et justifient leurs conclusions.

Commentaire

L'album *Bébé monstre* a suscité chez les petits des discussions animées sur la question des différences et de la peur qu'on a parfois de ce que l'on ne connaît pas. ▪

Variante

Parfois, les personnages taisent le jugement qu'ils portent sur les autres. Par exemple, dans *La soupe au caillou,* ni le loup, ni la poule ne révèle ce qu'il pense de l'autre, mais, par leurs agissements, le lecteur peut découvrir ce qu'ils pensent l'un de l'autre. C'est par contre un exercice plus difficile. Dans un album à deux personnages, comme celui-là, je sépare mon groupe en équipes de deux ou trois. La moitié des équipes cherchent ce que le premier personnage pense du deuxième, et l'autre moitié ce que le deuxième personnage pense du premier. Nous naviguons ici dans le non-dit, entre les lignes du texte. C'est une activité qui s'adresse plutôt aux élèves du deuxième cycle. Pendant la mise en commun, les jeunes lecteurs appuient leur point de vue par les gestes des protagonistes.

Dans quel cadre spatiotemporel le héros évolue-t-il?

Il y a bien sûr l'espace dans lequel le héros évolue : le cadre spatial. Y est-il à l'aise ou en révolte ? Comment s'y sent-il ? » Les réponses à ces questions nous indiquent d'autres pistes de réflexion. Le décor nous renseigne aussi sur l'univers socioéconomique dans lequel il évolue, et l'époque dans laquelle il vit. Ces données influencent son comportement. Parfois, le lecteur doit s'ajuster à cette époque pour interpréter les faits et gestes du héros. Il y a deux siècles, c'était normal de voir travailler un jeune de 12 ans et exceptionnel de le voir étudier. Aujourd'hui, c'est tout le contraire.

ACTIVITÉ 55   **Durée : 10 à 15 min**

📖📖 Dans le décor

Objectifs	2, 3, 6 et 8
Matériel	Une description du décor, incluant la réaction des protagonistes, sur un carton

En équipes ou individuellement, à l'oral ou à l'écrit, je demande aux enfants de me dire comment le héros se sent dans l'endroit où il se trouve. Ils peuvent obtenir la réponse en lisant le texte ou en regardant les illustrations. Voici une description tirée de *Poil de serpent, dent d'araignée.* Dans ce cas-ci, mes élèves se sont basés exclusivement sur le texte pour tirer leurs conclusions. Vous pouvez leur en faire la lecture sans leur montrer l'illustration ou transcrire cette description sur des feuilles qu'ils pourront consulter à loisir.

À l'intérieur, c'est pis encore. Tout n'est que désordre et désolation. La maison est mal tenue. Cela pue le tabac froid et la pourriture. Sitôt que Crapoussin allume la lampe, Florentine voit se confirmer ses pires appréhensions. Il y a des toiles d'araignée partout. Des taches de graisse maculent les murs. Un énorme chaudron est suspendu dans l'âtre et répand une odeur âcre dans la pièce. Sur une tablette, des fioles aux formes étranges contiennent des poudres et des liquides aux noms terrifiants : os de chacal, langue de vipère, sang de génisse, poils de loup, pattes d'araignée, venin de scorpion, queue de souris.

Rien de tout cela ne semble pourtant affecter Crapoussin qui d'un coup de manche balaie la table pour y poser la fleur de puissance du diable [15].

---

15. Danielle MARCOTTE, *Poil de serpent, dent d'araignée,* ill. Stéphane Poulin, Laval, Les 400 coups, coll. « Billochet », 1996, p. 15.

«Comment se sent Florentine dans cet environnement? Comment se sent Crapoussin? Qu'est-ce qui dans le texte nous l'indique?» Les enfants ont vite pris conscience que Florentine est en terrain étranger et s'y sent très mal à l'aise. Au cours de la mise en commun, ce sentiment d'inconfort a été unanimement admis. Pendant la lecture, nous avons constaté que ce sentiment l'habite tout au long du récit.

Curieusement, elle se réfugie dans un environnement qui lui est *a priori* hostile. C'est l'univers de Crapoussin. Et c'est pourtant dans ces lieux étranges qu'elle résoud son problème et peut ainsi réintégrer son univers.

Commentaire

Parfois, on peut faire cet exercice seulement en examinant les illustrations. ▪

Quel est le statut social du héros?

Quel rôle le héros joue-t-il dans la microsociété représentée dans le livre? Quelles sortes de relations entretient-il avec les autres membres de sa famille, avec ses amis, à l'école, etc.? Décrire un petit enfant de 5 ans sans jamais faire allusion à ses parents peut avoir une certaine signification. De même pour un adolescent qui est toujours collé à ses parents, mais dont on ne voit jamais les amis.

ACTIVITÉ 56 | **Durée: 30 à 45 min**

📖📖 Quel est le rôle du héros?

Objectifs	3, 6 et 8
Matériel	• Un album par équipe (Dans le cas d'un personnage sériel, chaque équipe peut disposer d'une série d'albums.) • Fiches n° 18 et 19 *Le tour du personnage en coopératif*

En équipes de trois, les enfants examinent l'environnement social du héros. Ils voient qui sont ses amis et ses ennemis et déterminent son rôle dans cette microsociété. Chaque réponse doit être justifiée par le texte ou les illustrations.

Dans le cas de Simon, personnage créé par Gilles Tibo, chaque équipe de ma classe avait à sa disposition les différents albums de cette série. À la fin, on a fait un portrait collectif de l'univers de Simon.

Commentaire

Ce moment de réflexion a amené les enfants à se demander si Simon était dans la réalité ou dans le rêve. À part Marlène, les autres humains sont plutôt rares dans la série. Ils n'apparaissent qu'à la fête de la fin. Les enfants en ont conclu que Simon a des amis, mais qu'il passe le plus clair de son temps seul à parler à des animaux ou à des choses qui d'ordinaire ne parlent pas. Il ne dévoile jamais rien au sujet de ses parents. On imagine une allusion à l'univers adulte par la présence du robot de carton, de l'accordéoniste et d'autres grands personnages. Les enfants demeurent indécis quant à la réalité de ces relations... Dans son album, *Simon et la chasse au trésor*, Simon découvre la valeur de la compagnie des autres enfants. C'est finalement son trésor. ▪

Comment le héros mène-t-il sa quête ?

Dans un récit, un héros a souvent un problème à régler. Il passe d'un point A à un point B qui représente soit la réussite, soit l'échec de sa quête. Observez comment il mène sa quête, analysez ses actions. Posez des questions : Qu'est-ce que sa façon de faire vous révèle sur lui ? Attend-il que quelqu'un vienne le sortir du pétrin ou passe-t-il à l'action ? Est-il générateur d'idées ou se laisse-t-il mener par les autres ?

Le plus difficile n'est pas de connaître les actions du héros, mais de comprendre leur signification, de les interpréter. Qu'est-ce que ces gestes, ces décisions nous révèlent à son sujet ?

ACTIVITÉ 57　　　　　　　　　　　　　　　　　　　Durée : 30 à 45 min

📖📖 Qu'est-ce que le héros fait ?

Objectifs　　　　　3, 6 et 8

Matériel
- Un album ou un roman par équipe
- Fiche n° 13 *Le tour du personnage en coopératif*

En équipes, les enfants trouvent la séquence des actions du héros et déterminent leur signification.

Par exemple, après avoir lu *La charabiole*, les enfants retracent les faits et gestes de Quentin Corbillon. Ils découvrent ainsi un Quentin plus nuancé, original et tenace.

ACTIVITÉ 58　　　　　　　　　　　　　　　　　　　Durée : 20 à 30 min

📖📖 On compare deux héros

Objectifs　　　　　3, 6, 8 et 9

Matériel
- Une série d'albums ou de romans par équipe
- Fiche n° 20 *On compare les héros*

Commentaire

Pour cette activité, vos jeunes lecteurs devront déjà connaître ces héros que vous vous apprêtez à comparer. Les albums ou romans mis à leur disposition ne sont là que pour permettre de vérifier leurs affirmations au besoin. ▪

L'activité

En équipes, ils comparent deux héros. Les équipes peuvent avoir des héros différents, mais qui font partie d'un même corpus à l'étude. Au moment de la mise en commun, chaque équipe présente ses résultats. Vous serez parfois surpris par la qualité et la profondeur des trouvailles de vos élèves.

Le système de personnages

Ces réflexions nous entraînent tout naturellement vers l'étude du système des personnages. Dans tout récit, la relation entretenue entre les personnages mis en scène nous renseigne grandement sur ce qu'ils sont. Ils se regroupent en deux grandes catégories. Il y a ceux qui s'opposent au héros et ceux qui l'aident ou sont sympathiques à sa cause. Par exemple, dans *Rendez-moi mes poux*, de Pef, la relation entre le petit Mathieu et le monde des adultes est très négative. Aucun adulte ne va l'aider à résoudre son problème de solitude. Même si ses parents constatent ce problème, ils ne font rien pour améliorer la situation. Tous, autant qu'ils sont, s'opposent totalement à son amitié avec ses poux. D'ailleurs, qui les blâmerait? Cette opposition entre adultes et enfants maintes fois rencontrée dans les récits pour la jeunesse démontre la tension entre ces deux univers, celui de l'enfance et celui de l'âge adulte.

L'enfance symbolise le rêve, la magie, l'authenticité, la liberté. L'âge adulte? La réalité, la banalité, l'artificialité, les restrictions. L'enfant représente souvent la nature à l'état sauvage, alors que l'adulte renvoie à la société, à la nature domptée [16].

Évidemment, ce ne sont pas toujours ces deux mondes qui s'affrontent; certains genres littéraires ou récits appellent d'autres types d'opposition.

Il est intéressant d'amener les jeunes lecteurs à comprendre le système de personnages. Ils accèdent ainsi à une lecture plus en profondeur du récit. Pour reprendre l'exemple de *Rendez-moi mes poux*, une première lecture nous dévoile un récit très amusant où les jeux de mots se succèdent, où les poux nous font rire par leurs attitudes humaines. Lorsque les enfants étudient le système de personnages, ils accèdent ainsi à un second niveau de lecture. Ils prennent alors conscience que ce récit n'est pas aussi innocent qu'il en a l'air à première vue. Il s'agit même d'une critique sociale plutôt acerbe. Certains enfants se reconnaissent dans cette situation d'enfant laissé à lui-même où les jeux suppléent à l'absence chronique des parents. C'est une dure réalité.

Cette lecture plus nuancée n'est généralement pas à la portée de nos jeunes lecteurs. Leur en permettre l'accès les aide à développer leur esprit critique. Le lecteur peut savoir si un personnage est ami ou ennemi du héros par les gestes qu'il fait, les mots qu'il prononce ou les sentiments qu'il provoque. Voici une activité qui facilite leur réflexion et les aide à mieux visualiser le système de personnages.

ACTIVITÉ 59 **Durée: 30 à 45 min**

Amis ou ennemis?

Objectifs	• Exprimer son opinion (8) • Situer les personnages (3) • Sélectionner l'information (6)
Matériel	• Un album mettant en scène plus de deux personnages (Prévoyez-en un par équipe de travail.) • Fiche n° 21 *Le héros: ses amis et ses ennemis*

---

16. Dominique DEMERS, *Du petit Poucet au dernier des raisins*, Montréal, Québec/Amérique, coll. « Exploration s», 1994, p. 104.

Le personnage

Hypothèse

Ici, l'hypothèse ne se pose pas avant, mais après la lecture.

1. Lire l'histoire en grand groupe. Je vous conseille encore une fois d'utiliser un album pour faciliter la tâche des élèves, même pour les élèves plus âgés, question de longueur de texte et de temps requis pour l'activité.

2. En équipes de deux ou trois, les élèves doivent d'abord faire un recensement de tous les personnages présents dans l'album et les classer en amis ou ennemis d'après leur souvenir d'auditeur. Ils justifient bien sûr leur jugement en s'appuyant sur des éléments du texte ou des illustrations.

Vérification

3. Les élèves viennent chercher un album et y vérifient leurs réponses. Ils les corrigent, s'il y a lieu.

Évaluation-ajustement

4. Au moment du retour en grand groupe, chaque équipe présente les résultats de ses cogitations et les justifie. Certaines équipes auront sans doute à ajuster leur jugement.

5. Ensemble, on tire une conclusion sur le genre de relation, sur ce que cela nous dévoile du héros et du récit.

Commentaire

Parfois, il n'y a pas d'opposition. Dans les albums de Gilles Tibo, le petit héros Simon n'a pas d'opposants réels. S'il ne réussit pas dans ses quêtes, cela est dû à l'impossibilité de la tâche elle-même plutôt qu'à la présence d'ennemis. Certaines images, comme celle du robot ou du bonhomme de neige, pourraient représenter le monde adulte. Leur relation avec le héros semble très harmonieuse. ■

ACTIVITÉ 60　　　　　　　　　**Durée : 30 à 45 min**

À chacun son personnage

Objectifs	3, 6 et 8
Matériel	Album comportant plusieurs personnages (Ex. : *Mala et la perle de pluie*)

Commentaire

Dans certains récits, plusieurs personnages entrent en jeu, s'affrontent parfois. Je pense à des albums comme *Mala*. Pour cette activité, on peut les regrouper en catégories. Il y a d'abord a) Mala-Amal, qui présente deux facettes de l'héroïne de ce conte indien ; ensuite il y a tous les autres : b) le monde féminin est représenté, entre autres, par les fées, les gitanes, etc. ; c) le monde des hommes est représenté par Mani, le frère de Mala, le roi, son conseiller et tous les autres ; d) le démon, ce monstre qui menace le royaume. ■

L'activité

Formez des équipes de trois élèves ou plus, selon la quantité de personnages ou groupes de personnages. (Dans le cas de Mala, je vous suggérerais des équipes de quatre, puisqu'il y a quatre groupes de personnages.) Chaque équipe se spécialise dans l'étude d'un seul groupe de personnages. Par exemple, l'équipe A étudie Mala-Amal. Évidemment, vous tenez également compte du nombre d'élèves qu'il y a dans votre classe.

La lecture peut se faire en grand groupe ou en équipes. Ensuite, accordez aux élèves entre 15 à 20 min pour expliquer comment leurs personnages considèrent le héros, comment ils se comportent face à lui et ce qui motive ce genre de comportement.

Reformez de nouvelles équipes A, B, C et D où chaque membre devient spécialiste d'un personnage. À tour de rôle, les élèves présentent leurs trouvailles aux autres. Enfin, ensemble, ils établissent un système de personnages et déterminent les relations qui sous-tendent tout le récit.

En conclusion, chaque équipe présente ses résultats. Vous pouvez discuter des différences entre les résultats, s'il y a lieu.

Commentaire

Dans le groupe où j'ai organisé cette activité, les enfants ont lu, étudié et dégagé une très bonne vision d'ensemble. Les plus faibles ont pu s'intégrer au groupe en étudiant les personnages les moins difficiles.

Les personnages sériels

Les héros de série foisonnent dans le paysage littéraire pour la jeunesse. Pensons à Jiji, Simon, Méli-Mélo et tous les autres. Certains de ces personnages sont très prévisibles, d'une simplicité désarmante, alors que d'autres possèdent une personnalité plus riche, plus complexe. Certains lecteurs vont adorer Martine parce qu'ils peuvent prévoir facilement ses agissements, ses réactions. La lecture de ces albums en est alors d'autant plus facilitée. Les lecteurs sont constamment en terrain connu. Pour d'autres personnages, le lecteur gagne à lire plusieurs de ses aventures, car leur personnalité se raffine peu à peu et tend à se complexifier.

Ces personnages sériels invitent donc le lecteur à une multitude d'aventures dans lesquelles ils se laissent peu à peu découvrir. Les jeunes lecteurs ont ainsi plusieurs occasions de les rencontrer et, par conséquent, de mieux les comprendre.

À la découverte d'un personnage sériel

Pour l'étude du personnage sériel, je vais utiliser Simon, personnage créé par Gilles Tibo. Les activités et la façon de faire se transposent facilement d'un héros de série à un autre. Il faut évidemment s'adapter au personnage étudié. Je vous conseille de commencer avec des héros d'albums, même pour les enfants plus âgés. Plus vos élèves sont âgés, plus vous leur demandez d'être autonomes dans leur démarche d'analyse et plus vous approfondissez le sujet. Je vous garantis que même des grands de sixième année y trouveront leur compte avec Simon. Ensuite, le transfert de ces habiletés s'effectue aisément dans l'étude d'un roman.

Peu importe le héros que vous choisissez, je vous conseille grandement de lire la série de livres que vous désirez présenter et de les étudier avant de demander à votre groupe d'en faire autant. Il est toujours mieux de savoir où on s'en va ! Vous pouvez utiliser les sept points de réflexion présentés précédemment pour approfondir un héros. Ils vous aideront à faire un bon tour d'horizon. Analyser des albums semble facile mais, lorsqu'on les approfondit, soudainement, leur complexité apparaît au grand jour.

À la découverte de Simon

À titre d'exemple, voici comment des enfants de première année ont découvert ce charmant petit personnage. Comme je l'ai déjà mentionné, ce qui est intéressant lorsque les enfants sont en présence d'un personnage sériel, c'est qu'ils profitent de plusieurs albums pour découvrir les différentes facettes de sa personnalité. Il importe que ce soit les enfants qui découvrent Simon et vous en parlent. L'enseignant ou l'enseignante n'est là que pour les orienter au besoin par des questions ou des réflexions sur des points importants. Si vous lisez plusieurs albums, je vous conseille de les répartir sur plusieurs jours ou même plusieurs semaines (organisez, par exemple, un «festival Gilles Tibo»). Les élèves découvrent ainsi non seulement un personnage, mais aussi un auteur-illustrateur.

Livres utilisés

Simon et les flocons de neige, Simon fête le printemps, Simon et le soleil d'été, Simon et le vent d'automne, Simon et la plume perdue, Simon au clair de lune, Simon et la ville de carton, Simon et la musique, Simon et la chasse au trésor, Simon et le petit cirque[17]

J'ai classé les activités en quatre catégories : **amorce**, **lecture**, **exploitation** et une dernière qui regroupe celles touchant à des matières connexes, animées **en parallèle**.

Amorce

L'activité «Qu'est-ce que tu ferais si...» (p. 26) est toute désignée pour présenter presque tous les albums de cette série. Trouvez la question au cœur du récit, celle à laquelle le protagoniste est confronté. Demandez à votre auditoire d'y répondre.

La première fois que vous présentez un album de Simon, vous pouvez amorcer l'échange avec les enfants par une discussion sur l'échec : soit en racontant un échec personnel «Vous ne savez pas ce qui m'est arrivé...», soit en leur demandant de vous raconter leurs déboires : «Est-ce que ça vous arrive quelquefois de vouloir faire quelque chose et de rater votre coup?» Il y a peut-être des choses qu'ils ont déjà voulu faire, mais qu'ils ont été incapables de réussir. Comment ont-ils procédé (avec ou sans l'aide de quelqu'un, de qui, etc.)?

Pour tous les autres albums, il y a aussi possibilité d'une discussion sur la faisabilité d'une tâche, sa réussite probable. Posez des questions : «Est-ce que c'est possible de faire venir le printemps plus vite?» «As-tu déjà essayé de compter les flocons de neige? Comment t'y prendrais-tu?»

L'activité

L'activité «Une paire hors de l'ordinaire» (p. 26) illustre le rôle parfois important qu'un objet joue dans un récit. Il accompagne parfois le héros tout au long du récit ou il sert de déclencheur. Dans *Simon et la plume perdue*, Simon trouve une plume et cette plume, en plus de servir de déclencheur, le suit partout dans le récit. Demandez-leur : «Que ferait Simon avec une plume rouge?
À quel oiseau peut-elle bien appartenir?»

Vous animez une discussion en grand groupe ou en petits groupes d'environ trois élèves, suivie d'une mise en commun. Les réponses doivent être justifiées. Les enfants s'appuient généralement sur la personnalité de Simon pour anticiper leur réponse.

Commentaire

Si le lecteur suit la trace de cette plume, il se rend compte que, pour la première fois, Simon a peut-être réussi sa quête. L'oiseau qu'il soigne pourrait très bien être le propriétaire de cette plume. ∎

ACTIVITÉ 61   **Durée : 5 à 10 min**

 Ensuite

Objectifs	1, 3 et 9
Matériel	Un album de la série Simon

---

17. Gilles TIBO. Toute la série des Simon est éditée aux Livres Toundra (Toronto).

L'activité

Après avoir présenté quelques albums, l'enseignante peut se contenter de lire seulement la première page et les enfants peuvent prédire la suite. Maintenant qu'ils connaissent mieux Simon et sa façon de raconter ses histoires, ils réussiront à bien anticiper la suite. Cette activité peut se faire à l'oral ou à l'écrit, en groupe ou individuellement. C'est plus rapide en grand groupe, mais, parfois, il est intéressant de voir ce que les élèves peuvent faire en petits groupes. On conclut le tout par une mise en commun des trouvailles. Les commentaires et les critiques sont toujours les bienvenus.

Lecture

Dans cette catégorie, il y a bien sûr la lecture en grand groupe. Mais il y a aussi d'autres façons de lire qui peuvent être très intéressantes.

L'activité « Je lis avec un ami » (p. 25) est une autre solution. Deux par deux, les élèves lisent les livres de la série. Chacun lit sa page ou aide l'autre à lire certains mots difficiles. Incitez les enfants à s'attarder aux illustrations. La tâche de lecture en est d'autant plus facilitée et enrichie.

ACTIVITÉ 62 | **Durée : Variable**

📖 Les enfants lisent un album aux autres

Objectifs	2 et 4
Matériel	Albums de la série Simon

Donnez à chaque équipe un livre différent dont les élèves doivent préparer la lecture en classe. Ils s'exercent ainsi à lire à haute voix en ayant une bonne intonation et un minimum de fluidité. Je vous garantis qu'ils travaillent fort et approfondissent par le fait même leur compréhension du texte afin de souligner les moments forts du récit. (*Voir la technique de lecture à haute voix en équipe, chap. 1, note n° 5 au bas de la page 12.*) Les élèves décident également de la présentation. Qui lira le texte ? Chacun lira une page ou une section (séparée en étapes significatives), à tour de rôle, ou un seul enfant lira le texte dans son entier.

Commentaire

Cette activité est aussi valable pour un roman. Dans ce cas, chaque équipe est responsable d'un chapitre. ▪

Activités d'exploitation

ACTIVITÉ 63 | **Durée : 20 à 30 min**

📖 Carte d'identité

Objectifs	3, 6 et 9
Matériel	Albums de la série Simon

Lorsque vous lisez un album, après chaque séance de lecture, les enfants vous signalent ce qu'ils ont appris sur Simon ou sur le personnage étudié. Ensuite, vous élaborez ensemble sa carte d'identité.

Commentaire

Moi, j'ai commencé avec l'album *Simon fête le printemps*. Après la lecture, j'ai invité les enfants à dire ce qu'ils savaient de Simon. Cette discussion se faisait en grand groupe. Il faut généralement aider les enfants en leur posant des questions : «Qu'est-ce que Simon veut faire ? Comment est-ce qu'il s'y prend ? Est-ce que ça marche ? Est-ce que tu remarques des choses qui se répètent dans l'histoire ou d'une histoire à l'autre ? dans les illustrations ? Est-ce que Simon a des amis ? Quel âge peut-il bien avoir ? Qu'est-ce qui te fait dire cela ?» Les enfants doivent justifier leurs réponses. Par exemple, à la suite de la lecture de la quatrième saison, un enfant m'a dit que Simon avait vieilli d'un an parce qu'il avait fait le tour de l'année.

Pour cette étude de Simon, j'ai décidé de voir les quatre saisons en groupe et dans l'ordre : *Simon fête le printemps*, *Simon et le soleil d'été*, *Simon et le vent d'automne*, et *Simon et les flocons de neige*. Au deuxième album, nous avons réalisé l'activité «Carte d'identité» en grand groupe. J'avais placé le carton de la première session à côté de celui de la deuxième session. Ainsi, les élèves ont pu revenir sur ce qu'ils avaient trouvé précédemment. Par exemple, à la lecture de *Simon et le soleil d'été*, les enfants ont remarqué qu'il y avait encore une fête à la fin. Nous avons décidé d'ajouter cette remarque à notre première fiche de trouvailles. Pour l'analyse des albums portant sur les deux dernières saisons, j'ai fait travailler les enfants en équipes de trois. Chaque équipe lisait l'album à l'étude et, pendant la mise en commun, on continuait les cartes d'identité. Voici les résultats :

Simon fête le printemps	Simon et le vent d'automne
• Il a 5 ou 6 ans parce qu'il peut aller tout seul à certains endroits. • Il aime le printemps. • Il aime son amie Marlène. • Il aime jouer du tambour. • Il a un ami oiseau. • Il parle au lapin et au hibou. • Il fait beaucoup de choses pour faire arriver le printemps, mais le printemps arrive *tout seul*. • Il y a une fête à la fin.	• Il a toujours 5 ou 6 ans. • Il parle au soleil. • Il veut parler aux nuages. • Il parle à un épouvantail et aux oiseaux. • Il aime faire des bulles de savon. • Il a toujours les mêmes jouets. • Il aime le vent. • Il ne réussit pas à flotter dans le vent. • Il y a une fête à la fin.
Simon et le soleil d'été	**Simon et les flocons de neige**
• Il aime l'été et le soleil. • Il aime son cheval de bois. • Il parle avec la vache et le héron. • Il a essayé beaucoup de choses pour garder l'été. • Il ne réussit pas à faire durer l'été. • Il porte toujours un chapeau. • Il y a une fête à la fin.	• Il a grandi d'un an. • Il aime compter les flocons de neige. • Il compte les étoiles, les lumières dans la ville. • Il parle à la Lune. • Il parle au bonhomme de neige. • Marlène aide Simon à décrocher les étoiles. • Il ne réussit pas à compter les flocons de neige. • Il y a une fête à la fin.

ACTIVITÉ 64 — Durée : 20 à 35 min

Carte d'identité en équipe

Objectifs	3, 6 et 8
Matériel	Albums de la série Simon

Si vous voulez rendre la tâche un peu plus ardue, sélectionnez quelques questions appropriées parmi les points de réflexion mentionnés plus haut. Chaque équipe doit répondre à une ou deux de ces questions. À la fin, au cours de la mise en commun, on obtient une bonne vision d'ensemble. ▪

Commentaire

Dans le cas de cette étude, j'ai d'abord transformé le premier point. Le point de vue du narrateur est devenu celui de l'illustrateur. La question se lisait alors comme suit :

Qu'est-ce que les illustrations nous disent du héros ?

- Il ressemble à une poupée.
- Il n'a pas l'air d'un vrai petit garçon.
- Il a toujours un chapeau; c'est le même dans tous les albums.
- Il est petit.
- Il a de beaux vêtements.

Les autres questions se formulaient ainsi :

Qu'est-ce que le héros nous dit de lui-même ?

- C'est Simon qui raconte son histoire.
- Il aime toutes les saisons.
- Il aime la nature.
- Marlène est son amie.

Qu'est-ce que le héros nous dit des autres ?

- Simon peut parler à des choses qui ne parlent pas ordinairement.
- Les choses sont toujours gentilles.
- Il a l'air de connaître ces choses. Il parle avec elles comme s'il les connaissait. Il n'est jamais surpris.

Qu'est-ce que les autres disent de lui ?

- Marlène ne parle presque jamais.
- Elle aide Simon à faire une chose dans l'histoire.
- Les autres disent à Simon que ce qu'il doit faire est facile à faire.

Dans quel cadre Simon évolue-t-il ?

- Il y a toujours un cheval de bois.
- Des fois, on dirait qu'il va à cheval, mais c'est impossible.
- Il est à la campagne.
- Il n'y a pas beaucoup de maisons d'humains.
- Les paysages sont beaux mais, des fois, les couleurs ne sont pas comme dans la vraie campagne.
- Les animaux ressemblent à de vrais animaux.
- L'histoire dure une journée parce qu'il a les mêmes vêtements.

Quel est le rôle de Simon dans sa famille ou avec ses amis ?

- Il n'a pas de frères, pas de sœurs, pas de famille.
- Il n'a pas de papa ni de maman. On ne les voit jamais.
- Il a des amis qu'on voit à la fin.
- Il a beaucoup d'amis animaux.
- Il a toujours un oiseau.

Comment le héros trouve-t-il une solution à son problème ?

- Il fait deux ou trois choses pour régler son problème.
- Il ne réussit jamais à faire ce qu'il veut faire au début.
- Il veut toujours faire quelque chose d'impossible.
- À la fin de tous les livres qu'on a lus, il y a une page avec les amis.
- Simon a la première idée.
- Il se fait dire quoi faire par les autres et il le fait.

Comme vous le constatez, les enfants ont réussi à trouver beaucoup de réponses. Certaines équipes ont mieux réussi que d'autres. Pendant que les élèves s'appliquaient à fouiller, relire, se montrer des pages de livres, je circulais parmi eux tout en posant certaines questions afin de leur faire découvrir toutes les pistes cachées à l'intérieur d'une rubrique. ▪

ACTIVITÉ 65 | **Durée: 30 min**

📖 Littérature et mathématiques

Objectifs	Objectifs de mathématiques
Matériel	• Grande feuille quadrillée • Crayons feutres

Sur la grande feuille de papier quadrillée, vous transcrivez les titres de la série de Simon de façon à pouvoir créer un histogramme (graphique). À l'aide d'un passeport de lecture regroupant tous les titres de cette série, semblable à ceux créés par Communication-Jeunesse, les enfants inscrivent leur vote dans cet histogramme. Ainsi, vous déterminez les albums préférés des enfants. Chaque titre a trois lignes, chaque ligne signifiant un degré d'appréciation.

Commentaire

Moi, je décide d'un code de couleur avec les enfants :

le rouge indique « J'aime à la folie », le jaune « J'aime beaucoup », et le bleu « J'aime un peu ». Je n'ai jamais rencontré d'enfants détestant les albums de cette série. ◼

Titre		Votes
Simon fête le printemps	*(rouge)*	
	(jaune)	
	(bleu)	
Simon et le soleil d'été	*(rouge)*	
	(jaune)	
	(bleu)	
Simon et le vent d'automne	*(rouge)*	
	(jaune)	
	(bleu)	

Titre		Votes
Simon et les flocons de neige	*(rouge)*	
	(jaune)	
	(bleu)	
Simon et la plume perdue	*(rouge)*	
	(jaune)	
	(bleu)	
Simon au clair de lune	*(rouge)*	
	(jaune)	
	(bleu)	

En donnant leur vote, les enfants peuvent aussi commenter leur appréciation, exprimer leur réaction face à leur lecture. Cet histogramme peut servir de base pour toutes sortes de problèmes mathématiques, pour la création d'un graphique, pour le calcul de pourcentages, etc.

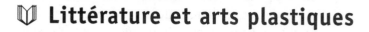

ACTIVITÉ 66 | **Durée: 30 à 45 min**

📖 Littérature et arts plastiques

Objectifs	Objectifs en arts plastiques
Matériel	• Cartons de 12 cm x 20 cm • Pastels ou craies de bois

Demandez aux enfants de dessiner sur un carton ayant le format d'une carte postale leurs passages préférés des livres qu'ils ont lus et organisez une exposition.

Chaque enfant peut aussi relier ses cartes postales dans un recueil où chaque livre lu sera représenté.

Chapitre 2

Commentaire

Cette activité permet l'étude du type de couleurs utilisé par Tibo (mes élèves ont bien réussi avec des pastels à l'huile ou des crayons de bois), des accessoires qui reviennent souvent dans ses illus-trations (le chapeau, le cheval de bois, l'habille-ment, etc.), du style de dessin, de la rondeur des formes. Derrière leur carte postale, les élèves peuvent écrire un mot à l'auteur ou auteure sur ce qu'ils ont aimé dans ses livres. ▪

ACTIVITÉ 67   **Durée : 30 min**

📖 Littérature et sciences humaines

Objectifs	Objectifs de sciences humaines
Matériel	Calendrier

Quatre albums de la série de Simon traitent des saisons. Avec les enfants, profitez-en pour faire un retour sur les mois de l'année et le passage des saisons. D'après ce qu'ils ont appris du cycle annuel, les enfants expliquent ensuite à Simon pourquoi il ne peut pas faire durer les saisons.

Commentaire

Certains albums ou romans traitent d'un sujet touchant un ou plusieurs points du programme de sciences humaines. Alors, aussi bien en profiter ! ▪

ACTIVITÉ 68   **Durée : 30 à 45 min**

📖 Littérature et sciences naturelles

Objectifs	Objectifs de sciences naturelles
Matériel	• Leçon sur les cycles de la Lune • Photos de différentes espèces d'oiseaux, etc.

Les enfants peuvent répondre à Simon pour lui expliquer pourquoi la Lune rétrécit ou grandit. À l'aide des photos de différentes espèces d'oiseaux et d'une collection de plumes (réelles ou dessi-nées), ils peuvent construire un jeu d'association, « Quelle plume va avec quel oiseau ? » ; ou, à partir des animaux rencontrés dans les albums de Simon, ils peuvent créer le même jeu en utilisant des composantes différentes, par exemple « Les animaux et leur habitat ».

Durée : Deux sessions de 45 min

ACTIVITÉ 69

📖📖 Littérature et expression écrite

Objectifs	Objectifs en expression écrite

Après avoir constaté ensemble comment Simon nous raconte ses histoires, après en avoir dégagé la structure de récit, les enfants écrivent à leur tour une nouvelle aventure de Simon (individuellement, en équipes ou en groupe classe). Ainsi naît un grand livre collectif où tous les élèves retrouvent une parcelle de leur imagination. C'est une expérience très enrichissante pour ceux qui bloquent continuellement au moment du passage à l'écrit.

Commentaire

Cela peut s'appliquer à la création d'un livre collectif ou de petits récits individuels. Les élèves plus âgés peuvent vieillir Simon ou le personnage de l'album. Ceci demande évidemment plus de temps.

ACTIVITÉ 70 — Durée : 30 min

📖📖 Littérature et art dramatique

Objectifs	Objectifs en art dramatique
Matériel	Petits cartons

Les enfants connaissent maintenant très bien Simon ou un autre personnage que vous aurez choisi d'étudier. Faites un remue-méninges : « Où est-ce qu'on pourrait retrouver Simon ? Quelles autres histoires pourrait-il vivre ? » Inscrivez les réponses sur de petits cartons que vous mettrez dans une boîte. Pigez un carton et, en petits groupes, faites imaginer une saynète sur ce sujet, par exemple « Simon à la maternelle » ou ailleurs. Chaque équipe peut avoir une situation différente comme sujet.

Commentaire

Les enfants s'attachent à certains personnages et finissent par bien les connaître. Pourquoi ne pas organiser une séance d'improvisation avec tous ces personnages ? Faites-les se rencontrer dans divers contextes. « Jiji et Simon se rencontrent à la colonie de vacances. » Amusez-vous !

Projet sur un type de personnage

Les loups dans les récits pour la jeunesse vous intéressent particulièrement, les oursons, les filles, les garçons, les petits frères ou les petites sœurs ? Pourquoi ne pas vous attarder à leur représentation dans un corpus donné ? Pour vous aider dans les préparatifs, l'élaboration du corpus, la sélection du personnage, consultez les anciens numéros de la revue *Lurelu*. À chaque parution ou presque, on y présente un dossier qui étudie un point particulier du paysage littéraire pour la jeunesse. Quelquefois, ce dossier traite d'un type de personnage, le père par exemple.

Dans le numéro de l'automne 1993, Isabelle Crépeau nous présentait un portrait du père en littérature pour la jeunesse. En le lisant, j'ai eu le goût d'étudier le sujet des papas avec des petits de deuxième année. Le milieu dans lequel j'enseigne me permet d'aborder ce thème sans trop risquer de blesser les enfants. **Avant d'aborder un thème aussi délicat, je vous conseille de faire un survol des différents types de familles représentés dans votre classe.** Si un ou une de vos élèves vient de perdre son papa, vous feriez mieux de choisir un autre thème. À vous de juger. Quand j'ai fait ce projet, tout un éventail de situations familiales était représenté par mes élèves : il y avait un enfant orphelin depuis quelques années, plusieurs enfants vivant dans des familles monoparentales ou reconstituées, un enfant dont le papa s'absentait continuellement de la maison à cause de son travail et, bien sûr, certains vivaient avec leurs deux parents. Ce projet a permis aux enfants de discuter des différents types de familles possibles et de se sensibiliser aux situations vécues par les autres.

Ce type de projet, peu importe le personnage étudié, s'applique à tous les niveaux du primaire. Il a aussi l'avantage de répondre aux besoins d'une classe où plusieurs niveaux de difficultés en lecture se rencontrent. Établissez votre corpus en fonction de votre groupe.

Voici donc un exemple d'étude de personnage.

JOUR 1	Durée : 30 à 40 min

Objectif	Tracer un portrait général (image préconçue) que le groupe a du père

Matériel	• Grandes feuilles de papier • Crayons feutres (un par équipe)

Vous écrivez une question par grande feuille.
- Qu'est-ce qu'un papa dit le plus souvent ?
- Qu'est-ce qu'un papa fait d'habitude ?
- À quoi ressemble un papa ?
- Comment c'est un papa ? (Qualités et défauts)
- Avec qui les papas aiment-ils être ou faire des activités ?
- À quoi un papa pense-t-il le plus souvent ?
- Qu'est-ce qu'un papa ressent le plus souvent ?

Séparez votre classe en équipes de trois ou quatre. Sous forme de graffitis, les enfants écrivent tout ce qu'ils pensent sur ce sujet en répondant à la question sur la feuille de leur équipe. Toutes les trois minutes, les équipes changent de feuille jusqu'à ce qu'elles aient répondu à toutes les questions. Pour cette activité, j'avais demandé aux enfants de me parler d'un père en général, pas nécessairement du leur. Bien sûr, ils m'ont parlé de leur père, mais celui qui n'en avait pas a pu me parler du père idéal.

JOUR 2	Durée : 60 min

Objectif	Tracer un portrait général (image préconçue) que le groupe a du père

Matériel	Feuilles pour la compilation des réponses

J'ai compilé les réponses à chaque question et les ai retranscrites par ordre de fréquence de mentions. Ainsi, à la question « À quoi ressemble un papa ? » la réponse la plus souvent donnée se rapportait à la taille. Un papa est grand, toutes les équipes l'ont dit, il est même parfois très grand. Et à la question « Qu'est-ce qu'un papa fait d'habitude ? » le travail a pris de loin la première place parmi les réponses, suivi en deuxième position par : « Il joue avec moi. »

Ensemble, on a lu les résultats de notre activité graffitis de la veille. Les enfants ont reconnu leur papa dans la description faite. Je leur ai ensuite demandé si les papas dans les livres ressemblent aux vrais papas. Toutes sortes de réponses ont jailli, des interrogations aussi.

Objectifs
- Tracer un portrait du père de Catherine
- Faire un rapprochement avec le leur

Matériel
- Album *Où es-tu Catherine ?*
- Fiche n° 22 *Les papas*

Lecture de l'album *Où es-tu Catherine ?* de Robert Munsch. Vous pouvez le lire en grand groupe ou bien laisser les élèves le lire en équipe si vous en possédez suffisamment d'exemplaires. Les élèves ont dû répondre à une des questions ayant servi à tracer le portrait général du père et, par la suite, se demander si un vrai père répéterait ce qu'a fait le papa de Catherine. Chaque équipe avait une question différente. Au moment de la mise en commun, les élèves ont conclu que ce papa ressemble assez à un vrai papa, entre autres parce qu'il crie après sa fille quand elle fait des folies. Ils ont aussi souligné que ce papa aimait beaucoup sa fille, allant à la fin jusqu'à payer pour elle, une commis de l'épicerie lui ayant collé une étiquette de prix sur le front, montant réclamé au père par la caissière.

Objectifs
- Tracer un portrait du père de Zunik
- Faire un rapprochement avec le leur

Matériel
- Album *Zunik dans Je suis Zunik*
- Fiche n° 22 *Les papas*

Lecture de l'album *Zunik dans Je suis Zunik* de Bertrand Gauthier. Vous répétez tout simplement l'activité réalisée pour l'étude du papa de Catherine.

Au cours de la mise en commun, les enfants ont souligné le fait que la maman de Zunik n'était pas dans l'album. Ici, le papa réagit aussi comme un vrai papa. Cet album a entraîné une discussion sur les différentes punitions. *Attention*, des enfants peuvent divulguer certains faits vécus dans leur milieu familial. Dans ce cas, il faut pouvoir réagir avec tact et discernement.

Objectifs
- Tracer un portrait du père dans les albums présentés
- Faire un rapprochement avec le leur

Matériel
- Albums *C'est pas juste* et *Au cinéma avec papa*
- Fiche n° 22 *Les papas*

Cette fois-ci, chaque équipe devait répondre à deux questions de la fiche. Certaines équipes lisaient *Au cinéma avec papa*, et d'autres *C'est pas juste*. Au cours de la mise en commun, les réponses ont été consignées sur des grands cartons. Encore une fois, la maman est absente. Et, d'après les enfants, le papa n'est pas très réaliste parce qu'il ne chicane pas sa petite fille quand ils vont au cinéma. Il ne parle pas du tout dans cet album et, dans l'autre, c'est à peine s'il ouvre la bouche. À ma grande surprise, les enfants ne voulaient pas d'un père comme celui-là. Ils n'ont pas senti toute la tendresse de ce père pour sa fille.

Objectif	Trouver un livre dont un des personnages est un papa
Ressource	Bibliothèque

Après la dernière activité, les enfants ont décidé de trouver un père comme le leur dans un livre à la bibliothèque. Alors, je les ai conduits à la bibliothèque afin qu'ils puissent commencer leur recherche. Ensuite, ils ont échangé les livres, puis ont parlé des pères trouvés.

JOUR 7   Durée : 60 min

Objectifs	• Tracer un portrait des pères chez cet auteur • Faire un rapprochement avec le leur
Matériel	• Différents albums de Robert Munsch • Fiche n° 22 *Les papas*

Après avoir observé le père dans les deux albums de Dominique Jolin, les élèves ont examiné les pères imaginés par Robert Munsch. Chaque équipe avait un album différent. Les enfants devaient le lire et l'analyser. Ils répondaient à presque toutes les questions de la fiche. Au cours de la mise en commun, chaque équipe présentait ses résultats et les comparait avec ceux des autres équipes.

Commentaire

Les jours suivants, j'ai continué à présenter des pères de plusieurs auteurs. Pour les lectures animées (après la récréation et après le dîner), je choisissais des romans et des albums offrant toujours des portraits de pères.

Ce projet a permis aux enfants non seulement de lire beaucoup et d'étudier un type de personnage en particulier, mais également de poser un regard critique sur leur lecture et de développer leur capacité à faire des rapprochements entre les récits et la réalité, de même qu'entre différents récits. La bibliographie qui se trouve à la fin de ce chapitre comporte une section ayant pour thème « Les pères » et une autre ayant pour thème « Les loups ». ■

Conclusion

C'est ici que se termine ce chapitre portant sur le personnage. Par ces activités et d'autres que vous imaginerez, les personnages qui peuplent la littérature vivront avec plus d'intensité dans l'imagination de vos élèves. Ils se passionneront peut-être pour ces êtres de mots et de papier, et ces derniers serviront ainsi de voie d'accès à l'univers des livres.

Sylvestre

Il était une fois, au cœur d'une grande ville, un joueur d'orgue de Barbarie nommé Sylvestre, et son singe Héros. Ils ne se quittaient jamais. Chaque matin, ils s'installaient sur un coin de rue achalandé. Sylvestre tournait la manivelle de son vieil orgue pendant que Héros faisait des cabrioles et des tours de magie.

Robin MULLER, *La petite surprise*, trad. Christiane Duchesne, Richmond Hill (Ontario), Scholastic Canada, 1994, p. 2.

Fred

J'essayais d'apercevoir le nouveau Fred. Celui que je serais à partir du 24 décembre à minuit. On n'allait pas me refaire le nez, qui est un peu retroussé, ni m'enlever mes taches de rousseur. On n'allait pas changer mes lunettes ovales pour des lunettes carrées. On n'allait pas non plus teindre mes cheveux blonds, ni les défriser.

Marie-Danielle CROTEAU, *Le chat de mes rêves*, Montréal, Les éditions de la courte échelle, coll. «Premier roman», 1994, p. 7.

Olivier

Un garçon assis tout seul sur les marches, devant l'édifice! Ce n'est pas un très grand garçon et il a l'air triste.

James THAYER, *Le petit chien qui voulait un garçon*, Richmond Hill (Ontario), Scholastic Canada, 1991, p. 24.

Mathieu

Mathieu habitait un luxueux appartement de la résidence des «Nouveaux seigneurs». Un appartement avec beaucoup de vitres et une serrure à alarme-laser. Avec deux télés, un magnétoscope à télécommande et un ouvre-boîte électrique. Mais Mathieu s'ennuyait tout seul à la maison. Ses parents partaient très tôt le matin pour éviter les embouteillages sur l'autoroute de l'Ouest.

À leur retour, tard le soir, ils trouvaient souvent Mathieu endormi parmi ses jeux vidéo ou électroniques. Il en avait trente-huit, plus tous ceux qu'il empruntait à ses copains.

PEF, *Rendez-moi mes poux*, Paris, Gallimard, coll. «Folio Benjamin», 1980, p. 6.

Mademoiselle Bouvreuil

Mademoiselle Bouvreuil habitait une petite chaumière près de la mer. Chaque jour, elle mettait son casque et montait sur sa bicyclette pour aller ramasser des algues sur le rivage. «C'est très bon pour le jardin», disait-elle. Et c'est vrai que ses carottes étaient les plus grosses, ses pois les plus sucrés, et ses tulipes les plus rouges de tous les alentours.

Betty WATERTON, *Moutarde*, Richmond Hill (Ontario), Scholastic Canada, 1983, p. 5.

Roger

Le pauvre monsieur Roger est bien découragé: un minou effronté a décidé de l'adopter! Roger n'a qu'une idée, c'est de s'en débarrasser.

Bill SLAVIN, *Le chat qui revient*, Richmond Hill (Ontario), Scholastic Canada, 1992, p. 6-8.

Alexandre et Amélie

Alexandre et Amélie ont tout ce qu'il faut pour être heureux. Ils ont de beaux jouets, beaucoup d'amis, un grand terrain de jeu et des parents sensationnels.

Bunny HOEST, *Un amour de gros toutou*, Saint-Lambert (Québec), Héritage Jeunesse, 1992, p. 3.

Noms : _____

Alexandre et Amélie   Image _____

Roger   Image _____

Mathieu   Image _____

Mademoiselle Bouvreuil   Image _____

Fred   Image _____

Sylvestre   Image _____

Olivier   Image _____

FICHE 11　Portrait d'un personnage

Personnage : _____

Titre du livre : _____

Description physique

_____

_____

_____

_____

_____

Sentiments perçus dans la description

_____

_____

_____

_____

_____

Pourquoi penses-tu que _____ se sent comme cela ?

_____

_____

_____

Toi, est-ce que ça t'arrive de te sentir comme cela ? Quand ?

_____

_____

_____

_____

_____

Le personnage : son environnement

Titre du livre : _____

Nom du personnage : _____

Dessine le personnage dans son environnement.

Quel est son environnement, son décor ?

Écris aussi ce que cela t'apprend sur le personnage.

_____

_____

_____

_____

_____

_____

_____

_____

Le tour du personnage en coopératif

Le personnage : sa quête (1)

Titre du livre : _____

Nom du personnage : _____

Dessine le personnage.

Quels moyens prend-il ou quels actes pose-t-il pour régler son problème ?

Écris aussi ce que cela t'apprend sur le personnage.

_____

_____

_____

_____

_____

_____

_____

_____

_____

FICHE 14   Le tour du personnage en coopératif

Le personnage : sa quête (2)

Titre du livre : _____

Nom du personnage : _____

Dessine le personnage au début de l'histoire.

Quel est son problème au début, au milieu et à la fin du récit ?

Écris les indices qui te permettent de dire cela.

_____

_____

_____

_____

_____

_____

_____

_____

_____

FICHE 15 Le tour du personnage en coopératif

Le personnage : sa personnalité

Titre du livre : _____

Nom du personnage : _____

Dessine le personnage.

Qu'est-ce que les autres disent de lui ?

Écris qui dit cela et ce que cela t'apprend sur le personnage.

_____
_____
_____
_____
_____
_____
_____
_____
_____

Le tour du personnage en coopératif

Le personnage : son portrait

Titre du livre : _____

Nom du personnage : _____

Dessine le personnage.

À quoi ressemble le personnage ? De quoi a-t-il l'air ?

Écris qui dit cela et ce que cela t'apprend sur le personnage.

_____
_____
_____
_____
_____
_____
_____
_____
_____
_____

FICHE 17   Le tour du personnage en coopératif

Le personnage : ses sentiments

Titre du livre : _____

Nom du personnage : _____

Dessine le personnage.

Quels sont les sentiments éprouvés par le personnage ?

Écris les indices qui te permettent de dire cela et ce que cela t'apprend sur le personnage.

_____

_____

_____

_____

_____

_____

_____

_____

_____

Le tour du personnage en coopératif

Le personnage : ses ennemis

Titre du livre : _____

Nom du personnage : _____

Dessine les ennemis du personnage.

Qui sont les ennemis ou les adversaires du personnage ?

Écris les indices qui te permettent de dire cela.

_____

_____

_____

_____

_____

_____

_____

_____

_____

FICHE 19   Le tour du personnage en coopératif

Le personnage : ses amis

Titre du livre : _____

Nom du personnage : _____

Dessine les amis du personnage.

Qui sont ses amis ?

Écris les indices qui te permettent de dire cela.

_____

_____

_____

_____

_____

_____

_____

_____

_____

_____

Chapitre 2

Nom du héros :

_____

Titre du livre :

_____

Ce qui est pareil. Explique.

_____

_____

_____

_____

_____

_____

_____

_____

Nom du héros :

_____

Titre du livre :

_____

Ce qui est pareil. Explique.

_____

_____

_____

_____

_____

_____

_____

_____

Nom du héros :

_____

Titre du livre :

_____

Ce qui est différent. Explique.

_____

_____

_____

_____

_____

_____

_____

_____

Nom du héros :

_____

Titre du livre :

_____

Ce qui est différent. Explique.

_____

_____

_____

_____

_____

_____

_____

_____

Le personnage

FICHE 21 Le héros : ses amis et ses ennemis

Titre du livre : _____

Le nom du héros : _____

Amis ou amies	
Noms	Comment le sais-tu ?
_____	_____
_____	_____
_____	_____
_____	_____
_____	_____
_____	_____
_____	_____
_____	_____

Ennemis ou ennemies	
Noms	Comment le sais-tu ?
_____	_____
_____	_____
_____	_____
_____	_____
_____	_____
_____	_____
_____	_____
_____	_____

Chapitre 2

Titre du livre : _____

Nom de l'auteur ou auteure : _____

Nom du papa : _____

1. Avec qui le papa aime-t-il faire des activités ? Lesquelles ?

_____

_____

2. Que fait la maman ?

_____

_____

3. Qu'est-ce que le papa fait dans l'histoire ?

_____

_____

4. Est-ce qu'un vrai papa fait la même chose ? Explique.

_____

_____

5. Comment est-il comme personne (qualités et défauts) ? Explique.

_____

_____

6. Qu'est-ce que le papa ressent ? Pourquoi ?

_____

_____

7. Est-ce qu'un vrai papa ressent ça aussi ? Explique.

_____

_____

8. À quoi le papa pense-t-il le plus souvent ?

_____

_____

ANFOUSSE, Ginette. *La varicelle*. Montréal, Les éditions de la courte échelle, 1978.

ANFOUSSE, Ginette. *Le héros de Rosalie*. Montréal, Les éditions de la courte échelle, coll. «Roman Jeunesse», 1988.

BOUCHER, Marie-Andrée et André MATIVAT. *Anatole le vampire*, ill. François Thisdale. Montréal, Hurtubise HMH, coll. «Plus», 1996.

BROCHU, Yvon. *La muse de monsieur Buse*. Saint-Lambert (Québec), Héritage, coll. «Carrousel», 1996.

BROUSSEAU, Linda. *Marélie de la mer*. Montréal, Pierre Tisseyre, coll. «Papillon», 1993.

COTTRIL, Peter. *Puce*. Paris, Albin Michel, 1991.

CROTEAU, Marie-Danielle. *Le chat de mes rêves*. Montréal, Les éditions de la courte échelle, coll. «Premier roman», 1994.

CYR, Céline. *Les lunettes d'Anastasie*. Montréal, Québec/Amérique, 1987.

DE SÉGUR, Comtesse. *Les malheurs de Sophie*, ill. François Place. Paris, Hachette, coll. «Bibliothèque rose», 1983.

DELAHAYE, Gilbert et Marcel MARIER. Paris, Casterman. (Une série dont l'héroïne est *Martine*.)

DEMERS, Dominique. *Du petit Poucet au dernier des raisins*. Montréal, Québec/Amérique, coll. «Explorations», 1994.

DUBÉ, Pierrette. *Au lit, princesse Émilie!*, ill. Yayo. Saint-Hubert (Québec), Le Raton Laveur, 1995.

FILION, Pierre. *À l'éco...l...e de Monsieur Bardin*. Saint-Lambert (Québec), Soulières, coll. «Ma petite vache a mal aux pattes», 1998.

GAUTHIER, Bertrand. *Zunik dans Je suis Zunik*, ill. Daniel Sylvestre. Montréal, Les éditions de la courte échelle, 1984.

GAUTHIER, Gilles. *Le gros problème du petit Marcus*. Montréal, Les éditions de la courte échelle, coll. «Premier Roman», 1992.

HOEST, Bunny. *Un amour de gros toutou*. Saint-Lambert (Québec), Héritage Jeunesse, 1992.

JOLIN, Dominique. *Au cinéma avec papa*. Mont-Royal (Québec), Le Raton Laveur, 1991.

JOLIN, Dominique. *C'est pas juste*. Mont-Royal (Québec), Le Raton Laveur, 1992.

JOLY, Fanny. «La charabiole», ill. Denise et Claude Millet *in* «J'aime lire», Montréal, Bayard Presse, 1990.

LINDGREN, Astrid. *Fifi Brindacier*. Paris, Hachette, coll. «Le livre de poche», 1962.

MARCOTTE, Danielle. *Poil de serpent, dent d'araignée*, ill. Stéphane Poulin. Laval, Les 400 coups, coll. «Billochet», 1996.

MONGAN FASICK, Adèle. *Celle qui ne voulait pas filer*. Richmond Hill (Ontario), Scholastic Canada, 1989.

MULLER, Robin. *La petite surprise*, trad. Christiane Duchesne. Richmond Hill (Ontario), Scholastic Canada, 1994.

MUNSCH, Robert. *Drôles de cochons*, ill. Michael Marchenko. Montréal, Les éditions de la courte échelle, 1990.

MUNSCH, Robert. *J'ai envie*, ill. Michael Marchenko. Montréal, Les éditions de la courte échelle, 1989.

MUNSCH, Robert. *L'avion de Julie*, ill. Michael Marchenko. Montréal, Les éditions de la courte échelle, 1988.

MUNSCH, Robert. *Le bébé*, ill. Michael Marchenko. Montréal, Les éditions de la courte échelle, 1983.

MUNSCH, Robert. *Le dodo*, ill. Michael Marchenko. Montréal, Les éditions de la courte échelle, 1986.

MUNSCH, Robert. *Le papa de David*, ill. Michael Marchenko. Montréal, Les éditions de la courte échelle, 1990.

MUNSCH, Robert. *Où es-tu Catherine?*, ill. Michael Marchenko. Montréal, Les éditions de la courte échelle, 1991.

MUNSCH, Robert. *Papa, réveille-toi*, ill. Michael Marchenko. Montréal, Les éditions de la courte échelle, 1987.

PAPINEAU, Lucie. *Casse-Noisette*, ill. Stéphane Jorish. Saint-Lambert (Québec), Héritage Jeunesse, 1996.

PEF. *La belle lisse poire du prince de Motordu*. Paris, Gallimard, coll. «Folio benjamin», 1980.

PEF. *Rendez-moi mes poux*. Paris, Gallimard, coll. «Folio benjamin», 1980.

RATHMANN, Peggy. *Chloé la copieuse*, trad. Cécile Gagnon. Richmond Hill (Ontario), Shcolastic Canada, 1993.

ROSS, Tony. *Attends que je t'attrape!* Paris, Gallimard, coll. «Folio Benjamin», 1984.

ROSS, Tony. *La soupe au caillou*. Paris, Flammarion, coll. «Albums Jeunesse», 1987.

SIEGENTHAKES, Kathin et Marcus PFISTER. *Flocon et le lapin de Pâques*, ill. M. Pfister. s. l., Nord-Sud, 1993.

THAYER, James. *Le petit chien qui voulait un garçon*. Richmond Hill (Ontario), Scholastic Canada, 1991.

TIBO, Gilles. *Simon au clair de lune*. Toronto, Livres Toundra, 1993.

TIBO, Gilles. *Simon et la chasse au trésor*. Toronto, Livres Toundra, 1996.

TIBO, Gilles. *Simon et la musique*. Toronto, Livres Toundra, 1995.

TIBO, Gilles. *Simon et la plume perdue*. Toronto, Livres Toundra, 1994.

TIBO, Gilles. *Simon et la ville de carton*. Toronto, Livres Toundra, 1992.

TIBO, Gilles. *Simon et le soleil d'été*. Toronto, Livres Toundra, 1991.

TIBO, Gilles. *Simon et le vent d'automne*. Toronto, Livres Toundra, 1989.

TIBO, Gilles. *Simon et les flocons de neiges*. Toronto, Livres Toundra, 1988.

TIBO, Gilles. *Simon fête le printemps*. Toronto, Livres Toundra, 1990.

WATERTON, Betty. *Moutarde*. Richmond Hill (Ontario), Scholastic Canada, 1983.

WILLIS, Jeanne. *Bébé monstre a peur*, ill. Susan Varley. Paris, Gallimard, coll. «Gallimard Jeunesse», 1995.

WILLIS, Jeanne. *Bébé monstre*, ill. Susan Varley. Paris, Gallimard, coll. «Folio Benjamin», 1986.

WOLF, Gita. *Mala*, ill. Annouchka Gravel Galoucho. Willowdale (Ontario), Annick Press, 1996.

Des albums pour les petits et les grands

Des images et des mots

On entend souvent la phrase suivante : « Les albums, c'est pour les petits, c'est pour les bébés-la-la ! » Quelle erreur ! Si certains albums s'adressent exclusivement aux petits, d'autres, par contre, grâce à leur richesse, suscitent l'intérêt des plus âgés. Tout dépend de la façon dont ils leur sont présentés. Trop longtemps considéré comme un livre exclusivement dédié aux petits, aux tout-petits même, l'album demeure un grand méconnu dans l'univers de la littérature pour la jeunesse. En général, les lecteurs le délaissent très vite au profit des romans et n'y reviennent jamais plus. On devrait continuer à promouvoir la lecture d'albums auprès des jeunes, les amener à considérer ce type de livres comme un genre littéraire particulier. Il s'agit souvent d'une œuvre d'art qui accompagne un récit. Le plaisir est donc double. Deux modes d'expression sont utilisés pour nous raconter une histoire et interpeller nos sens et notre imagination.

Lire un album, c'est bien sûr lire les mots qu'il contient pour en faire une histoire, mais c'est aussi « lire » les illustrations. Malheureusement, trop souvent on les escamote, on les néglige. On tend à leur jeter un rapide coup d'œil et à n'en retenir que le côté superficiel, une vague impression d'ensemble. Et pourtant ! Les illustrations apportent une touche de couleur et de profondeur au texte. Parfois, elles nuancent les propos de l'auteur. Quand le lecteur y attarde son regard, y laisse vagabonder son imagination, il en découvre toute la richesse, l'humour, la poésie et la valeur esthétique.

Comme je le disais précédemment, les enfants plus âgés accueillent très bien les albums dans leur lecture. Il suffit pour cela de leur présenter cette lecture d'une façon intéressante et de leur proposer une intention motivante. Si vous leur suggérez de lire tel ou tel album en jugeant qu'ils sont incapables de lire autre chose, évidemment, ils se rebelleront. Par contre, si vous leur proposez de le lire en observant certaines caractéristiques ou en mettant à contribution leur maturité intellectuelle, leur capacité d'analyse ou leur sens de l'observation, ils développeront peut-être un goût pour cette catégorie de livres.

Plusieurs approches permettent de rendre les albums intéressants pour les plus jeunes et les plus âgés. En premier lieu, l'illustration s'impose avec ses personnages, ses décors, ses ambiances, sa facture. Ensuite, vient tout ce qui concerne le récit, la structure interne, le genre littéraire, le thème abordé, les qualités de l'écriture, etc.

Dans ce chapitre, nous tenterons de faire un petit tour d'horizon et de convier ainsi les plus jeunes et les plus âgés au plaisir de la lecture d'albums.

Amusons-nous un peu

Tout comme les peintres, chaque illustrateur a un style très personnel. Nous les reconnaissons à la facture de l'image, au style de dessin, etc. Je vous propose ici un petit jeu, question de vous mettre dans l'ambiance de l'univers des illustrations.

À chacun sa chacune

Associez les personnages appartenant à un même album. Aidez-vous du style des illustrations pour trouver les bons partenaires.

| 1. Zunik de Sylvestre | 2. Marlène de Sylvestre | 3. Jiji d'Anfousse | 4. Cloclo d'Anfousse | 5. Marlène de Tibo | 6. Simon de Tibo[1] |

Des illustrations, ça sert à quoi ?

Une image vaut mille mots, nous dit un certain adage et ce dernier sied parfaitement à beaucoup d'illustrations. Souvent, les illustrations supportent le texte, lui restent fidèles. Elles étoffent le récit, construisent des environnements adéquats, créent une ambiance, donnent une certaine réalité aux divers personnages en leur attribuant des caractéristiques physiques et même psychologiques ou sociologiques.

Les illustrations nous offrent tout cela, mais, parfois, elles nous fournissent aussi une relecture du texte, un nouvel éclairage, une interprétation qui n'est pas littéralement inscrite dans le texte.

Des catégories d'illustrations

Pour signifier autant, l'image doit non seulement représenter, mais aussi exprimer quelque chose, parler. Dominique Demers[2] relève trois grandes catégories d'images : l'image-mot, l'image-phrase et l'image-récit.

---

1. Réponses : A-6 et E-5 ; illustrations tirées de *Simon et le petit cirque* © 1997 Gilles Tibo publié aux Livres Toundra.

   B-3 et C-4 ; illustrations tirées de Ginette Anfousse, *La chicane*, Montréal, Les éditions de la courte échelle, 1979.

   D-2 et F-1 ; illustrations tirées de Bertrand Gauthier, *Zunik dans Le chouchou*, ill. Daniel Sylvestre, Montréal, Les éditions de la courte échelle, 1987.

2. Dominique DEMERS, *Du petit Poucet au dernier des raisins*, Montréal, Québec/Amérique, coll. « Explorations », 1994.

banane

Annick Press, 1997 © Mireille Levert

L'image-mot représente tout simplement un mot. C'est le cas de beaucoup d'imagiers, comme ceux de la collection « Grain de sable » publiée aux éditions Chouette, où l'enfant nomme ce que les images représentent en les regardant. L'image-mot est généralement une représentation schématisée d'un objet, seules les caractéristiques principales étant dessinées. À titre d'exemple, par l'illustration ci-contre, l'enfant apprend que l'objet illustré est une banane. Souvent elle est jaune et dessinée en aplat.

Les images-phrases racontent une action comme dans l'illustration ci-dessous. Le jeune enfant, en la voyant, dira : « Le rat habille le ver. » L'image-phrase peut être statique ou dynamique. Elle implique du mouvement ou une action de la part des figurants.

Extrait de : Dominique Jolin, *Un ami pour Toupie*, Les Éditions Héritage, coll. « Chatouille », 1997.

Finalement, l'image-récit représente un moment d'une histoire. Dans un album, une illustration se situe généralement dans un continuum narratif. Les différentes images sont reliées en séquence pour former un récit signifiant. En regardant une image-récit, un lecteur ayant un peu d'expérience présuppose d'un avant et d'un après. Il y a eu un début et il y aura une suite : « Que s'est-il passé pour que le rat habille le ver ? Comment cette anecdote se terminera-t-elle ? »

Des catégories d'albums

Les imagiers

Les maisons d'édition publient différentes catégories d'albums pour répondre aux besoins des enfants de tout âge. Il y a d'abord les livres qui ne racontent pas d'histoire ; on les appelle les non-récits. Pensons aux imagiers. Très simples d'approche, faciles à comprendre, ils offrent un monde en miniature. La collection « Grain de sable » de Caillou fait partie de cette catégorie. Dans chaque album, un thème est abordé, par exemple la maison. Chaque page contient une illustration qui représente un élément de cet univers. L'enfant peut le feuilleter et nommer tous les objets qui y sont illustrés. Il va et vient à l'intérieur du livre comme bon lui semble. Ne présentant pas d'ordre logique, le sens n'est pas perturbé.

Certains imagiers, comme ceux de la collection « Charlotte Nounours », présentent les objets nécessaires à une action quelconque, comme le bain, le déjeuner, etc. Ainsi, dans *Charlotte se lave* l'auteure-illustratrice Mireille Levert nous montre une baignoire, un poisson, un gant de toilette, etc., et termine sa nomenclature par une question : « De quoi Charlotte a-t-elle besoin pour se laver ? » Cette question incite fortement l'enfant à effectuer un retour sur ce qu'il a vu pour en faire un tout cohérent. L'enfant peut soit énumérer tout simplement les objets présentés, soit composer une histoire ou imaginer des actions reliées à l'utilisation des objets présentés. Aucun récit n'est écrit ni illustré, c'est par l'imagination de l'enfant que l'historiette se crée. Tous les imagiers thématiques s'organisent à peu près de cette façon, une même page contenant une ou plusieurs illustrations. Bien sûr, il n'y a généralement pas de questions à la fin, mais vous, vous pouvez très bien en poser une.

Soulignons le magnifique album de Claude Ponti, *L'album d'Adèle*, où chaque page est un lieu propice à la découverte. Il nous présente toute une collection d'objets et de personnages hétéroclites. Ces illustrations surprenantes sollicitent l'imagination et éveillent le sens de l'observation du lecteur. L'enfant s'amuse à créer des liens, à inventer des histoires, à découvrir ce qui est différent d'une page à l'autre dans la présentation de ces objets.

Dans la même veine, mais dans une forme moins éclatée, il existe sur le marché des albums constitués d'une grande illustration par page, *L'imagier de Lily* par exemple. L'enfant peut se laisser envahir par l'image. Ce type d'imagier réunit un ensemble d'illustrations, une par page, n'ayant aucun lien entre elles. Il n'est plus question ici d'images-mots, mais d'images-phrases, ce qui nous projette dans la prochaine catégorie. On peut s'installer confortablement avec un enfant et se raconter tranquillement chaque page de ce type d'album. Ce sont, comme l'indique le sous-titre de l'album mentionné ici, des images à rêver.

Voici une activité qui peut être utilisée autant en enseignement du français langue seconde que langue maternelle.

ACTIVITÉ 71	Durée : 30 min

📖 De quoi as-tu besoin ?

Objectifs	• Anticiper le sujet et les aspects traités (1) • Établir des liens entre diverses expériences artistiques (9) • Créer un champ sémantique • Acquérir du vocabulaire
Matériel	Au moins deux imagiers qui s'organisent autour d'un thème

Déroulement

Amorce

1. Séparez votre groupe en équipes de trois ou quatre.

2. Montrez aux élèves la page couverture d'un imagier et faites-les anticiper sur le contenu du livre. N'oubliez pas, ils doivent justifier leur réponse !

3. Lisez ou faites lire l'album.

4. Si c'est un livre de la série «Charlotte Nounours», répondez à la question de la dernière page et jouez ainsi le jeu de l'album.

5. Demandez ensuite aux élèves ce qu'ils auraient mis dans cet album et, par exemple, ce qu'ils aiment avoir comme objets pour prendre leur bain.

Hypothèse

6. Sans en montrer la page couverture, mentionnez le titre d'un second album et demandez à chaque équipe d'énumérer huit objets (ou plus selon le nombre d'objets présentés) qui pourraient se retrouver dans le livre.

7. Les enfants ont 5 min pour trouver les huit objets et en écrire le nom (ou les dessiner s'ils ne savent pas encore écrire) sur une feuille. Vous pouvez, si vous le désirez, insister sur la bonne orthographe des mots.

Vérification

8. Retour en grand groupe. Vous lisez l'album ou, si vous disposez de plusieurs exemplaires, chaque équipe lit l'album et se corrige.

Vous pouvez accorder un point si le mot est bien orthographié, un point s'il est effectivement présent dans l'album, et un dernier s'il fait au moins partie du champ sémantique visé. Ce qui fait un grand total de 24 points.

Évaluation-ajustement

9. Discussion des cas problèmes, s'il y en a eu, et du déroulement général de l'activité.

Sortie en beauté

10. Chaque équipe crée un imagier thématique pour continuer le jeu.

Les albums d'images-phrases

Proches de l'imagier traditionnel, certains albums constituent une suite d'images-phrases. Mentionnons, à titre d'exemple, *La maman de Caillou* de Micheline Chartrand et Hélène Desputeaux. Dans cet album, Caillou énumère tout simplement tout ce qu'il aime faire avec sa maman. On obtient ainsi une suite d'actions sans aucun lien narratif véritable entre elles hormis le thème ou le sujet. Dans ce cas-ci, il s'agit bien sûr de la relation entre Caillou et sa maman. La série des « Plaisirs » de Roger Paré présente aussi une série de petits tableaux accompagnés d'une courte poésie. Là aussi, le seul lien qui unit toutes ces pages se résume dans le thème abordé.

ACTIVITÉ 72	Durée : 30 min

📖 L'album de photos

Objectifs	2 et 6

Matériel	Album sans histoire véritable, mais présentant un lien thématique (ex. : *La maman de Caillou*)

Cette activité est une variante de « Donne-moi un titre, je t'invente une histoire » (p. 13). Donc, faites découvrir aux élèves le titre d'un album en leur lisant ou en leur faisant lire le contenu. Les enfants doivent se concentrer pour trouver ce qui revient à toutes les pages ; ils écoutent ou lisent donc attentivement.

Sortie en beauté

En complément, vous pouvez leur faire écrire et dessiner leur album de photos ou, solution plus concrète : faire un collage de photos. Cet album devra traiter d'un seul sujet ou d'une relation avec un seul individu.

ACTIVITÉ 73	Durée : 5 à 10 min

📖 Association texte-illustration

Objectifs	2 et 6

Matériel	Albums

Il est aussi possible de créer un jeu d'association. La moitié des enfants ont un texte, l'autre moitié ont une illustration. Ils doivent trouver qui a le texte ou l'illustration correspondant à ce qu'ils ont en main.

Commentaire

Je me sers de cette activité pour former des équipes de deux. Les enfants l'adorent et elle peut servir d'introduction à une activité en littérature. ■

Les abécédaires et les chiffriers

Beaucoup d'abécédaires et de chiffriers se trouvent dans la catégorie des non-récits. Ils se composent d'une suite d'images indépendantes les unes des autres. À chaque page, l'enfant découvre une nouvelle lettre ou un nouveau nombre. Certains illustrateurs optent pour la folie des formes et des couleurs, pour l'originalité de leurs propos. Certains intègrent les éléments numériques ou alphabétiques à une histoire ou les relient par un thème.

Les abécédaires et les chiffriers n'enseignent pas seulement le nom des lettres ou des nombres et leur ordre, ils divertissent, ouvrent des portes à l'imagination des très jeunes et des *un peu plus âgés*. Ces livres s'adressent souvent exclusivement aux tout-petits, mais, parfois, chacun y trouve son compte peu importe l'âge. Il y en a quelques-uns, par exemple *Images et mots*, qui se prêtent à toutes sortes de jeux présentés sous forme de cartons individuels (il y a des cartons portant des lettres et d'autres des illustrations). Les petits adorent ce livre.

Certains albums, comme *Je découvre les nombres dans l'art*, invitent les jeunes de tout âge à laisser leur regard explorer une image, à voir autrement des œuvres d'art. D'autres mettent en scène des personnages surprenants[3] ou sont agrémentés de petites poésies ou comptines, comme les albums de Roger Paré[4]. Ces derniers, si vous savez les présenter, plairont à tous vos élèves.

Voici quelques idées d'exploitation et d'animation se rapportant à ce type d'albums.

ACTIVITÉ 74 **Durée : 30 min**

📖 Comparons, comparons

Objectif	9

Matériel	• Chiffriers • Fiche n° 20 *On compare les héros*, que vous aurez modifiée en *On compare nos livres*

Pour expérimenter cette activité à l'écrit, vous pouvez vous servir de la fiche n° 20 *On compare les héros*. Ici, remplacez les héros par des livres. À titre d'exemple, utilisez *Je découvre les nombres dans l'art* et *Les dix petits canards*, c'est-à-dire un non-récit et un faux récit. En groupe classe ou en petites équipes, amusez-vous à déterminer leurs similitudes et leurs différences. Ainsi, les deux albums présentent les nombres jusqu'à dix, les deux contiennent beaucoup d'éléments visuels intéressants à remarquer, etc. L'un propose un semblant d'histoire et l'autre pas, etc.

Commentaire

Vous pouvez présenter ainsi différents chiffriers et vous amuser à découvrir des points de comparaison. Ces activités de comparaison entre deux livres, *a priori* différents, amènent tout doucement les plus grands comme les plus petits à développer cette capacité intellectuelle de faire des connexions entre deux ou plusieurs éléments, et développent également leur sens de l'observation. Par la suite, un transfert de ces habiletés dans d'autres secteurs d'apprentissage ou de connaissances sera peut-être plus facile. ▮

Variante

Pourquoi ne pas aussi comparer un abécédaire et un chiffrier ? Par exemple, *Je découvre les nombres dans l'art* et *L'abécédaire du musée d'art contemporain*.

---

3. Roger PARÉ, *Les chiffres*, Les éditions de la courte échelle, 1994 ; *L'alphabet*, Les éditions de la courte échelle, 1994.
4. Franklin HAMMOND, *Les dix petits canards*, trad. Marie-Andrée Clermont, Richmond Hill (Ontario), Scholastic Canada, 1991.

 À vos oreilles

Objectif	6

Matériel	Abécédaires dans lesquels les lettres sont accompagnées d'un texte poétique (allitération)

Les abécédaires racontent rarement une histoire. Au plus, ils présentent une suite de petits tableaux agrémentés de courts textes poétiques ou de comptines. Ces textes reprennent souvent le son de la lettre présentée. Vous lisez le texte à haute voix et les enfants doivent deviner de quelle lettre il s'agit. Autre possibilité, nommez un enfant comme lecteur. Les enfants s'amusent beaucoup à ce genre de jeu. Si votre auditoire connaît bien l'ordre alphabétique, déjouez-le et mêlez l'ordre des lettres.

 À vos yeux

Objectifs	6 et 9

Matériel	• Abécédaires dans lesquels les lettres sont accompagnées d'un texte poétique (allitération) • Pochettes de plastique transparent

Reprendre l'activité précédente mais, cette fois-ci, ce sont les enfants qui lisent et déterminent la lettre. J'étale une douzaine d'abécédaires sur le rebord du tableau. Je les ouvre à une page où les enfants ont accès au texte seulement. Je les insère dans des pochettes de plastique transparent en cachant l'illustration si le texte est sur la même page.

En équipes de deux, les élèves doivent inscrire sur une feuille la lettre qui correspond au texte. Vérifiez les réponses ensemble en découvrant les illustrations. Si le cœur vous en dit, vous pouvez conclure l'activité en comparant les abécédaires sommairement tant en ce qui concerne les illustrations que le texte.

Cette activité a l'avantage de faire découvrir plusieurs abécédaires dans une même période.

Variante

Le jeu d'association texte-illustration se prête bien à ce type de livres. Pour présenter plusieurs abécédaires, faites apparier toutes les lettres A des livres que vous aurez trouvés. La tâche sera ainsi légèrement plus complexe.

Faites comparer les différents abécédaires par les élèves et demandez-leur d'exprimer leurs préférences.

ACTIVITÉ 77 | Durée: 10 min

📖 À vos crayons

Objectifs	Objectifs de français écrit
Matériel	Abécédaire sans texte

Certains abécédaires ou chiffriers sont composés seulement d'illustrations. Choisissez un de ces albums et faites écrire à vos élèves un texte accompagnateur. Personnellement, j'utilise *Images et mots*, qui se présente sous forme de jeu d'association. La moitié des enfants ont une lettre, et l'autre une illustration. Les enfants doivent trouver leur partenaire et ensemble écrire un court texte. Pour passer à travers tout l'alphabet, il faut bien sûr plus d'une journée, à moins d'avoir 52 enfants dans votre groupe...

Variante 1

Augmentez la difficulté et mettez différents abécédaires en relation. Amusez-vous à faire des histoires en chaîne. Choisissez une lettre, par exemple le E. Alignez tous les abécédaires et ouvrez-les à la page de la lettre E. Ainsi, avec la lettre E, on obtient: «Édouard qui

dirige une école de cirque» dans l'album d'Isabelle Beaudin[5], «Éléphant» dans celui du Musée d'art contemporain, «Exposition» de Stéphane Poulin[6] où on voit fort à propos une affiche de cirque; Roger Paré, pour sa part, nous suggère «un éléphant qui transporte un émir en Égypte».

Le but: inclure le plus d'éléments possible de ces illustrations dans leur histoire. On décide d'abord d'un titre et ensuite, à tour de rôle, chaque enfant ajoute une phrase à l'histoire.

Variante 2

Après avoir vu, lu et examiné tous ces abécédaires et chiffriers, pourquoi ne pas en créer un ou plusieurs? Déterminez le type d'abécédaire ou de chiffrier (thématique, avec ou sans histoire, style des illustrations) et lancez-vous dans l'aventure.

Les albums sans texte

Extrait de: Sara *Dans la gueule du loup* Épigones, coll. «La langue au chat», 1990.

Cette catégorie d'albums fait également partie des plus négligés, des laissés-pour-compte. Il y en a d'ailleurs très peu sur le marché. Pourtant, ils stimulent l'imagination et aiguisent le regard. Quel plaisir de se laisser envahir par les sensations qu'une illustration provoque! Les mots n'imposent plus leur vision. Le lecteur interprète librement les couleurs, les formes, etc. Néanmoins, l'illustration s'insère tout de même dans un récit muet. L'équation «album sans texte = tout-petits» s'avère fausse encore une fois. Certains albums sans texte s'adressent même plus particulièrement aux enfants du deuxième cycle du primaire et même plus. La facture de leur

5. Isabelle BEAUDIN, *Abécédaire, de Antonio à Zéphirin*, Laval, Les 400 coups, coll. «Les petits albums».

6. Stéphane POULIN, *abc, ah! belle cité, beautiful city*, Toronto, Livres Toundra, 1985.

présentation et le style des illustrations rassurent ces derniers : ce ne sont pas des images pour les petits bébés. Certains albums de la collection « La langue au chat » chez Épigones en est un bon exemple. Voici une illustration tirée d'un album créé par Sara dans cette collection. La facture de l'image plaît aux enfants plus âgés.

📖 Histoires sur un même thème

Objectif	9
Matériel	Album sans texte

La première activité à laquelle on pense avec ce type d'albums est de leur ajouter un texte. Pourquoi pas ? Vous pouvez composer un seul texte pour un album en mettant toutes les têtes du groupe à contribution. Cette activité peut se faire comme une histoire en chaîne : un enfant écrit quelque chose d'après la première illustration, un autre continue, et ainsi de suite, jusqu'à la fin du livre. Quand j'organise cette activité, il y a toujours seulement un enfant à la fois qui écrit et le reste du groupe fait autre chose. Résultat : une histoire collective où chacun est responsable d'une petite partie du tout.

Variante

Plusieurs équipes inventent un texte pour un même album. En conclusion, comparez les résultats. Faites ressortir les points forts, intéressants ou originaux de chaque production.

Réinvestissement

📖 Histoires en images

Objectifs	Objectifs en arts plastiques
Matériel	Peinture ou autre

Dans le cadre d'un cours d'arts plastiques, invitez vos élèves à créer un album sans texte. Sélectionnez d'abord une technique (peinture, pastel, papier déchiré, collage, etc.). Ensuite, déterminez ensemble les personnages, le lieu où se déroulera l'histoire, l'action elle-même, le temps et la façon dont se déroulera cette action. À tour de rôle, les enfants iront dans le coin des arts pour créer une suite à ce qui a déjà été fait. À la fin, vous obtiendrez une histoire collective sans texte.

Les premiers récits en album

Dans les premiers récits en album, l'espace narratif entre deux images est très restreint et, donc, très facile à combler. Dans la série « Toupie », écrite et illustrée par Dominique Jolin, les blancs de l'histoire entre chaque illustration sont minimes. Par exemple, dans *Toupie a peur*, l'histoire commence avec Toupie jouant dans le sable accompagné de Binou. La tête d'une fourmi apparaît dans le sable. Deuxième illustration, la fourmi grimpe sur Toupie et la réaction suit dans la troisième illustration : il a peur, il pleure. Sans être aisément prévisibles, les liens logiques entre chacune des situations exposées apparaissent clairement au jeune lecteur.

Pour apprécier un type d'album, les jeunes ont besoin de comprendre en partie le rôle de l'illustration dans l'album. Voici une activité qui non seulement leur fait prendre conscience de ce rôle, mais également les aide à mieux saisir le langage pictural. En la répétant plusieurs fois avec différents types d'albums, les jeunes non seulement prennent conscience de ces différences, mais aussi réfléchissent sur ce que sont un récit et un non-récit.

| ACTIVITÉ 80 | Durée : 10 à 30 min |

📖 Raconte-moi les images

Objectif	Établir des liens entre diverses expériences artistiques (9)
Matériel	Un album dont vous aurez caché le texte

Déroulement

Cette activité peut se faire à l'oral ou à l'écrit. Lorsque j'anime cette activité à l'écrit, je prends soin de bien former mes équipes (équipes de deux). Les élèves ont à leur disposition des feuilles et **un** crayon. Ils écrivent à tour de rôle, ce qui force la participation des deux partenaires.

Amorce

1. D'après la page couverture, anticiper le contenu du livre. Cela aidera les élèves à situer le héros, le contexte de l'histoire, et à entrevoir l'intrigue, s'il y a lieu.

Hypothèse

2. Vous aurez pris soin de cacher le texte. Pour faire cette activité, je choisis des albums dont le texte est soit en dessous ou au-dessus des illustrations, soit sur la page opposée à l'illustration. Cela facilite le travail de préparation. Choisissez un texte qui raconte une histoire et qui est accompagné d'illustrations assez descriptives.

3. À chaque illustration montrée, les enfants ont 5 à 10 min pour composer ce qui va l'accompagner. Tout le monde y va de son idée et on décide laquelle est la plus plausible.

Vérification

4. Si vous avez opté pour la version écrite, chaque équipe présente sa version au moment du retour en grand groupe. Sinon, vous lisez l'album avec toute la classe ou, si vous disposez de plusieurs exemplaires, les élèves le lisent en petites équipes.

Évaluation-ajustement

5. Discussion sur l'expérience des variantes dans les récits par rapport à celui de l'auteur.

Variante 1 (avec des imagiers)

Comme je le mentionnais précédemment, les albums ne sont pas tous des récits. Pour vraiment comprendre cela, reprenez l'activité avec un imagier. Vous constaterez que les enfants vont trouver cela beaucoup plus difficile de créer des liens logiques entre les différentes illustrations. En conclusion, discutez des difficultés éprouvées et de leurs causes possibles, et comparez-les à celles éprouvées pour un premier récit.

Variante 2 (avec des albums images-phrases)

Ensuite, refaites l'exercice avec des albums constitués d'une suite d'images-phrases sans lien narratif réel entre elles. La difficulté s'amoindrira peut-être ; cela dépendra de l'album que vous aurez choisi. Par exemple, la série « Plaisirs » de Roger Paré (*Plaisir de chats, Plaisirs d'hiver*, etc.) est une suite de petits tableaux reliés entre eux par le thème. On ne peut qualifier ces textes de récits. Ils sont assez difficiles à raconter. Par contre, imaginer une histoire à partir de *La maman de Caillou* est plus facile. En conclusion, comparez vos difficultés à celles éprouvées au cours des autres expériences.

Variante 3 (ce que les illustrations ajoutent)

Cette fois-ci, vous lisez le texte et les enfants vous disent ce que les illustrations ajoutent à ce dernier.

Variante 4 (se rappeler l'histoire)

Lorsque vous voulez effectuer un retour sur une histoire lue la veille ou avant, les enfants peuvent, en feuilletant seulement les pages et en regardant les illustrations, vous la raconter à nouveau.

ACTIVITÉ 81 **Durée : 30 min**

 Avant ? Après ?

Objectifs	1 et 4
Matériel	Albums de type premier récit

Cette activité se fait avec n'importe quel album qui raconte une histoire simple. Dans les bébés-livres produits au Québec, il y a la collection « Rose des vents » de Caillou et la collection « Chatouille » de Toupie. Toupie est plus facile à lire parce que le texte est plus court. Plusieurs autres bébés-livres font partie de cette catégorie.

Prenez une illustration du livre et inventez-lui un avant et un après. Vous pouvez demander à la moitié des élèves de la classe d'écrire ce qui s'est passé avant, et à l'autre moitié d'imaginer une suite. Une fois la rédaction terminée, les enfants se regroupent deux à deux pour obtenir une histoire complète. Après avoir pris connaissance de ces histoires, lisez le livre et comparez les résultats.

Réinvestissement

ACTIVITÉ 82 **Durée : 30 min**

J'ai un problème...

Objectifs	2 et 9
Matériel	Albums de type premier récit

Une partie des bébés-livres traitent des problèmes de la petite enfance. Ils mettent en relief les sentiments éprouvés par les enfants dans différentes situations.

En équipes, les enfants lisent quelques albums de ce type. Ensuite, faites ressortir leurs ressemblances tant au niveau de la structure du récit (elle est tout simplement linéaire) que du contenu (les albums traitent tous d'un problème).

Finalement, demandez-leur de créer un nouveau récit.

Commentaire

N'oubliez pas de faire, avant la création du nouveau livre, un remue-méninges pour faire ressortir des problèmes que vos élèves vivent sinon vous obtiendrez des copies du ou des livres présentés. ▪

ACTIVITÉ 83   **Durée : 30 min**

Au théâtre des émotions

Objectifs	Objectifs en art dramatique
Matériel	Imagier thématique

Groupez les élèves en équipes de trois. Prenez un imagier comme point de départ. Il servira à établir un champ sémantique. Ensuite, chaque équipe pige une émotion ou un sentiment. Les enfants créent une situation mettant en scène les objets mentionnés et le sentiment pigé. Il est intéressant de voir les variations dans le développement lorsque toutes les équipes travaillent à partir du même livre. Les jeunes acteurs font une utilisation très différente des mêmes objets. On conclut cette activité par un retour en grand groupe pour une discussion et un échange de commentaires.

ACTIVITÉ 84   **Durée : 30 min**

Histoires d'imagiers

Objectifs	Objectifs en expression écrite
Matériel	Un imagier

Vous pouvez, pour stimuler la créativité de vos élèves, vous servir d'imagiers comme *L'album d'Adèle*, ou d'un semblable qui présente un ensemble d'images sur une même page. Certains imagiers offrent tout un champ sémantique relié à un contexte précis et d'autres, comme l'album de Claude Ponti, forcent l'auteur en herbe à faire preuve d'une certaine créativité. Mettez les enfants au défi de vous raconter une histoire à partir d'une page. L'histoire doit, bien sûr, être cohérente et référer au plus grand nombre d'images possible. Au choix, faites travailler tout le groupe à partir de la même page ou à partir de pages différentes pour chacun.

Un spécial bébés-livres et imagiers

Une fois ces catégories d'albums déterminées, pourquoi ne pas vous servir de ces magnifiques petits livres dans la classe ? Évidemment, si vous organisez un spécial bébés-livres avec les plus âgés, ils vous regarderont bizarrement et se poseront peut-être des questions sur votre santé mentale… Mais pourquoi ne pas vous en servir en classe de français langue seconde ou tout simplement pour vous amuser ? Vous pourriez avoir des surprises, et les enfants aussi !

Pour amorcer ce spécial bébés-livres, je distribue un passeport (les passeports vierges de Communication-Jeunesse) à chaque enfant, qui y consignera l'appréciation de chaque livre lu.

Chaque séance dure environ 45 min.

JOUR 1 — Durée: 45 min

- Lire un ou deux albums. Pour lancer ce spécial, j'avais choisi des albums dont le héros est Toupie.
- Art dramatique : Reprendre un des thèmes abordés dans les albums et le faire jouer par les enfants. Par exemple, si vous lisez *Toupie a peur*, les enfants créent des saynètes (« Jérémie a peur »). Chaque équipe présente sa production.
- Lecture « livromagique » pendant 10 à 15 min.

JOUR 2 — Durée: 45 min

- Activité « Raconte-moi les images » (p. 107) (oralement) à l'aide des albums de Toupie, Caillou (images-phrases) et Charlotte (imagiers). Conclure l'activité par une discussion sur les différences entre ces albums.
- Lecture « livromagique » pendant 10 à 15 min.

JOUR 3 — Durée: 45 min

- Activité « Avant ? Après ? » (p. 108).
- Lecture « livromagique » pendant 10 à 15 min.

JOUR 4 — Durée: 45 min

- Activité « De quoi as-tu besoin ? » (p. 101) suivie de l'activité d'art dramatique « Au théâtre des émotions » (p. 109).
- Lecture « livromagique » pendant 10 à 15 min.

JOUR 5 — Durée: 45 min

- Activité d'écriture « histoires d'imagiers » (p. 109).
- Lecture « livromagique » pendant 10 à 15 min.

JOUR 6 — Durée: 45 min

- Mise en commun de nos appréciations. Pour mon groupe, j'avais choisi d'accorder une boule de crème glacée à notre Toupie ou Caillou préféré. En attribuant sa boule, l'enfant explique succinctement les raisons de son choix.
- Finir les histoires reliées aux imagiers.
- Lecture « livromagique » pendant 10 à 15 min.

- Présentation des histoires reliées aux imagiers.

- Pour conclure ce thème, les enfants discutent de ce qu'ils ont aimé faire pendant ce spécial bébés-livres.

Commentaire

Pendant cette activité spéciale, votre groupe aura touché à la critique de livres, à l'art dramatique, à la création littéraire et à l'observation des constituantes minimales d'un récit.

Évidemment, je vous encourage fortement à prévoir une période quotidienne de lecture « livromagique » pendant laquelle les enfants lisent les livres du corpus sélectionné et d'autres que vous aurez laissés à leur disposition dans le coin des livres. ◾

Un mariage sur tous les tons

Dans une illustration, tout se combine pour former un tout signifiant. Que ce soit les couleurs, le mouvement des personnages, les éléments du décor, le jeu des lignes verticales ou horizontales, courbes ou non, la relation entre deux lieux sur une même page, tout cela contribue à donner la parole à l'image. Comme nous l'avons vu précédemment, le texte ne monopolise pas tout l'aspect « parlant » du livre. Dans un album ou livre imagé, deux systèmes langagiers différents interagissent, chacun avec ses contraintes, son répertoire, son contexte culturel et sa sensibilité propre.

Les images prennent la parole

Comme on l'a vu précédemment, il y a des catégories d'illustrations et ces catégories renvoient à différents types d'albums. Beaucoup d'autres éléments contribuent à donner la parole à l'image. Je ne m'aventurerai pas à vous donner un cours d'art[7], mais j'aimerais survoler avec vous l'apport en signification de quelques composantes du langage plastique.

Une question de lecture

La lecture de ces deux modes d'expression ne se fait pas de la même manière. L'illustration s'offre d'abord en bloc, puis le regard s'y attarde au gré de sa fantaisie alors que le texte se découvre peu à peu, au fil de la lecture de tous les mots qui constituent son message. Lorsque les mots et les images se combinent sur une même surface, le regard est généralement happé par l'illustration d'abord et, ensuite, il s'attarde sur les mots qui l'accompagnent. Les mots viendraient ainsi ancrer l'image dans une certaine réalité, dans un contexte particulier.

Pour lire les mots, il faut savoir *lire*, c'est-à-dire avoir au préalable maîtrisé tout un bagage de connaissances portant sur le système grapho-phonétique, les combinaisons des lettres et des mots, leurs significations possibles, etc. Pour les images, il en va autrement. Pour comprendre une image, l'enfant n'a pas besoin de *formation*. De même, lorsqu'on écoute de la musique, nul n'est besoin de cours pour ressentir les émotions qui en émanent. Tous les enfants, petits et grands, sentent la joie qui anime *Le printemps* de Vivaldi comme la tristesse du

---

7. Je vous conseille de lire *L'art de voir, pour comprendre l'art et créer soi-même*, de Anthea Peppin et Helen Williams, Paris, Casterman, 1992.

Requiem de Mozart ou de Fauré. Les images aussi créent des impressions, éveillent des émotions, des sentiments, mais encore faut-il que le regard s'y attarde suffisamment pour s'en imprégner et ressentir ce qu'elles expriment.

Comme le mentionne Francine Sarrazin[8], l'illustration dans les albums montre une réalité présente et reconnaissable par les jeunes lecteurs. Cela n'implique pas nécessairement une représentation parfaitement fidèle de l'objet. Une ressemblance minimale permet généralement une identification de cet objet par l'enfant. Au fil des années, l'enfant peut affiner son regard en développant sa sensibilité et ses connaissances face à divers esthétismes picturaux. Les images ont leur code. Les éléments du langage plastique (lignes, volumes, choix des couleurs, luminosité, compositions, angles de vue, etc.) composent l'image, comme les lettres, les mots et les phrases composent le texte. Par le programme d'arts plastiques, l'enfant apprend à identifier ces divers éléments et à s'en servir. Je vous présente ici un bref survol de certaines pistes à explorer afin d'apprécier davantage tout ce qu'une illustration nous offre en signification et en subtilité. Nul n'est besoin de tout analyser ; ce qui compte, c'est de développer une certaine sensibilité du regard...

Une question de style

Extrait de : Stéphane Poulin, *Les amours de ma mère*, Willowdale, Annick Press, 1990.

La manière dont un illustrateur s'y prend pour représenter un texte joue parfois un rôle dans l'interprétation globale de l'album qu'en fera le lecteur. Chaque artiste a son style. Comme on identifie facilement un tableau de Van Gogh par la façon de peindre de l'artiste, on reconnaît les images des illustrateurs à leur facture. Eux aussi, ils adoptent un style personnel et l'appliquent dans leurs œuvres.

Ainsi, on retrouve des illustrations exécutées avec beaucoup de réalisme dans certains albums. Pensons à des illustrateurs comme Doris Barette dans *Qui a peur la nuit ?* ou Stéphane Poulin dans *Les amours de ma mère*.

Le réalisme de la représentation graphique des différents éléments de l'illustration confronté à l'irréalisme de la situation narrative contribue d'une certaine manière à générer du sens. Cela rend en quelque sorte encore plus fous ou plus explicites les propos du texte.

Certains se démarquent par une stylisation plus ou moins évidente de l'image. Les illustrations de Pierre Pratt en sont de bons exemples. Chaque illustration interpelle le regard du lecteur qui, à son tour, appréhende l'image avec un regard tout à fait personnel. Sa sensibilité, ses connaissances et son imagination viennent l'aider à construire un sens.

Une question de décor

Extrait de : Christiane Duchesne et Doris Barrette, *Qui a pour la nuit ?*, Richmond Hill, Les éditions Scholastic, 1996.

Reprenons les deux exemples mentionnés précédemment. Doris Barrette, dans *Qui a peur la nuit ?*, représente avec beaucoup de réalisme les objets de la vie courante et les animaux, ici un chat. Par contre, ces ombres de chats violonistes sur le mur sont exécutées avec une certaine stylisation. L'illustratrice met ainsi en relation deux univers, l'un s'apparentant à la

---

8. Francine SARRAZIN, « L'illustration québécoise du livre pour enfants », *in Pour que vive la lecture, Littérature et bibliothèque pour la jeunesse*, collectif sous la direction d'Hélène Charbonneau, Montréal, Éditions Asted, 1994, p. 76.

vie réelle, l'autre rejoignant l'imagination et la fantaisie. Voici donc deux mondes qui se côtoient, séparés par une diagonale imaginaire pointant vers la droite. Cet agencement nous donne l'impression que les fantômes écrasent la réalité en la poussant dans le coin inférieur droit. Cette impression est amplifiée par la position du chat pointant vers ces ombres. Cette illustration vient nuancer les propos de Maurice le chat, qui dit n'avoir peur de rien.

Dans l'illustration de Stéphane Poulin (*Les amours de ma mère*), l'immensité des champs de choux qui entourent la maison minuscule s'est effacée pour donner toute la place à l'action qui se déroule. Chaque élément pris séparément représente d'une façon très réaliste des objets ayant servi à une certaine époque. Mais la vue de cette famille de neuf enfants, sans oublier le chien, qui joue au baseball dans la cour, amplifie l'exiguïté des lieux, à un point tel qu'il faut mettre les meubles sur le toit, et les plus jeunes enfants sur le palier à l'avant de la maison. Cependant, on sent aussi la joie de cette promiscuité justement par ce jeu auquel même la mère participe.

Une question d'ambiance

Les couleurs employées dans les illustrations contribuent beaucoup à créer une ambiance, une atmosphère. La lumière et la chaleur sont au rendez-vous dans la majorité des albums destinés aux enfants. On dit que le jaune et le rouge font partie des couleurs chaudes, alors que le bleu serait classé dans les couleurs froides. On se sent évidemment plus confortable, plus heureux dans un décor chaleureux et lumineux que dans des endroits sombres et froids. Les tons pastel expriment la douceur, les couleurs vives, l'action.

Comparez les illustrations de Stéphane Poulin, *Les amours de ma mère* (p. 106) et *Poil de serpent, dent d'araignée* (p. 107). Comme on se sent bien dans cette cour minuscule où les couleurs chaudes dominent ; comme on se sent petit et mal à l'aise dans cette inquiétante forêt où tout baigne dans les teintes d'un vert bleuté assez sombre !

Une question d'angle de vue

L'angle dans lequel nous est présentée une image joue aussi sur l'impression que peut en avoir le lecteur. La vue en plongée tend à

Extrait de : *Poil de serpent, dent d'araignée*.
Les 400 coups

Extrait de : *Poil de serpent, dent d'araignée*.
Les 400 coups

donner une vue d'ensemble et parfois à amplifier certains rapports de grandeur, comme dans *Les amours de ma mère* où on nous présente cette maisonnette perdue au milieu d'immenses champs de choux qui s'étendent jusqu'à l'horizon. Cela fait apparaître cette maisonnette encore plus minuscule et rend l'illogisme de la situation plus évident ! Il y a plus d'espace pour les choux que pour les personnes. On se demande comment on peut manquer autant d'espace en pleine campagne.

À l'opposé, la vue en contre-plongée grossit le caractère effrayant d'un personnage ou l'immensité d'un paysage. Comment ne pas sentir, dans l'illustration la puissance de cette sorcière et le danger de son incantation ? Comme les personnages, le lecteur se sent lui aussi petit et en danger… Chaque point de vue a son rôle à jouer et crée un effet sur le lecteur. Au détour d'une page, le gros plan du visage de la sorcière (pleine page, mais qui n'est pas reproduite ici), dans *Poil de serpent, dent d'araignée*, nous surprend presque autant que si nous étions, nous aussi, dans cette histoire.

Une question de mouvement

Comme vous l'aurez également constaté, certaines illustrations semblent plutôt statiques alors que d'autres sont empreintes de mouvements. Dans *Qui a peur la nuit ?*, le chat et les fantômes sont figés dans certaines attitudes ; leurs mouvements sont arrêtés mais on a tout de même une impression de mouvement et de déséquilibre. Ce qui est normalement à la verticale (fauteuil, lampe, etc.) est devenu oblique. C'est toute la partie réaliste dans l'illustration (p. 112) qui chavire.

Jetez maintenant un coup d'œil à l'illustration tirée de *Un nouvel ami pour Benjamin*. Bien que les personnages soient croqués sur le vif ici aussi, une impression de stabilité se dégage de l'ensemble. Tout est en équilibre : le ballon est en équilibre sur le nez de l'orignal, tous les personnages sont bien dressés sur leurs pattes, en état d'attente.

La relation texte-image

Revenons maintenant à la relation texte-image.

Elle « […] se présente donc essentiellement à nous dans un premier examen sous le double aspect de la répétition et de la complémentarité, du pléonasme et de la coopération […] deux pôles entre lesquels bien des combinaisons, bien des nuances sont possibles[9] ».

Ainsi, l'illustration, par ses différentes composantes, soutient, contredit ou nuance le texte qui l'accompagne. Dans les relations texte-image, toutes les combinaisons sont possibles. Certaines se valorisent mutuellement : le texte met en lumière les illustrations et les illustrations lui rendent la pareille. D'autres se complètent à merveille : ce que le texte ne dit pas, les illustrations le montrent, et vice versa. Et finalement, d'autres se reflètent, sont des copies conformes : les illustrations se collent au texte, sans aucune interprétation ou écart.

Des images dénotatives

Les illustrations pourraient se partager en deux grandes familles : les images dénotatives et les images connotatives. Comme nous l'explique Suzanne Francœur-Bellavance[10], une image dénotative se limite à une représentation conventionnelle du monde décrit dans le texte. C'est une représentation non subjective et facilement identifiable par les lecteurs.

9. Marion DURAND et Bertrand FÉRARD, *L'image dans le livre pour enfants*, Paris, L'École des loisirs, 1975, p. 89.
10. Suzanne FRANCŒUR-BELLAVANCE, « Rôle et importance du message iconique dans les livres pour enfants », *in Des livres et des jeunes*, vol. 3, n° 9, hiver 1981, p. 14.

Des illustrations qui reflètent fidèlement le texte

Benjamin est une marque de commerce de Kids Can Press Ltd. Illustration tirée de *Un nouvel ami pour Benjamin* de Paulette Bourgeois, illustré par Brenda Clark, reproduit avec l'autorisation de Kids Can Press, Ltd., Toronto. Illustration © 1997 de Brenda Clark.

Ce type d'image implique une relation texte-image que je qualifierais de « reflet fidèle ». Les illustrations représentent le texte le plus fidèlement possible. Ce type d'illustration est purement descriptif et s'en tient à une représentation très proche du texte.

À titre d'exemple, prenons la série des Benjamin écrite par Paulette Bourgeois et illustrée par Brenda Clark. L'illustratrice a créé tout un univers à la petite tortue, un univers douillet et sécurisant. Elle lui a attribué des caractéristiques physiques. Elle représente toujours fidèlement en tout ou en partie le texte que ses dessins accompagnent. Elle ne se permet pas un écart ou une extravagance.

Ce genre d'album a l'avantage de sécuriser le jeune lecteur. L'image et les mots racontent exactement la même histoire. L'image sert ainsi de moyen de dépannage dans la compréhension du sens premier des mots et du texte en général. Ainsi, grâce à la redondance de leur message, les albums de cette catégorie aident le lecteur débutant à progresser dans son apprentissage de la lecture. L'image apporte souvent une signification qui n'a plus qu'à être lue dans les mots. Le travail de compréhension de l'enfant lecteur en est d'autant plus facilité.

Grâce à leur représentation exacte et fidèle, certains de ces albums témoignent avec clarté d'une époque révolue. À titre d'exemple, les Martine[11] nous renvoient une image nette d'une certaine époque : les costumes, les décors et l'image de la petite fille idéale toujours bien mise représentent bien cette époque. Tout livre peut être analysé d'un point de vue socio-historique et nous renseigner sur l'époque de sa parution. Disons que les albums comme ceux des Martine donnent un accès plus direct à une époque donnée.

À l'aide de livres présentant ce type de relation texte-image, vous pouvez refaire l'activité « Raconte-moi les images » (p. 107). Les enfants devraient pouvoir imaginer assez facilement une histoire plus ou moins similaire. Avec Benjamin, les enfants font assez aisément les liens logiques entre chaque page et chaque événement.

ACTIVITÉ 85	Durée : 30 min

Regard sur le passé

Objectif	9
Matériel	Albums du genre de Martine

Utilisez ces albums pour voir avec les enfants ce qui existait avant et qui n'est plus ou qui a été remplacé par autre chose. Faites-leur aussi remarquer la facture du dessin, les couleurs utilisées. Si le cœur vous en dit, pourquoi ne pas les comparer à d'autres albums publiés récemment ?

Variante

Comparez les héroïnes de différentes époques (Jiji de Ginette Anfousse, Sophie de la comtesse de Ségur, Martine de Gilbert Delahaye, etc.). Les points de comparaison peuvent varier : l'apparence physique, le décor dans lequel évoluent les héroïnes, les actions posées, le regard d'autrui (celui des adultes par exemple) posé sur elles.

---

11. Gilbert DELAHAYE ; toute la série des albums ayant Martine pour héroïne est illustrée par Marcel Marlier, Paris, Casterman, coll. « Farandole », 1961.

Les images connotatives

Comme leur nom l'indique, les images connotatives sont riches en significations secondes. *Le Petit Robert* définit la connotation ainsi : « La propriété d'un terme de désigner en même temps que l'objet certains de ses attributs. » C'est donc tout ce que l'image suggère en plus de ce qui est dit par le texte. Ce type d'images ouvre la porte à une interprétation plus personnalisée du texte. Pour ce faire, l'illustrateur traite les éléments de l'image d'une façon particulière et ce traitement donne un ton, évoque une atmosphère, une ambiance qui n'est pas nécessairement inscrite dans le texte, ou alors il l'amplifie. Mais cette interprétation de l'image dépend aussi du lecteur, de ses valeurs, de ses idées, de ses souvenirs. Ainsi, ces ajouts de sens proviennent d'abord de l'illustrateur, par son interprétation personnelle du texte, mais ils doivent être à leur tour captés, perçus par le lecteur. Ce type d'illustration permet toutes sortes de « dialogues », en quelque sorte, entre les deux modes d'expression du livre imagé, soit le texte et les images.

Des illustrations qui amplifient le sens du texte

. . . que le printemps est revenu.   Et le gros ours brun dansera de joie.

Illustration tirée de
Quel est ce bruit ?
Michèle Lemieux reproduit
avec l'autorisation de Kids
Can Press Ltd., Toronto.
Illustration © 1989 de
Michèle Lemieux.

Ce type de rapport entre le texte et les illustrations vise à amplifier le sens du texte, c'est-à-dire à faire ressentir davantage au lecteur ce qui est implicite dans le texte. Voici une illustration de Michèle Lemieux tirée de *Quel est ce bruit ?*

En plus de nous montrer un gros ours brun qui danse de joie, tel qu'on le décrit dans le texte, on remarque la douceur, la joie de vivre et la lumière qui se dégagent de cette image. Ces rayons de lumière ne vous rappellent-ils pas ceux des saintes images de votre enfance ? La légèreté de ce gros ours surprend. Croqué sur le vif, son geste est suspendu. Ses trois pattes en l'air créent une impression de mouvement. Il semble venir de la lumière et se laisser guider par elle en dehors de la page, contrairement aux deux oiseaux blancs (des colombes ?) qui, eux, se dirigent vers elle.

Cette double page conclut et boucle cette histoire, cette quête. Pendant toute une année, du printemps au printemps, l'ours a cherché la source d'un bruit et il a acquis maintenant la connaissance, et le lecteur aussi puisqu'il l'a suivi dans son périple. « Ce début de compréhension de soi invite à continuer à avancer, à progresser, à se surpasser. Car, après les doutes et les questions, viennent les réponses et la lumière : c'est un peu cela grandir[12]. »

Laissez votre regard s'attarder sur toutes les magnifiques illustrations de Michèle Lemieux afin d'apprécier les moyens choisis pour accompagner le récit, les contrastes subtils des formes et des couleurs chaudes ou froides, sombres ou claires, à travers les saisons dans cet album[13].

---

12. Guylaine DELAUNAY, «L'illustration», *in Lurelu*, vol. 18, n° 1, printemps-été 1995, p. 52.

13. Pour en savoir plus sur Michèle Lemieux et ses illustrations, vous pouvez consulter la revue *Lurelu*, vol. 20 n° 3, hiver 1998. Francine Sarrazin présente un dossier à son sujet. Elle a aussi publié un ouvrage qui lui est consacré : *Michèle Lemieux, Double espace*, Laval, Les 400 coups, coll. «Images», 1997.

📖📖 Une question d'ambiance

Objectifs	• Objectifs en arts plastiques
	• Observer les changements entre différentes illustrations
	• Interpréter ces changements
Matériel	Albums semblables à *Quel est ce bruit ?*, où les ambiances créées par les illustrations sont légèrement différentes

Plusieurs albums contiennent des illustrations intéressantes à comparer. Vous pouvez comparer la représentation d'un lieu particulier ou d'une période de temps précise (temps dans l'année, la journée, etc.) à différentes étapes d'un récit. Par exemple, dans l'album *Quel est ce bruit ?*, vous avez vu l'image qui conclut la quête de l'ours. Comparez-la maintenant avec celle qui débute l'histoire. Quelles sont les différences ? Toutes les deux montrent des scènes qui se passent au printemps, au réveil de l'ours ou presque. La première est plus sombre, l'ours est replié sur lui-même dans sa grotte. On voit la lumière pénétrer doucement à l'intérieur, éclairant légèrement l'ours.

(Cette première page n'est pas reproduite ici.) Quelles impressions peut-on ressentir face à chacune de ces images ? Quelles sont les différences entre les deux images ? Laissez les enfants interpréter librement ces différences et demandez-leur de justifier leur interprétation.

Vous pouvez aussi comparer les illustrations du début ou de la fin de deux albums différents : *Poil de serpent, dent d'araignée* où la peur et l'angoisse prédominent, et *Quel est ce bruit ?* où la joie de vivre est à l'honneur. Qu'est-ce qui crée ces différences dans les ambiances, dans l'impression que ces images nous donnent ?

📖📖 Qu'est-ce qui a l'air vrai ?

Objectifs	Objectifs en arts plastiques
Matériel	Albums semblables à la série des Simon de Gilles Tibo, où réalisme et fantaisie se côtoient

Commentaire

Dans la série des albums de Gilles Tibo dont Simon est le héros, la poésie et la douceur *féérique* de l'enfance règnent. En amenant les enfants à discuter du réalisme de ces illustrations, ils remarquent la douceur des couleurs et des formes, mais aussi notent le choix parfois étonnant des couleurs. Le ciel et la nature environnante se teintent parfois de couleurs inusitées. Par contre, les animaux, eux,

ressemblent beaucoup à de *vrais* animaux. Quant à la représentation de Simon, ils hésitent... Les traits de son visage font penser à ceux d'une poupée de bois, mais le reste de son corps est celui d'un petit garçon. ∎

Après avoir observé ce qui a l'air vrai ou irréel, discutez avec les enfants des raisons possibles des choix de l'illustrateur, des impressions que cela provoque chez eux. Cela amplifie peut-être les côtés poétique et ludique de ces albums.

Les illustrations qui enrichissent le texte

Toutes les illustrations enrichissent un tant soit peu le texte à leur façon. Cependant, par le choix des éléments constituant l'ensemble d'une illustration, certains artistes augmentent la signification du texte.

S i l'illustration ajoute des éléments au texte, si elle en élargit l'univers, cela devient plus intéressant, plus riche. Et l'artiste, autre que celui qui a écrit le texte, s'est exprimé aussi. Je compare cela à deux instruments de musique qui jouent ensemble, en harmonie, mais deux instruments différents. C'est ainsi que je vois le rapport dessin-texte d'un livre[14].

Ginette Anfousse met en pratique ce qu'elle pense du travail d'illustratrice. Dans sa série des Jiji, elle utilise parfois l'illustration comme support direct au texte ou carrément comme partie prenante de la narration en créant des images en séquences narratives. Souvent le texte sert de trame narrative et les détails relèvent des illustrations.

Dans *L'école*, sa journée à l'école se résume en une page double sans texte, au milieu de l'album. Sur la page de gauche, on voit un autobus partant pour l'école. De l'intérieur de l'autobus, Jiji fait un geste de la main probablement à Pichou, se situant en avant-plan, sur le rebord de la fenêtre. Sur celle de droite, on retrouve toujours Pichou dans la même position en avant-plan et le même autobus. Cette fois-ci, l'autobus revient et Jiji en descend, faisant encore une fois un geste de la main. L'enfant comprend tout de suite qu'entre ces deux images Jiji est allée à l'école.

Ensuite, on la voit déballant ses choses. Elle organise sa chambre pour jouer à l'école avec Pichou et ses poupées pendant que le texte en dessous nous raconte sa journée à l'école. Le temps de l'image et le temps du texte ne sont plus les mêmes. Les illustrations sont au présent alors que le texte est au passé, racontant

Extrait de: Ginette Anfousse, *L'école*, Montréal, Les éditions de la courte échelle, 1983.

ce qui est terminé. Le lecteur voit ce que Jiji fait en revenant de l'école sans que le texte n'en dise un seul mot, et cela, tout en apprenant comment sa première journée d'école s'est déroulée.

ACTIVITÉ 88   Durée : 30 min

📖 Personnages illustrés

....

Objectif   9

....

Matériel   • Album dont on aura caché le texte
                            • Fiche n° 11 *Portrait d'un personnage*
                            • Crayons

....

14. Citation tirée de la page qui est consacrée à Ginette Anfousse dans le site web de la Bibliothèque nationale du Canada, dans « Rencontre avec Ginette Anfousse », de Marie-Jeanne Robin, *in Lurelu*, vol. 2, n° 4, hiver 1979, Montréal, p. 13.

À partir des illustrations seulement, les enfants essaient de trouver des caractéristiques à un personnage. Leurs trouvailles se basent exclusivement sur les illustrations. Examinez les attitudes, les poses, les actions illustrées du personnage à l'étude. Si vous disposez de plusieurs exemplaires de l'album, travaillez en petites équipes de deux ou trois. Pour ma part, je donne une page à observer.

Les élèves inscrivent le résultat de leur observation sur une feuille ou sur la fiche reproductible n° 11 *Portrait d'un personnage*. Au moment de la mise en commun, je vous conseille d'observer les illustrations une page à la fois, en montrant ladite page, et de noter vos découvertes au fur et à mesure sur une grande affiche (agrandissement de la fiche).

ACTIVITÉ 89   **Durée : 30 min**

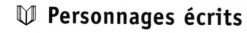 Personnages écrits

Objectifs

3, 5 et 6

Matériel

- Album dont on aura caché les illustrations
- Fiche n° 11 *Portrait d'un personnage*

On invite les enfants à trouver des caractéristiques du personnage d'après le texte seulement. Ils n'ont pas accès aux illustrations pour les aider. Ils notent leurs résultats sur la fiche. Encore une fois, au cours de la mise en commun, je vous suggère de lire une page à la fois et de compiler vos trouvailles au fur et à mesure dans un grand tableau (agrandissement de la fiche reproductible).

Variante

Faites cette activité et l'activité « Personnages illustrés » (p. 118) en même temps. La moitié de la classe décortique les illustrations, et l'autre le texte. Au moment de la mise en commun, faites un tableau comparatif. Voici à titre d'exemple ce que les enfants ont trouvé avec l'album *La grande aventure* de Ginette Anfousse.

Par cette activité, les élèves comprendront à quel point les illustrations et le texte se

complètent et s'enrichissent mutuellement. Dans cet album, ils se reflètent assez fidèlement, mais si vous faites la même activité avec *L'école* de Ginette Anfousse, ce que Jiji nous raconte diffère de ce que l'illustration nous montre. Dans la première partie, Jiji anticipe sa première journée à l'école et l'illustration nous montre ce qu'elle imagine. Images et texte se complètent, racontent la même chose. Comme je l'ai déjà mentionné, lorsqu'elle revient de l'école, on la voit s'affairer dans sa chambre et raconter sa journée à son grand ami Pichou. Le lecteur ne verra pas comment sont réellement l'école, son professeur, etc., mais sera témoin de ses gestes quotidiens. Le texte et l'illustration ne renvoient plus exactement au même propos, ils se distancient. Le texte raconte un fait passé et l'illustration montre le présent. Deux temporalités différentes se côtoient.

Texte	Image

• Elle n'aime pas faire le ménage.
• Elle a beaucoup de choses et de jouets.
• Elle laisse traîner ses vêtements, des restants de fruits, des biscuits et des gommes aussi.
• Elle préfère partir que de faire le ménage.
• Elle a un père et une mère.
• Elle est capable de s'organiser, elle veut penser à tout :
  – *la faim* : des biscuits ;
  – *l'ennui* : des jouets ;
  – *le froid* : des vêtements chauds et des couvertures ;
  – *l'argent* : sa tirelire.
• Elle a de l'imagination. Elle imagine son voyage.
• Elle pense qu'elle est courageuse. Elle sauve Pichou plusieurs fois de situations dangereuses (naufrage, serpents, tigres, etc.).
• Elle n'est pas aussi courageuse qu'elle le pense. Elle ne va pas en voyage à cause de la pluie.
	• Elle ne fait pas souvent le ménage de sa chambre.
	• Elle n'est pas grande (même hauteur que la poignée de la porte).
	• Elle a beaucoup de jouets.
	• Elle n'aime pas ranger.
	• Elle est gourmande (elle emballe des biscuits en tirant la langue).
	• Elle sait bien ranger ses choses dans une valise.
	• Elle aime ranger ses choses dans la valise.
	• Elle a de l'imagination, elle se transporte dans son idée.
	• Elle a peur des requins.
	• Elle pense qu'elle est courageuse. Elle affronte les serpents et n'a pas peur de la nuit.
	• Elle est très contente de partir.
	• Elle est découragée par la pluie.
	• Elle n'est vraiment pas bonne pour faire le ménage.

ACTIVITÉ 90　　　　　　　　　　　　　**Durée : 30 min**

Histoires écrites et histoires dessinées

Objectifs	2, 4, 6 et 9
Matériel	• Un album dont on aura caché les illustrations • Un album dont on aura caché le texte

Comme dans l'activité « Personnages écrits », (p. 119) j'aime bien faire un tableau comparatif. Examinez avec les enfants comment le texte et les illustrations, chacun à sa façon, nous racontent une histoire. Ici, comme dans l'activité « Raconte-moi les images » (p. 107), les enfants n'ont que les images à leur disposition. Ils n'écrivent pas l'histoire, mais en extraient les grandes étapes sous forme de liste. Par exemple : le début, le problème, la résolution du problème et la conclusion. Chaque moitié de la classe travaille avec soit les illustrations, soit le texte. Pour votre première expérience, je vous conseille de prendre un album dont le texte et les illustrations racontent à peu près la même chose. En conclusion, vous lisez le texte en grand groupe ou les élèves le lisent en équipe si vous avez assez de copies à votre disposition. Discutez de vos résultats.

Ensuite, refaites ce genre d'activité avec des albums dont les illustrations se distancient un peu plus du texte et amusez-vous !

Variante

Vous pouvez aussi observer la façon dont on traite le lieu et l'environnement. « Comment le lecteur accède-t-il à une représentation du lieu ou de l'environnement des personnages ? Est-ce par le texte ou les illustrations ? Comment sait-on où se passe l'action ? Est-ce que ce sont les mots ou les images qui nous le disent ? Quels éléments sont répétés dans chacune des images ? Lesquels changent ? Lesquels sont nouveaux ? »

Jiji chez les petits

Toutes les activités présentées approfondiront notre connaissance de Jiji et de son univers. L'étude de cette série permet également de développer le sens de l'observation chez les enfants. Tous les jours, une période de lecture est prévue. Les enfants peuvent lire individuellement ou à deux. Ils font ainsi le tour de cette série par eux-mêmes. Vous pouvez, vous aussi, choisir quelques titres de Jiji pour les lectures quotidiennes à votre groupe.

JOUR 1   Durée : 60 min

Matériel
- L'album *L'école*
- Fiche n° 23 *Ce que je sais de Jiji*

1. Lecture de l'album *L'école*.
2. Activité sur le personnage de Jiji avec la fiche n° 23 *Ce que je sais de Jiji*.

   Avant de faire cette activité, je présente un des enfants de ma classe et je demande aux autres enfants de me dire ce qu'ils connaissent de lui ou d'elle. Je les invite ensuite à découvrir Jiji de la même façon. Après la lecture de l'album, sous forme de discussion de groupe, les enfants doivent trouver tout ce qu'ils peuvent dire au sujet de Jiji. Ils doivent justifier leurs réponses. Vous inscrivez vos trouvailles sur une grande affiche.

3. Lecture « livromagique » pendant 15 min. Pendant cette période de lecture, les enfants préparent des questions pour le grand jeu de la finale. Quand ils ont terminé la lecture d'un livre, ils écrivent une question accompagnée de la réponse. Je les transcris sur des cartons et les plastifie. Ainsi, les élèves pourront jouer à ce jeu pendant leurs temps libres.

JOUR 2   Durée : 60 min

Matériel   Albums *Le savon* dont on aura caché le texte

1. Activité « Raconte-moi les images » (p. 107). Il y a 19 illustrations à commenter dans cet album. Chaque enfant ou équipe de deux enfants écrit le texte (une phrase ou deux) accompagnant son illustration.
2. En conclusion, vous lisez le récit des enfants suivi de celui de Ginette Anfousse et vous comparez les deux. Quelles sont les différences, les similitudes ?
3. Vous observez également si vous pouvez ajouter des éléments nouveaux à votre affiche sur Jiji.
4. Lecture « livromagique » pendant 15 min et préparation du grand jeu de la finale.

JOUR 3   Durée : 60 min

Matériel
- Plusieurs exemplaires de l'album *La grande aventure* (Une moitié de la classe aura un exemplaire dont le texte est caché, l'autre moitié les illustrations cachées.)
- Fiche n° 11 *Portrait d'un personnage*

1. Activités «Personnages illustrés» (p. 118) «Personnages écrits» (p. 119), suivies d'une mise en commun en grand groupe.
2. Lecture de l'album *La grande aventure*.

3. Et vous continuez toujours votre affiche sur Jiji.
4. Lecture «livromagique» pendant 15 min et préparation du grand jeu de la finale.

JOUR 4 — Durée: 30 à 45 min

Matériel
- Différents albums de Jiji et Pichou
- Fiche nº 23 *Ce que je sais de Jiji*

1. Activité: En équipes de deux, les élèves lisent un album de Jiji et doivent trouver au moins trois choses qu'ils ont apprises au sujet de Jiji. Mise en commun de vos trouvailles. Vous les inscrivez sur votre affiche.

2. Lecture «livromagique» pendant 15 min et préparation du grand jeu de la finale.

JOUR 5 — Durée: 30 min

Matériel — Différents albums de Jiji et Pichou

1. Lecture et animation d'un album au choix.
2. Activité d'improvisation: Utilisez le personnage de Jiji dans différentes situations. Avec les enfants, imaginez différents lieux ou situations où Jiji pourrait se retrouver. Exemples: Jiji au verger, à la colonie de vacances, à la campagne, chez le dentiste, etc. Inscrivez ces situations sur de petits bouts de papier.

3. Groupez les élèves en équipes de trois ou quatre. Pigez une situation et laissez 4 min aux équipes pour préparer une saynète sur cette situation.
4. Lecture «livromagique» pendant 15 min et préparation du grand jeu de la finale.

JOURS 6 ET 7 — Durée: Deux à trois sessions de 30 min

Matériel — Différents albums de Jiji et Pichou

1. Lecture et animation d'un album au choix.
2. Inventez une nouvelle aventure de Jiji et Pichou sous la forme d'un récit collectif ou de récits individuels, comme il vous plaira.

3. Lecture «livromagique» pendant 15 min et préparation du grand jeu de la finale.

JOUR 8 — Durée: Entre 45 et 60 min

Matériel
- Série de questions portant sur les différents albums de la série Jiji
- Deux dés ordinaires (1 à 6)
- Un dé dont chacune des faces est d'une couleur différente
- Jetons des mêmes couleurs que le dé
- Planche de jeu du genre échelles et serpents

Activité : Le grand jeu

Groupez vos élèves en équipes de quatre ou cinq. À chaque équipe correspond une couleur du dé portant des couleurs et un jeton de la même couleur pour avancer sur la planche de jeu. Après chaque question portant sur l'un des albums de cette série, les élèves ont 30 sec de consultation. Jetez ensuite le dé de couleur pour déterminer quelle équipe répondra. Si la réponse est bonne, un membre de l'équipe jette un ou deux dés, selon la difficulté de la question. Je colle un point rouge sur les cartons dont les questions sont plus difficiles. À la fin de la période de jeu, l'équipe rendue le plus loin sur la planche de jeu gagne.

Jiji chez les grands

Je suis allée voir Francine, l'enseignante de sixième année de notre école, et je lui ai proposé de faire lire Jiji à ses élèves. Ils ont aimé retourner à leurs premières amours. Ceux qui ne la connaissaient pas ont trouvé belle l'expérience de visiter de nouveau le monde naïf de la petite enfance. Je vous invite donc à nous accompagner dans l'univers de Jiji et Pichou, son bébé-tamanoir-mangeur-de-fourmis-pour-vrai, en visite chez les grands.[27]

Avec les petits, on s'attarde généralement à l'étude du personnage de Jiji. Ici, on a proposé aux grands d'écrire un album dans le style de Ginette Anfousse, avec les mêmes contraintes éditoriales, c'est-à-dire le même nombre de pages, le même type de relation texte-image, la même façon de raconter des histoires. Pour y arriver, il fallait que les élèves examinent ces albums sous toutes leurs coutures. Il leur appartenait de trouver les réponses à ces questions.

Comment Ginette Anfousse raconte-t-elle ses histoires ?

Permettons-nous une petite incartade dans le chapitre suivant et abordons le récit. D'abord, mentionnons que seule Jiji a droit de parole dans ses albums. Le « je » est utilisé dans tous les récits et aucun autre personnage ne s'adresse directement au lecteur. Ce qu'ils disent ou font est toujours rapporté par Jiji et, évidemment, selon **sa** version des faits. On n'a ainsi droit qu'à un seul point de vue. Fait à remarquer, Jiji interpelle régulièrement le lecteur au cours de ses nombreux récits.

Titre	Type devinette	Récit biographique	Prévision fausse; appel à l'imaginaire	Retour en arrière
Mon ami Pichou		✓		
La cachette	✓		du lecteur	
La chicane	✓	✓		✓
La varicelle		✓	(imaginaire)	
Le savon		✓		
L'hiver ou le bonhomme sept heures		✓	(imaginaire)	
L'école		✓	✓	✓
La fête	✓	✓	✓	
La petite sœur		✓		
Je boude	✓	✓		✓
Devine	✓	✓	du lecteur	
La grande aventure		✓	✓ (imaginaire)	
Le père Noël		✓	✓ (imaginaire)	

Comme vous pouvez le remarquer, Ginette Anfousse n'utilise pas une seule et unique recette, mais des façons de faire qui se répètent dans certains albums, des techniques narratives particulières. Généralement, elle utilise le récit de type linéaire, où le temps du récit et le temps de l'histoire suivent une chronologie standard. Ce genre de récit n'empêche nullement la narratrice de rêver... Dans *L'école*, il est intéressant de faire remarquer aux jeunes le temps du récit *versus* le temps de l'histoire. Une page double suffit à raconter une journée d'école, alors que le court laps de temps qui précède le départ pour l'école est décrit en **11** pages. Autre petite remarque digne de mention, dans l'album *Le savon*, l'histoire finit comme elle commence, c'est-à-dire par un bain.

Tous les albums de cette série renvoient à un court épisode de la vie de l'héroïne, sauf peut-être *La cachette*. Dans cet album,

Ginette Anfousse a recours à un récit de type devinette où elle joue parfois avec le lecteur de manière à le faire participer à la trame du récit. Cette approche est très efficace dans *La cachette* et *Devine* (ici, c'est à Pichou qu'elle s'adresse). Dans les autres albums de cette catégorie, même si la narratrice sollicite moins le lecteur, elle l'invite tout de même à essayer de deviner la suite du récit.

Les retours en arrière sont moins fréquents. Quant aux prévisions faites par la narratrice, elles s'avèrent toujours fausses, sauf dans *La varicelle*, où on peut supposer que Jiji guérira vraiment. Lorsque j'inscris « du lecteur » dans cette colonne, c'est pour vous indiquer que c'est le lecteur que la narratrice essaie d'entraîner sur de fausses pistes. Le jeu entre les prévisions et les retours en arrière vient bousculer l'ordre chronologique des histoires.

JOURS 1 ET 2 — Durée : 60 min

Matériel — Livres de la série des Jiji en plusieurs exemplaires, si possible

1. Lecture et animation d'un album

J'aime commencer mes animations par la lecture d'un album. Mon préféré est *La cachette*. Si je pense que les jeunes connaissent déjà les albums racontant les aventures de Jiji et Pichou, je leur dis qu'on s'offre le plaisir de relire une histoire qu'on a bien aimée quand on était plus jeune. Incitez sans crainte les enfants à participer à haute voix en les faisant répondre aux questions ou aux suggestions de Jiji. Les plus âgés murmurent les nombres du bout des lèvres quand c'est le tour du lecteur de compter. Vous aurez un succès garanti en animant cet album.

2. Lisons en groupe

Proposez aux élèves de trouver comment Ginette Anfousse raconte ses histoires, en somme de dire quelle est sa recette. Ils seront les détectives. Pour les aider, examinez avec vos élèves l'album que vous venez de lire. Posez des questions : « Qui raconte l'histoire ? À qui Jiji parle-t-elle dans cet

album ? À quoi vous fait penser la façon dont Ginette Anfousse raconte cette histoire ? »

Ensuite, groupez les élèves en équipes de trois ou quatre et, ensemble, ils doivent découvrir les recettes secrètes de l'auteure. La meilleure façon d'y parvenir est d'adopter une approche coopérative : à tour de rôle, chaque membre de l'équipe sera le lecteur et présentera un album aux autres. Chaque équipe a ainsi un album en sa possession. Cela facilite la circulation des albums lorsque vous n'avez qu'une série à votre disposition. Vous serez surpris de l'intérêt que les élèves prêteront à l'exercice. Ils auront tous le sourire aux lèvres... Vous pouvez leur donner des pistes en circulant d'une équipe à l'autre et en posant des questions telles que « Qu'est-ce que *La grande aventure* et *Le père Noël* ont de semblable ? » Une mise en commun suit évidemment cette période d'observation. Les résultats sont parfois surprenants ! Vous arriverez à construire un tableau semblable à celui présenté précédemment.

À partir des données trouvées la veille, les élèves se choisissent chacun un sujet et une manière de raconter une histoire. Je vous conseille de préparer pour chaque enfant un livret vierge dans lequel il écrira son livre. Brochez sept feuilles 20 cm × 35 cm par le milieu. Les élèves pourront ainsi écrire le texte de chaque page et faire les esquisses des illustrations qui l'accompagneront.

La grande difficulté rencontrée au cours de ce projet fut d'amener les enfants à plus de concision dans leur texte et à laisser aux illustrations le soin de donner les détails du décor ou de la situation. Alors, voici un conseil qui facilitera grandement leur travail et le vôtre par ricochet: observez la relation texte-image avec les élèves avant de commencer à écrire les histoires. S'ils comprennent cette dynamique, ils pourront mieux l'utiliser par la suite.

En conclusion, les élèves viennent présenter leurs livres aux plus jeunes de l'école.

Des images qui interprètent le texte

Donner une interprétation sous-entend généralement une volonté de rendre limpide ce qui pourrait être obscur ou de donner un sens à un texte. Parfois, il existe autant d'interprétations qu'il existe d'individus. On pourrait aussi affirmer que la majorité des illustrations donnent une interprétation du texte mais disons que, chez certains illustrateurs, l'interprétation est très personnelle. Par leurs illustrations, ce qui est sous-jacent dans le texte est révélé au grand jour.

À titre d'exemple, voici comment Yayo représente Somerset dans *Le plus proche voisin*. J'ouvre ici une parenthèse pour mentionner qu'il ne s'agit pas d'un album, mais d'un mini-roman dont toutes les pages sont illustrées. C'est pour cette raison que je me permets d'en parler dans ce chapitre. Donc, cette histoire de voisin traite en filigrane de la puissance des mots. Par ses mots, notre héros réussit à désamorcer un grand danger encouru par son père. Danger fictif certes, mais qui a permis à notre jeune protagoniste de découvrir les mots et leurs effets possibles. D'où ces paysages de crayons.

Ici, comme dans les autres mini-romans de ce héros, Yayo situe presque toujours Somerset dans un environnement complètement fou. Il ne nous montre pour ainsi dire jamais ce personnage dans un décor réel.

Illustration Yayo *Le plus proche voisin*, collection Carrousel, auteure Hélène Vachon, Éditions Héritage Inc.

On le voit plutôt content de sa trouvaille: mesurer la distance entre ses voisins afin de trouver qui est son plus proche voisin, sujet de rédaction imposé par Monsieur Tréma, son professeur de français. On ne le voit pas à l'intérieur de la classe en train de mesurer, mais dans un décor extérieur où une règle joue le rôle de clôture reliant deux tourelles en forme de crayon. Même la pagination se fait à l'aide de crayons! L'omniprésence de ces crayons ne peut que susciter un questionnement de la part du lecteur. En soulignant aussi fortement l'importance du crayon, Yayo nous dirige vers la conclusion de ce récit, la leçon sous-entendue d'abord puis clairement énoncée par la suite: la puissance des mots.

Les enfants auraient beaucoup de difficulté à raconter l'histoire, ne serait-ce que ses grandes étapes, uniquement à l'aide des illustrations de Yayo. Pour comprendre ses illustrations, on a besoin du texte. Les images du crayon résument l'intention de l'auteur du texte: c'est avec son crayon que Somerset mène l'action.

📖📖 Pourquoi ci, pourquoi ça ?

Objectifs	2, 4 et 9
Matériel	• Un album dont les illustrations font penser à celles de Yayo dans la façon d'interpréter un texte

Commentaire

Les illustrations ouvrent parfois des horizons sur différents niveaux de lecture. Un texte n'a pas un seul sens, mais il peut signifier davantage que les gestes simplement décrits. Les gestes, les attitudes des personnages, les décors, les accessoires peuvent amener l'enfant à se questionner sur ce qu'il lit, à découvrir des lectures multiples grâce au soutien de l'image. Un transfert de cette aptitude devrait s'effectuer par la suite vers la lecture de textes sans images. ▪

Groupez vos élèves en équipes de deux ou trois. Les élèves ont en main un album ou un mini-roman abondamment illustré, comme la collection « Carrousel » chez Héritage. Cette activité est ni plus ni moins qu'une variante de l'activité « Histoires en images » (p. 106). Les enfants doivent dire ce que les images apportent de plus au texte. Pourquoi tous ces crayons dans *Le plus proche voisin*, pourquoi ces décors de châteaux dans *Mon ami Godefroy*, un autre épisode de la vie mouvementée de Somerset ?

Sortie en beauté

Après avoir examiné la relation texte-image dans un des mini-romans dont Somerset est le héros, invitez votre groupe à imaginer un décor pour le prochain livre que vous lirez, par exemple *Le cinéma de Somerset*. « Comment Yayo s'y prendrait-il pour illustrer le récit dont vous leur faites la lecture ? Qu'est-ce que ça veut dire : se faire tout un cinéma ? »

Des images qui nuancent le texte

Deux fois, pour faire plaisir à mon père qui adore ça !

Extrait de : Jolin, Dominique, *Au cinéma avec papa*, © Les éditions du Raton Laveur, 1991.

Avez-vous déjà eu l'impression que les illustrations n'allaient pas tout à fait dans le même sens que le texte que vous lisiez ? Moi je l'ai eue en lisant *Au cinéma avec papa*, de Dominique Jolin. Je n'irais pas jusqu'à affirmer que texte et illustrations se contredisent, mais disons que nous sommes en présence de deux versions différentes d'un même événement. La petite fille assume la narration de cette histoire : une sortie qu'elle a faite au cinéma avec son papa. Les illustrations, elles, nous montrent ce qui s'est réellement passé au cours de cette sortie. Parfois, il y a une grande divergence dans les interprétations des faits.

Toute la place est laissée à la présentation de ces deux personnages. On les observe en haut de cet escalier sans aucun détail nous distrayant de leur mine respective. Ainsi, cette image de la seconde remontée dans l'escalier mécanique, soit disant pour faire plaisir à son père, nuance les propos de notre jeune narratrice... Si on y regarde de plus près, les traits du père ne reflètent pas vraiment une joie de vivre débordante. Par contre, la petite fille, elle, semble au summum de l'excitation. La raison de cette seconde remontée se résume à cette mitaine tombée, tenue par le papa.

Par ce type de relation texte-image, vous expliquez facilement ce qu'est le point de vue narratif. Je vous conseille de refaire l'activité « Histoires écrites et histoires dessinées » (p. 120) avec l'album *Au cinéma avec papa*. Faites résumer l'histoire de la narratrice, soit la petite fille, et, en parallèle, faites raconter l'histoire par le papa ou un narrateur externe (utilisation du « il »). Les enfants pourront juger l'interprétation de notre jeune narratrice.

Des images qui ont besoin du texte pour être comprises

Ils aiment jouer à cache-cache

Extrait de : Leo Lionni,
Petit-Bleu et Petit-Jaune, Paris,
L'école des loisirs.

Certains albums contiennent des illustrations qui ont absolument besoin du texte pour être comprises, et vice versa. Le texte explique les éléments de l'image qui, autrement, resteraient énigmatiques pour le lecteur. Un bel exemple de ce type de relation demeure *Petit-Bleu et Petit-Jaune* de Leo Lionni[15].

Selon le *Smithsonian Magazine*[16], ce magnifique album a pris naissance en 1959 au cours d'un voyage en train. Leo Lionni voulant distraire ses petits-enfants qui l'accompagnaient eut l'idée saugrenue de déchirer des morceaux de papier bleu, jaune et vert, et d'en faire une histoire. À partir de ces morceaux de couleur, il a créé ce qui est devenu son premier album pour la jeunesse.

Cette histoire, très simple *a priori*, contient plusieurs niveaux de lecture. Partant d'une simple histoire d'amitié entre un cercle bleu et un cercle jaune, elle conduit subrepticement à l'exploration des couleurs et aboutit finalement à la cohabitation plus ou moins harmonieuse de différentes races.

Sans les mots qui les accompagnent, ces images composées de cercles de couleur demeureraient incomprises. Le texte vient donc guider le lecteur dans sa recherche de sens. La coexistence de ces illustrations minimalistes, à tout le moins insolites, et de ce texte vient ajouter des niveaux de lecture. Ainsi, à cause de ce choix d'utiliser des ronds de couleur pour imager cette histoire d'amitié, l'illustrateur sensibilise l'enfant au monde des couleurs et à leur chimie. Mais aussi, par le côté abstrait et coloré, il permet d'extrapoler et de parler de la coexistence des enfants de différentes couleurs dans un groupe, du métissage des races, etc.

Vous pouvez bien sûr discuter avec votre groupe de la signification de cet album, de ces taches de couleur.

Avec des illustrations comme celles-là, une porte s'ouvre toute grande sur une présentation de l'art abstrait tant en ce qui concerne tant l'observation que la réalisation. Vous pourriez aussi vous servir de taches de couleur pour créer un album et composer un texte les accompagnant.

Des images qui contiennent des personnages accessoires

Il arrive parfois que des personnages dont on ne mentionne jamais l'existence dans un texte se retrouvent dans les illustrations d'un livre. Par exemple, dans l'album *Benjamin et la saga des oreillers*, on aperçoit un facteur marchant dans la rue. Il n'a pas de véritable rôle dans l'histoire. On pourrait s'amuser à imaginer sa tournée de livraison, étant donné qu'il revient dans un autre album du même auteur : c'est lui qui livre la lettre annonçant le prix dans *Un voyage pour deux*.

15. Un autre très bel album qui s'inscrit dans cette catégorie est le conte écologique écrit par Umberto Eco, *Les gnomes de Gnou*, ill. Eugenio Carmi, éd. Grasset-Jeunesse, 1993.
16. *Smithsonian Magazine*, nov. 1997, http//www.smithsonianmag.si.edu.

D'autres images, comme dans *Drôles de cochons* de Marchenko, donnent une personnalité particulière à des personnages qui seraient normalement considérés comme des accessoires. Ainsi, ces cochons dont l'auteur parle tant adoptent des comportements tout à fait loufoques. Ici, l'illustrateur s'en donne à cœur joie. Il y a bien sûr le texte qui nous raconte brièvement leurs folies, mais l'illustrateur en ajoute. Il y a le cochon qui vole les lunettes, l'autre qui parle au téléphone, etc.

Extrait de : Robert Munsch et Michael Martchenko, *Drôles de cochons*, Montréal, Les éditions de la courte échelle, 1990.

ACTIVITÉ 92 — Durée : 30 à 45 min

Histoires en parallèle

Objectifs — Objectifs en expression écrite ou en expression orale

Matériel — Albums qui contiennent des personnages qui sont étrangers à l'histoire, ou des personnages accessoires comme ceux de Marchenko

Prenez ces personnages accessoires ou décoratifs et mettez-les à l'avant-scène. Ils deviennent ainsi les héros. Amusez-vous à leur inventer une histoire. Posez des questions : «Qu'est-ce que les cochons se racontent autour de l'auge le soir? Qu'est-ce qu'ils pensent des humains qui leur donnent à manger? Quels sont leurs rêves? Quelles relations ont-ils entre eux?»

Groupez vos élèves en équipes de deux ou trois. Donnez-leur une vingtaine de minutes ou plus pour écrire leur texte. Vous pouvez utiliser les mêmes personnages accessoires ou encore explorer l'univers d'un illustrateur et aller visiter ses albums. Partagez-vous ces personnages étrangers. Au moment de la mise en commun, chaque équipe présente sa production. Notez si les histoires des élèves tiennent compte ou non des caractéristiques visibles du personnage choisi.

Conclusion

Loin de prétendre tout dire sur l'illustration et l'album, ce chapitre avait pour objectif de survoler l'album et d'en promouvoir la lecture et l'utilisation avec les enfants du premier et du deuxième cycles du primaire. Comme nous l'avons vu, les images et les mots sont interactifs dans les albums, et les enfants peuvent tirer profit de cette interaction dans leur recherche de sens. Les activités proposées visent plusieurs objectifs dont le principal est de développer la passion de la lecture des mots et des images. Par ricochet, les enfants développent leur sens de l'observation et leur imagination est stimulée. Ils découvrent de nouveaux moyens d'expression et enrichissent leur sensibilité esthétique.

FICHE 23   Ce que je sais de Jiji

Titre de l'album : _____

Dessine Jiji dans le passage que tu préfères.

Nomme au moins trois choses que tu as apprises au sujet de Jiji.

_____

_____

_____

_____

_____

_____

_____

_____

_____

_____

_____

Les pères

BITTNER, Wolfgang. *Les grizzlis au lit*, ill. Gusti. s.l., Nord-Sud, 1996.

BROUSSEAU, Linda. *Le vrai père de Marélie*. Montréal, Pierre Tisseyre, coll. «Papillon», 1994.

D'ALLANCÉ, Mireille. *Couché papa!* Paris, L'école des loisirs, 1998.

D'ALLANCÉ, Mireille. *Papa exagère*. Paris, L'école des loisirs, 1994.

DESROCHERS, Pierre. *Xavier et ses pères*. Montréal, Pierre Tisseyre, coll. «Papillon»; 36, 1996.

ERLBRUCH, Wolf. *Moi papa ours*. Milan, 1993.

GAUTHIER, Bertrand. *Le gros problème du petit Marcus*. Montréal, Les éditions de la courte échelle, coll. «Premier Roman», 1982.

GAUTHIER, Bertrand. *Zunik dans Je suis Zunik*, ill. de Daniel Sylvestre. Montréal, Les éditions de la courte échelle, série Zunik; 1, 1984.

GAUTHIER, Bertrand. *Zunik dans Le grand magicien*, ill. de Daniel Sylvestre. Montréal, Les éditions de la courte échelle, série Zunik; 10, 1998.

HÉBERT, Marie-Francine. *Le livre de la nuit*. Montréal, Les éditions de la courte échelle, coll. «Roman jeunesse», 1998.

HÉBERT, Marie-Francine. *Un monstre dans les céréales*. Montréal, Les éditions de la courte échelle, coll. «Premiers romans», 1988.

JOLIN, Dominique. *Au cinéma avec papa*. Saint-Hubert (Québec), Le Raton Laveur, 1991.

JOLIN, Dominique. *C'est pas juste*. Saint-Hubert (Québec), Le Raton Laveur, 1992.

KRAUSS MELMED, Laura. *Les bébés de lune*, ill. Jim Lamarche. Paris, Bayard, 1995.

MAJOR, Henriette. *Moi mon père*. Montréal, Pierre Tisseyre, coll. «Papillon», 1996.

McBRATNEY, Sam. *Devine combien je t'aime*, ill. Anita Jeram. Paris, Pastel-L'école des loisirs, 1994.

McLINTOCK, Norah. *Fausse identité*. Montréal, Hurtubise HMH, coll. «Atout policier», 1998.

MUNSCH, Robert. *Drôles de cochons*, ill. Michael Marchenko. Montréal, Les éditions de la courte échelle, 1990.

MUNSCH, Robert. *J'ai envie*, ill. Michael Marchenko. Montréal, Les éditions de la courte échelle, 1989.

MUNSCH, Robert. *L'avion de Julie*, ill. Michael Marchenko. Montréal, Les éditions de la courte échelle, 1988.

MUNSCH, Robert. *Le bébé*, ill. Michael Marchenko. Montréal, Les éditions de la courte échelle, 1983.

MUNSCH, Robert. *Le dodo*, ill. Michael Marchenko. Montréal, Les éditions de la courte échelle, 1986.

MUNSCH, Robert. *Le papa de David*, ill. Michael Marchenko. Montréal, Les éditions de la courte échelle, 1990.

MUNSCH, Robert. *Où es-tu Catherine*, ill. Michael Marchenko. Montréal, Les éditions de la courte échelle, 1991.

MUNSCH, Robert. *Papa, réveille-toi*, ill. Michael Marchenko. Montréal, Les éditions de la courte échelle, 1987.

PELLETIER, Jean. *Le rôdeur des plages*. Paris, Michel Quintin, coll. «Nature jeunesse», 1993.

PFISTER, Marcus. *Papa Pit et Tim*. s.l., Nord-Sud, 1994.

PLANTE, Raymond. *Marilou Polaire et l'iguane des neiges*. Montréal, Les éditions de la courte échelle, coll. «Premier roman», 1998.

SANDERS, Alex. *Mon papa est un grand chef indien*. Paris, L'école des loisirs, 1998.

SOULIÈRES, Robert. *Une gardienne pour Étienne!*, ill. Anne Villeneuve. Laval, Les 400 coups, coll. «Grimaces», 1998.

TIBO, Gilles. *Choupette et son petit papa*, ill. Stéphane Poulin. Saint-Lambert (Québec), Dominique et cie, coll. «Carrousel», 22, 1997.

VACHON, Hélène. *Mon ami Godefroy*, ill. Yayo. Saint-Lambert (Québec), Les éditions Héritage, coll. «Carrousel», 1996.

WATANEBE, Shigeo. *Bonjour tous mes amis*, ill. Yasuo Ohtomo. Paris, Éditions du Sorbier, s.d.

WATANEBE, Shigeo. *Le bain avec papa*, ill. Yasuo Ohtomo. Paris, Éditions du Sorbier, s.d.

Les loups

BOUJON, Claude. *L'apprenti loup*. Paris, L'école des loisirs, 1990.

CARDUCCI, Lisa. *Chèvres et loup*, ill. Béatrice Leclerc. Montréal, Hurtubise HMH, coll. «Plus», 1996.

CORENTIN, Philippe. *Tête à claques*. Paris, L'école des loisirs, 1998.

CREIGHTON, Jill. *L'heure des poules*, ill. Pierre-Paul Parizeau. Richmond Hill (Ontario), Scholastic Canada, 1995.

DE PENNART, Geoffroy. *Le loup est revenu!* Paris, Kaléidoscope, 1996.

DELAUNOIS, Angèle. *La chèvre de Monsieur Potvin*, ill. de Philippe Germain. Montréal, Soulières, 1997.

DELAUNOIS, Angèle. *Les trois petits sagouins*, ill. de Philippe Germain. Montréal, Pierre Tisseyre, coll. «Sésame», 1998.

DÉROSIERS, Sylvie. *La jeune fille venue du froid*, ill. Daniel Sylvestre. Montréal, Les éditions de la courte échelle, coll. «Roman Jeunesse», 1997.

DUBÉ, Jasmine. *Le petit Capuchon rouge*, ill. Doris Barrette. Montréal, Le Raton Laveur, 1992.

DUCHESNE, Christiane, (adapt.). *Les trois petits cochons*, ill. Marie-Louise Guay. Montréal, Héritage Jeunesse, 1994.

Fables - Ésope, La Fontaine, Beauchemin, ill. Iolanda Cojan. Montréal, Tryptique, 1997.

FARIBAULT, Marthe. *Le petit Chaperon rouge*, ill. Mireille Levert. Montréal, Héritage Jeunesse, 1995.

FRESSE, Gilles. *L'oreille du loup*. Paris, Casterman, coll. «Huit & plus», 1996.

GORBACHEV, Valeri. *Matty et les cent méchants loups*. s.l. Nord-Sud, 1998.

HELD, Jacqueline. *Drôle de loup*, ill. Rosoy. Paris, Borduas, coll. «Bibliothèque des Benjamins», 1986.

Histoires d'animaux, Le loup. Paris, Bayard, coll. «Images doc», 1997.

JESSEL, Tim. *Amorak*. Milan, 1995.

KASZA, Keiko. *Un loup trop gourmand*. Paris, Flammarion, coll. «Albums Jeunesse», 1987.

La chèvre de Monsieur Séguin (lecture de Albert Millaire), ill. Olivier Lasser. Montréal, Stanké, coll. «Grands auteurs, petits lecteurs», 1994.

LAWRENCE, R. D. *Les loups*. Saint-Lambert (Québec), Héritage Jeunesse, coll. «Animaux nature», 1991.

Le monde selon Jean de... choix des fables et commentaires de André Vandal, ill. de Stéphane Jorish. Doutre et Vandal, 1992.

MÉROLA, Caroline. *Le roi des loups*. Montréal, Boréal, coll. «Le monde de Margot», 1998.

POMMAUX, Yvan. *John Chatterton détective*. Paris, Lutin poche de l'école des loisirs, 1993.

ROSS, Tony. *Attends que je t'attrape!* Paris, Gallimard, coll. «Folio Benjamin», 1984.

ROSS, Tony. *La soupe au caillou*. Paris, Flammarion, coll. «Albums Jeunesse», 1987.

SAVAGE, Candace. *L'univers des loups, Portrait intime*. Montréal, Trécarré, 1996.

Autres

ANFOUSSE, Ginette. *Devine*. Montréal, Les éditions de la courte échelle.

ANFOUSSE, Ginette. *Je boude*. Montréal, Les éditions de la courte échelle.

ANFOUSSE, Ginette. *L'école*. Montréal, Les éditions de la courte échelle, 1983.

ANFOUSSE, Ginette. *L'hiver ou le bonhomme sept heures*. Montréal, Les éditions de la courte échelle.

ANFOUSSE, Ginette. *La cachette*. Montréal, Les éditions de la courte échelle.

ANFOUSSE, Ginette. *La chicane*. Montréal, Les éditions de la courte échelle, 1979.

ANFOUSSE, Ginette. *La fête*. Montréal, Les éditions de la courte échelle.

ANFOUSSE, Ginette. *La grande aventure*. Montréal, Les éditions de la courte échelle.

ANFOUSSE, Ginette. *La petite sœur*. Montréal, Les éditions de la courte échelle.

ANFOUSSE, Ginette. *La varicelle*. Montréal, Les éditions de la courte échelle.

ANFOUSSE, Ginette. *Le père Noël*. Montréal, Les éditions de la courte échelle.

ANFOUSSE, Ginette. *Le savon*. Montréal, Les éditions de la courte échelle.

ANFOUSSE, Ginette. *Mon ami Pichou*. Montréal, Les éditions de la courte échelle.

BEAUDIN, Isabelle. *Abécédaire, de Antonio à Zéphirin*. Les 400 coups, coll. «Les petits albums», 1998.

BECK, Ian. *L'imagier de Lily, Un livre d'images pour apprendre à rêver*. Paris, Bayard, 1996.

BOUCHARD, Lucette (dir. du projet). *L'abécédaire du musée d'art contemporain*. Musée d'art contemporain et Les Publications du Québec, 1995.

BOURGEOIS, Paulette. *Un nouvel ami pour Benjamin*, ill. Brenda Clark. Toronto, Kids Can Press, 1997.

DELAHAYE, Gilbert. Ill. Marcel Marlier, Casterman, coll. «Farandole», 1961. (Une série dont l'héroïne est *Martine*.)

DELAUNAY, Guylaine. «L'illustration», *in Lurelu*, vol. 18, n° 1, printemps-été 1995.

DEMERS, Dominique. *Du petit Poucet au dernier des raisins*. Montréal, Québec/Amérique, coll. «Explorations», 1994.

DURAND, Marion et BERTRAND Férard. *L'image dans le livre pour enfants*. Paris, L'École des loisirs, 1975.

ECO, Umberto. *Les gnomes de Gnou*, ill. Eugenio Carmi. Grasset-Jeunesse, 1993.

FRANCŒUR-BELLAVANCE, Suzanne. «Rôle et importance du message iconique dans les livres pour enfants» *in Des livres et des jeunes*, vol. 3, n° 9, hiver 1981.

GAUDRAT, Marie-Agnès. *Mon premier alphabet*. Montréal, Bayard, 1993.

GAUTHIER, Bertrand. *Zunik dans Le chouchou*, ill. Daniel Sylvestre. Montréal, Les éditions de la courte échelle, 1987.

HAMMOND, Franklin. *Dix petits canards*, trad. Marie-Andrée Clermont. Richmond Hill (Ontario), Scholastic Canada, 1991.

JOLIN, Dominique. *Au cinéma avec papa*. Mont-Royal, Le Raton Laveur, 1991.

JOLIN, Dominique. *Toupie a peur*, ill. Dominique Jolin. Saint-Lambert (Québec), Héritage jeunesse, coll. «Chatouille», 1996.

JOLIN, Dominique. *Un ami pour Toupie*. Saint-Lambert (Québec) Héritage, coll. «Chatouille», 1997.

JOLIN, Dominique. *Un ami pour Toupie*. Saint-Lambert (Québec), Héritage, coll. «Chatouille», 1997.

JOLIVET, Joëlle. *Images et mots*. Paris, Seuil Jeunesse, 1994.

L'HEUREUX, Christiane. *La maman de Caillou*, ill. d'Hélène Desputeaux. Pierrefonds Chouette, coll. «Cerf-Volant», 1996.

LEMIEUX, Michèle. *Quel est ce bruit?*, trad. Christiane Duchesne. Richmond Hill (Ontario), Scholastic Canada, 1990.

LEVERT, Mireille. *Charlotte se lave*. Willowdale (Ontario), Annick Press, coll. «Charlotte Nounours», 1997.

LIONNI, Leo. *Petit-Bleu et Petit-Jaune*. Paris, L'école des loisirs, 1983.

MARCOTTE, Danielle. *Poil de serpent, dent d'araignée*, ill. Stéphane Poulin, Laval, Les 400 coups, coll. «Billochet», 1996.

MICHLETHWAIT, Lucy. *Je découvre les nombres dans l'art*, Montréal, Bayard, 1994.

MULLER, Robin. *Friponi, Fripono, Fudge,* ill. Suzanne Dancereau, trad. Marie-Andrée Clermont. Richmond Hill (Ontario), Scholastic Canada, 1992.

PARÉ, Roger. *L'alphabet*. Montréal, Les éditions de la courte échelle, coll. « Le goût de savoir», 1994.

PARÉ, Roger. *Les chiffres*. Montréal, Les éditions de la courte échelle, coll. «Le goût de savoir», 1994.

PARÉ, Roger. *Plaisir de chats*. Montréal, Les éditions de la coute échelle.

PARÉ, Roger. *Plaisirs d'hiver*. Montréal, Les éditions de la courte échelle.

PONTI, Claude. *L'album d'Adèle*. Paris, Gallimard, 1986.

POULIN, Stéphane. *abc,ah ! belle cité, beautiful city*. Toronto, Livres Toundra, 1985.

Chapitre 3

POULIN, Stéphane. *Benjamin et la saga des oreillers*. Willowdale (Ontario), Annick Press, 1989.

POULIN, Stéphane. *Les amours de ma mère*. Willowdale (Ontario), Annick Press, coll. «Contes et mensonges de mon enfance», 1990.

POULIN, Stéphane. *Un voyage pour deux*. Willowdale (Ontario), Annick Press, coll. «Contes et mensonges de mon enfance», 1991.

SARA. *Dans la gueule du loup*. Paris, Épigones, coll. «La langue au chat», 1990.

TIBO, Gilles. *Simon et le petit cirque*. Toronto, Livres Toundra, 1997.

VACHON, Hélène. *Le plus proche voisin*, ill. Yayo. Saint-Lambert (Québec), Héritage, coll. «Carrousel», 1995.

Adressse électroniques

Association des écrivains québécois pour la jeunesse : http//www.generation.net~versainc/aeqj/

Bibliothèque nationale du Canada : http//www.nlc-bnc.ca

Communication-jeunesse : http//communicationjeunesse.educ.infinit.net

Smithsonian Magazine Site : http//www.smithsonianmag.si.edu

Références

COURCHESNE, Danièle. «Jiji, encore et toujours» *in Lurelu*, vol. 19, n° 3, hiver 1997, p. 36-37.

DEMERS, Dominique. *Du petit Poucet au dernier des raisins*. Montréal, Québec/Amérique, coll. «Explorations», 1994.

DURAND, Marion et BERTRAND Férard, Marion. *L'image dans le livre pour enfants*. Paris, L'École des loisirs, 1975.

FRANCŒUR-BELLAVANCE, Suzanne. «Rôle et importance du message iconique dans les livres pour enfants» *in Des livres et des jeunes*, vol. 3, n° 9, hiver 1981.

PEPPIN, Anthea et Helen WILLIAMS. *L'art de voir pour comprendre l'art et créer soi-même*. Paris, Casterman, 1992.

SARRAZIN, Francine. «L'illustration québécoise du livre pour enfants», *in Pour que vive la lecture, Littérature et bibliothèque pour la jeunesse*, collectif sous la direction d'Hélène Charbonneau, Montréal, les Éditions Asted, 1994.

Les genres littéraires

chapitre 4

Des histoires en tout genre

Dans ce dernier chapitre, je vous propose une revue de quelques genres littéraires assez populaires auprès de notre jeune lectorat. La notion de genre en littérature sert à catégoriser différents types de récits selon certains critères : la structure de récit adoptée, l'angle par lequel une problématique est abordée, le type de personnages ou d'actions mis en place, etc. Ainsi, les histoires d'enquêtes de police appartiennent au genre policier alors que celles de cow-boys et d'Indiens font partie du genre western. Nous pourrions parler de recettes, c'est souvent le terme que j'emploie avec les enfants. En sensibilisant les jeunes à cette question de genre, ils développeront une plus grande habileté à les reconnaître dès les premières phrases et leurs attentes seront plus justes. Leur compréhension s'améliorera automatiquement et le goût de lire augmentera peut-être du même coup. Ils choisiront, espérons-le, plus judicieusement leurs livres à la bibliothèque. Mon but est de les aider à devenir de meilleurs lecteurs autonomes.

Attention, les auteurs s'amusent parfois à mêler les genres. C'est ce qui fait leur charme et leur intérêt d'ailleurs. À titre d'exemple, pensons au dernier-né de Robert Soulières, *Un cadavre de classe*. C'est un roman qui s'affiche comme un roman policier, qui adopte la structure narrative du roman policier mais qui, selon les dires de l'auteur lui-même, serait plutôt un roman polisson. La trame policière sert en fait de support à l'humour particulier de l'auteur. Les genres seraient donc plutôt des tendances. Comme dans la fabrication d'un gâteau, il y a des ingrédients de base, mais ensuite il faut laisser la place à la créativité. C'est sans doute pour cela qu'il existe tant de variétés de gâteaux…

Je vous parlerai des récits à structures répétitives, des romans policiers, des romans fantastiques et des contes. Mais, avant de parler de genres littéraires, il est important de revenir aux sources et de définir ce que sont un récit et une histoire, d'étudier leurs composantes et d'expliquer leur rôle.

Qu'est-ce qu'un récit ?

Soulignons d'abord que récit et histoire ne sont pas synonymes mais cousins. L'histoire est le contenu, ce qui arrive aux personnages. En rhétorique, nous appelons cela l'*inventio*. Quant au récit, la façon dont l'histoire est racontée, c'est la *disposio*. En d'autres mots, une histoire se raconte de mille et une manières. Elle peut faire l'objet de nombreux récits, tous très différents. On peut commencer par la fin, le milieu, *in situ*, par une longue description, etc.

Quand on y pense, raconter une histoire se fait apparemment tout naturellement, mais qu'est-ce que l'auteur ou l'auteure, le conteur ou la conteuse doit imaginer pour la rendre intéressante ? Tout cela constitue l'art du récit. Pour clarifier la différence entre histoire et récit, pensez à l'album *Je boude* de Ginette Anfousse. En résumé, un matin, Jiji se lève de mauvaise humeur. Elle fait toutes sortes de bêtises pendant la journée et finit par se faire punir. En conclusion, elle boude. Voilà pour l'histoire. Pour ce qui est du récit, il commence par Jiji qui nous dit « Je boude. » et qui continue en nous expliquant pourquoi elle ne boude pas. Le lecteur fait ainsi le tour de sa journée. Il rit de toutes les bêtises de Jiji, auxquelles l'auteur accorde d'ailleurs une importance égale (une page chacune). Et finalement, nous comprenons la vraie raison de sa bouderie : Jiji, boude parce qu'elle a été punie. Nous avons ici un récit qui commence par la fin. Dans *Le savon*, de la même série, Ginette Anfousse a écrit un récit circulaire. Il commence comme il finit : par un bain. Cette circularité montre à l'enfant la répétition de certains gestes quotidiens. On est propre parce qu'on s'est lavé et on se lave parce qu'on s'est sali. C'est comme la vaisselle, c'est toujours à recommencer.

L'auteur choisit sciemment l'ordre dans lequel les éléments sont présentés. La structure narrative adoptée suggère implicitement un sens. Comme disait Flaubert, « Il n'y a point dans mon livre une description isolée, gratuite ; toutes servent à mes personnages et ont une influence lointaine ou immédiate sur l'action[1]. »

Normalement, une histoire raconte l'évolution d'une situation initiale en une situation finale. Certains éléments sont obligatoires, alors que d'autres sont optionnels. Chaque individu, peu importe ses origines, sait intuitivement raconter une histoire (anecdote, fait divers, etc.). Cette aptitude s'établit très jeune. Des recherches en psychologie cognitive démontrent que l'enfant acquiert une organisation structurelle de récit très jeune (organisation canonique : cadre, déclencheur, réaction, but, tentative, résultat et fin), c'est-à-dire dès l'âge de six ou sept ans, et même parfois à quatre ans. Ces connaissances sont mises à contribution, non seulement lors de rappel ou de création de récits mais aussi en situation de lecture, comme structure facilitante à sa compréhension (Denhière et Beaudet[2], 1992, p. 106). Cette structure de récit suit également l'ordre chronologique habituel, celui expérimenté tous les jours par l'enfant dans son quotidien.

Amusons-nous un peu

Avant d'aller plus loin, je vous propose un petit exercice de lecture, question de vous mettre en forme. Voici un poème extrait du roman de Lewis Carroll, « Alice de l'autre côté du miroir et de ce qu'elle y trouva[3] ». Pendant ce petit exercice, prêtez une attention particulière à vos réactions.

---

1. Tzvetan TODOROV, « Les catégories du récit littéraire », *in Communications*, 8, *L'analyse structurale du récit*, Paris, Seuil, coll. « Points », 1981, p. 131.
2. Guy DENHIÈRE et Serge BEAUDET, *Lecture, compréhension de texte et science cognitive*, Paris, P.U.F., coll. « Le Psychologue », 1992.
3. Lewis CARROLL, *Tout Alice*, trad. Henri Parisot, Paris, GF-Flammarion, 1979, p. 222.

BREDOULOCHEUX

« Il était reveneure ; les slictueux toves
Sur l'allouinde gyraient et vriblaient ;
Tout flivoreux faguaient les borogoves ;
Les verchons fourgus bourniflaient. »

« Au Bredoulochs prends bien garde, mon fils !
À sa griffe qui mord, à sa gueule qui happe !
  Gare l'oiseau Jeubjeub, et laisse
En paix le frumieux, le fatal Pinçmacaque ! »

Le Jeune homme, ayant ceint sa vorpaline épée,
Longtemps, longtemps cherchait le monstre manxiquais,
  Puis, arrivé près de l'arbre Tépé,
  Pour réfléchir un instant s'arrêtait.

Or, tandis qu'il lourmait de suffèches pensées,
Le Bredoulochs, l'œil flamboyant,
Ruginiflant par le bois touffeté,
Arrivait en barigoulant !

Une, deux ! une, deux ! Fulgurant, d'outre en outre,
Le glaive vorpalin perce et tranche : flac-vlan !
Il terrasse la bête et, brandissant sa tête,
Il s'en retourne, galomphant.

« Tu as tué le Bredoulochs !
Dans mes bras, mon fils rayonnois !
O jour frableux ! callouh ! calloc ! »
Le vieux glouffait de joie.

Comme Alice, vous diriez sans doute :

*J*e ne sais pourquoi, j'ai l'impression que cela me remplit la tête de toutes sortes d'idées... J'ignore malheureusement quelles sont ces idées ! Pourtant *quelqu'un* a tué *quelque chose* : ce qu'il y a de clair là-dedans, en tout cas...

Vous avez pourtant réussi à décoder les mots (leur sonorité), mais vous n'avez pu en trouver le sens parce qu'il y en avait trop qui étaient inconnus.

En situation d'incompréhension, le lecteur prend mieux conscience de l'importance des mécanismes et des éléments nécessaires à une bonne compréhension : une connaissance du vocabulaire utilisé mais aussi de la structure du récit. Ainsi, malgré tout ce charabia, vous avez certainement reconnu suffisamment de mots pour conclure que quelqu'un a tué quelque chose. Des images d'une quête (trouver la bête) suivie d'une bataille et d'un retour victorieux vous sont probablement venues également à l'esprit. Vous avez pu, grâce à votre expérience de lecteur, trouver la trame narrative qui structure ce récit – cadre, déclencheur, réaction, but, tentative, résultat et fin. La connaissance du récit vous a sans doute facilité la tâche… Ces connaissances, qui vous ont permis de concrétiser les schémas nécessaires à cette interprétation somme toute sommaire, sont les mêmes mécanismes que ceux utilisés par les jeunes en situation de lecture. Comme vous le constatez, lire n'est pas si simple… Il faut donc favoriser l'acquisition de telles structures organisationnelles chez les enfants afin de leur faciliter la lecture.

Dis, raconte-moi une histoire

Tous ceux qui sont en contact avec des enfants sont d'accord sur un point : les enfants adorent se faire raconter des histoires. À l'école comme à la maison, à cause du manque de temps, nous arrêtons malheureusement trop tôt de leur lire à haute voix des histoires. Alors, aussitôt qu'ils maîtrisent plus ou moins la lecture autonome, nous les laissons seuls face au texte. L'exemple précédent nous montre pourtant qu'ils ont encore besoin d'un guide ! Daniel Pennac[4], grand défenseur de la lecture à haute voix, croit fermement que c'est le meilleur moyen de leur donner le goût de lire. Des études menées sur le sujet confirment cette opinion et certaines poussent même plus loin la réflexion. Debbie Sturgeon[5] résume ainsi la recherche dans le domaine :

- Des recherches récentes tendent à démontrer qu'il existe des liens étroits entre le fait de se faire lire des histoires à haute voix et le développement du langage parlé, le développement d'un profil favorable à l'écrit, les processus mis en œuvre par les lectrices et les lecteurs naturels et les succès scolaires.
- L'enseignement de la lecture en Amérique du Nord a connu des changements qui reflètent la conviction selon laquelle les enfants, lorsqu'ils commencent l'école, ne possèdent pas tous le même degré d'éveil et de conscience par rapport à l'écrit.
- Face à cette situation, les écoles tentent de recréer les conditions qui prévalent dans les foyers des lectrices et des lecteurs naturels.
- On a considéré la lecture d'histoires à haute voix comme *l'activité unique la plus importante* pour acquérir les connaissances nécessaires au succès futur en lecture.

En résumé, lire à haute voix des livres de littérature pour la jeunesse à nos élèves reproduit en quelque sorte le modèle de lecteur naturel qui devrait prévaloir à la maison. Plus nous lisons des histoires à nos élèves, plus ils ont, à leur tour, le goût de lire. En plus de leur donner le goût de lire, nous les mettons quotidiennement en contact avec l'art du récit. Ils acquièrent ainsi, si ce n'est déjà fait, une structure organisationnelle des récits. Cela facilitera leur compréhension et leur production d'histoires. C'est la meilleure façon de les préparer au contact de l'écrit ou de les garder accrochés à l'écrit. De plus, cette lecture gratuite (sans question de compréhension) éveille un intérêt chez les jeunes, pique leur curiosité et les motive à entreprendre eux aussi le long et laborieux apprentissage de la lecture. Ce n'est surtout pas parce qu'ils savent lire que nous devons les laisser seuls face aux livres. Une stimulation continue s'avère indispensable. Nous gagnerions peut-être du temps plus tard en en « perdant » un peu maintenant…

Qu'est-ce qu'une histoire ?

Dans l'élaboration du récit, la matière première reste toujours l'histoire, les événements qu'on désire rendre publics. Mais une histoire, qu'est-ce que c'est ? Quels en sont les éléments principaux ? Tout petits, les enfants savent déjà intuitivement ce qu'est une histoire. Pour cela, il a bien sûr fallu qu'on leur en raconte : histoires tirées de livres ou de la vie quotidienne. Une histoire, c'est n'importe quel événement survenu dans la vraie vie ou imaginé de toutes pièces. On l'a déjà dit, il y a mille façons de raconter une histoire. Différentes histoires

---

4. Daniel PENNAC, *Comme un roman*, Paris, Gallimard, 1992.
5. Debbie STURGEON, *À livres ouverts*, Montréal, Les Éditions de la Chenelière, 1994, p. 9.

137

appellent différentes façons de raconter. Ceci nous amène aux genres littéraires. Avant de nous pencher sur cette question de genres, révisons ensemble les différents éléments constituant une histoire.

Les éléments de l'histoire

Pour raconter une histoire, il faut bien sûr une structure de récit, mais aussi certains ingrédients. Je résume ces ingrédients à quelques questions : Qui ? Quoi ? Où ? Quand ? Comment ? Pourquoi ? Prenons la première question. Elle concerne bien sûr les personnages : le héros, ses amis, ses ennemis, leurs relations interpersonnelles, leur statut social (enfants, monstres, enseignants, parents), etc. En fait, c'est tout ce qui a été mentionné dans le deuxième chapitre.

Une question de lieux

Habituellement, une histoire se situe à quelque part. Comme on l'a vu dans le premier chapitre, certains endroits sont logiquement habités par certains types de personnages. Ainsi, dans une école, le lecteur s'attend à voir des élèves, des enseignants, etc., alors que, dans un saloon, il prévoit plutôt rencontrer des cowboys. Ces personnages sont accompagnés de toute une panoplie d'accessoires, d'objets familièrement rattachés auxdits lieux.

De plus, chaque lieu ou cadre physique comporte des qualités et des défauts. Comme on l'a souligné dans les chapitres précédents, chaque endroit revêt un caractère particulier quant à l'ambiance générale, le sentiment de confort ou d'étrangeté ressenti par les personnages ou le lecteur. Évidemment, ces caractéristiques accentuent en partie le sens que le lecteur donne à l'histoire.

Parfois, l'endroit peut être vaguement mentionné. Si on prend la série des Toupie, de Dominique Jolin, seuls quelques éléments du décor sont indiqués, mais ils sont suffisamment représentatifs pour permettre à l'enfant lecteur de s'imaginer où se déroule l'action. Dans *Toupie a peur*, voir du sable sur le sol, un seau, une pelle, etc., suffit pour conclure que Toupie se trouve dans un carré de sable.

Quelquefois, l'auteur comme l'illustrateur omettent de mentionner ou de situer le lieu. Ainsi, dans la série des petits albums Tromboline et Foulbazar de Claude Ponti, aucun décor n'est montré, ni mentionné. Dans Le *bébé-bonbon*, les poussins ne sont nulle part, mais ils arrivent de la gauche et s'en vont vers la droite. Le fameux bébé-bonbon qu'ils aperçoivent va aussi dans la même direction qu'eux. Ils passent de la page gauche à la page droite pour finalement revenir vers la page gauche. Ces pages blanches deviennent un espace physique assez neutre. Ils vont passer d'un lieu à un autre, d'une page à l'autre, et ce passage a une signification. En quelque sorte, il montre au lecteur la distance parcourue : plus les protagonistes vont vers la droite, plus le lecteur a l'impression qu'ils s'éloignent. À la fin de cette histoire, tous les personnages se retrouvent sur une même page, celle de gauche. C'est le retour à la maison, où les poussins retrouvent leur maman.

Parfois, le cadre physique de l'action change totalement sans pour autant que les personnages ne changent d'endroit… Ainsi, dans l'album *Les grizzlis, au lit*, le petit garçon vient se blottir dans le grand lit chaud de son papa. Jusque-là, tout va bien. L'enfant lecteur reconnaît ces lieux communs. Mais, aussitôt les deux protagonistes entièrement cachés sous les couvertures, le lit devient une grotte, et les personnages des grizzlis. L'imagination du petit garçon l'emporte sur la réalité. Le lecteur est ainsi transporté de la grotte au lit. Ce va-et-vient représente le passage du rêve à la réalité de l'enfant.

Il est intéressant aussi de voir comment le lecteur arrive à situer l'action dans un espace particulier. Comment le récit l'indique-t-il au lecteur ? Est-ce par des illustrations dans le cas des albums ou romans illustrés, par une longue description ou par une allusion ? Faut-il que le lecteur déduise le lien où l'action se déroule à partir des indices semés par le narrateur ? Parfois, la description des différentes actions indique assez clairement s'il s'agit d'une école, d'une forêt ou d'un autre endroit. Cette prise de conscience de la façon dont un auteur présente un lieu, mais aussi du processus par lequel le lecteur situe l'action, l'aide dans sa quête de sens. Cette sensibilisation se répercute également dans les écrits des enfants. Ils sont mieux outillés pour camper leur récit dans un lieu déterminé.

ACTIVITÉ 93 **Durée : 30 min**

📖 À quel endroit l'action se déroule-t-elle ?

Objectifs	• Trouver l'endroit où se déroule l'histoire (1)
	• Établir des liens entre diverses expériences artistiques (9)
	• Créer un horizon d'attentes
	• Acquérir du vocabulaire

| **Matériel** | N'importe quel album |

Déroulement

Amorce

1. Prendre un album et, à partir de la page couverture, découvrir où se déroulera le récit.

Hypothèse

2. Demander aux enfants si, d'après eux, l'action se déroulera seulement dans cet endroit. Sinon, quels autres endroits seront aussi visités ? Je leur demande toujours de justifier leur réponse.

Vérification

3. En équipes de deux ou trois, les enfants lisent l'album pour retracer l'itinéraire des personnages et découvrir l'importance des lieux visités. Ils remarquent également comment l'auteur présente les différents lieux.

Évaluation

4. En grand groupe, vérifier d'abord si les enfants avaient bien deviné les lieux visités.

5. Discutez ensuite avec eux de l'importance de ces changements d'endroits et de leur apport au sens dans l'histoire.

Commentaire

En reprenant cette activité avec *Les Grizzlis, au lit*, les élèves ont mieux saisi ce va-et-vient entre le monde imaginé par le petit garçon et celui de la réalité de ce petit matin bien agréable. Avec *L'école* de Ginette Anfousse, ils se sont rendu compte que leur anticipation de se retrouver dans la nouvelle école de Jiji était injustifiée, car ils ne l'ont jamais vue. L'école est restée au stade de sujet de conversation entre Jiji et Pichou. Et, avec des albums comme la série des Joséphine de Stéphane Poulin, Daniel entraîne son jeune lecteur ou sa jeune lectrice dans une visite guidée de son école, de son quartier ou de son coin de campagne. Au cours de la mise en commun, les enfants ont décidé de faire eux aussi le tour de leur école et d'en faire un album de photos. ▮

Une question de temps

Le concept de temps renvoie à plusieurs notions. Il y a d'abord l'époque à laquelle se déroule l'histoire : est-ce que c'est une histoire qui se passe au Moyen Âge, il y a cent ans ou est-ce une histoire futuriste ? Cette donnée temporelle se répercute sur le comportement des personnages. Par exemple, en faisant référence au Moyen Âge, non seulement les accessoires et le cadre physique de l'action doivent représenter cette époque (les costumes, les maisons, les objets, etc., tout renvoie à la période évoquée), mais les actions des personnages doivent respecter le courant de pensée prévalant dans ce temps-là. Habituellement, l'ensemble des éléments de l'histoire forme un tout cohérent. Il y a bien sûr certaines dérogations : l'auteur peut parfois jouer avec cette notion pour créer un effet, pour mieux mettre en relief certains thèmes. *La princesse à la robe de papier* de Robert Munsch nous met devant une contradiction. Cet album nous présente une princesse très libérée dont le comportement entre carrément en contradiction avec son époque, soit celle des châteaux et des dragons... Mais, dans les contes, beaucoup d'événements incroyables surviennent...

Le temps de l'histoire

Ensuite vient le temps de l'histoire : la durée. Est-ce que l'histoire s'étend sur une période d'une semaine, de dix minutes ou de cent ans ? Est-ce que l'ordre chronologique est respecté ou non ? Le temps de l'histoire aide parfois à établir l'ordre logique des événements. Que l'on pense aux albums où le thème de l'heure prédomine. Dans *L'heure des poules*, la cadence des heures marque et structure en partie le récit. D'autres auteurs adoptent le rythme des jours de la semaine, des mois ou des saisons pour composer leur récit.

Le temps du récit

Et finalement, il y a le temps du récit. Quelle durée prend tel ou tel événement dans le récit ? Combien d'espace narratif occupe le moment décrit ? Est-ce que l'ordre chronologique est respecté ou non ? Reprenons l'exemple de *L'école* de Ginette Anfousse, où presque toute la première moitié du livre traite des cinq à dix minutes qui précèdent le départ pour l'école, soit le temps que prend Jiji pour préparer son sac d'école. Une double page représente une journée d'école de l'histoire, mais bien peu de temps de lecture. Le retour à la maison, où Jiji relate sa journée à Pichou, s'étend sur une autre moitié ou presque du livre. Il y a eu environ huit pages pour cinq à dix minutes de l'histoire, et deux pour toute une journée. Ce constat vient renforcer l'idée envisagée précédemment par l'étude des lieux à l'effet que le récit n'accorde pas beaucoup d'importance à l'école en tant que telle mais plutôt à ce que Jiji en pensait avant d'y aller et à ce qu'elle en pense maintenant, après sa première journée. Le temps du récit et le temps de l'histoire diffèrent grandement ici. Des auteurs pour adultes peuvent passer des pages et des pages à raconter dans le détail deux minutes marquantes de la vie de leur héros et passer des années sous silence. En agissant ainsi, l'auteur choisit délibérément d'accorder plus d'importance à tel événement plutôt qu'à tel autre afin d'en accentuer l'importance.

Tous les récits contiennent une composante temporelle, mais certains semblent y échapper. Jamais il n'est fait mention de temps et aucun marqueur temporel comme « le lendemain matin », ni aucun indicateur de suite logique comme « ensuite », etc., ne viennent ponctuer la narration. Pourtant, il y a bel et bien un temps. L'organisation logique du récit nous indiquera l'ordre chronologique et notre connaissance du monde, la durée des différentes actions décrites. *Toupie a peur*, de Dominique Jolin, en est un exemple typique. Malgré tout, jamais le lecteur ne perd la notion du temps pendant la lecture de ce récit.

Parlant d'ordre chronologique, les auteurs s'amusent souvent à le bousculer, à le bouleverser. Demain passe avant la semaine dernière ; ce soir devance l'année qui vient de s'écouler. Les premiers récits respectent souvent l'ordre chronologique. Les auteurs adoptent une certaine linéarité tout en se permettant certaines ellipses. Ce changement du temps n'est pas gratuit. En procédant ainsi, les écrivains soulignent l'importance de certains faits par rapport à d'autres ; ces écarts ont alors un sens. Il est important de se souvenir que, d'après certaines études sur la compréhension en lecture chez les enfants[6], le temps de traitement de l'information augmente lorsque l'ordre canonique et donc chronologique n'est pas respecté. Ils éprouvent donc plus de difficulté à lire et à comprendre ces récits. Et, au moment de faire le résumé de l'histoire, les enfants ont tendance à rétablir l'ordre chronologique.

ACTIVITÉ 94 — Durée : 30 min

📖 À quel moment l'action se déroule-t-elle ?

Objectifs	• Trouver l'époque où se situe l'histoire (1) • Sélectionner l'information fournie par un texte (6) • Créer un horizon d'attentes • Acquérir du vocabulaire
Matériel	• Série d'albums dans lesquels l'action se situe à différentes époques • Fiche n° 24 *Autrefois – Aujourd'hui*

Déroulement

Livres utiles

La série des albums de Roch Carrier où l'action se situe dans les années 1940 (*Le joueur de hockey*, *Le champion*, *Le joueur de basket*, etc.).

La collection « Billochet légendes » aux éditions Les 400 coups.

Des contes qui se passent au Moyen Âge.

La série des Zunik ou autres séries qui se déroulent actuellement.

Vous pouvez limiter cette activité à une seule époque, par exemple utiliser seulement les albums de Roch Carrier.

Amorce

1. Discutez des différentes époques, de ce que les élèves connaissent du temps où leurs parents étaient petits, leurs grands-parents, etc. Est-ce que leur environnement était comme le nôtre aujourd'hui ? leurs préoccupations ? les objets qui les entouraient ? leur tenue vestimentaire ?

Hypothèse

2. Demandez aux jeunes de déterminer à quelle époque a lieu l'histoire qu'ils vont lire. Évidemment, les enfants justifient toujours leur réponse.

3. D'après l'époque prédite, quels types d'actions auront lieu ? Quels personnages seront susceptibles d'apparaître dans ce récit ?

4. Pendant la lecture, demandez-leur de faire attention à la manière dont le temps leur est présenté : est-ce que c'est par l'illustration, les mots ou les deux que l'on apprend à quel moment se déroule l'histoire ?

---

6. Michel FAYOL, *Le récit et sa construction, une approche de psychologie cognitive.* Delachaux & Niestlé Éditeurs, coll. « Actualités pédagogiques et psychologiques », 1985.

Vérification

5. En équipes de deux ou trois, les enfants lisent les albums. Chaque équipe peut avoir un album différent.

Évaluation

6. Vérifier d'abord si les enfants avaient bien deviné l'époque. Il est intéressant ensuite de discuter avec eux afin de savoir comment ils ont pu réellement situer l'époque au moment de la lecture du livre, et comment l'auteur l'avait indiquée.

Passage en beauté vers les sciences humaines et vers l'histoire...

7. Amenez-les à discerner ce qui est vrai de ce qui est pure fiction. Invitez-les à compléter la fiche reproductible n° 24 *Autrefois – Aujourd'hui*, afin de constater les différences entre l'époque représentée et celle d'aujourd'hui.

Commentaire

Sans vous en être rendu vraiment compte, avec cette activité, vous avez fait une petite incursion dans le récit d'époque. Il n'y a qu'un pas à faire et vous vous retrouvez dans le roman historique. Les principales caractéristiques du récit historique ne sont-elles pas l'Histoire, fait vécu d'une certaine importance historique, et la romance ? Pour Rioux, «le roman historique est la rencontre de l'Histoire (le passé) avec une histoire (à la fois récit et fiction[7])». Les auteurs empruntent des personnages ou des faits à l'Histoire et leur inventent une tournure différente. Si vous désirez en savoir plus à ce sujet, consultez le numéro de l'hiver 1996 de la revue *Lurelu*[8]. Suzanne Pouliot y présente un dossier fort bien documenté sur le roman historique.

ACTIVITÉ 95 — Durée : 30 min

Combien de temps l'histoire dure-t-elle ?

Objectifs	1 et 6
Matériel	N'importe quel album où la durée est précisée (ex.: *Quel est ce bruit ?* — du printemps au printemps—, *Chloé la copieuse* — du lundi au lundi — , etc.)

Amorcez l'activité en discutant, à partir de la page couverture, de l'histoire possible du livre, du moment où elle a lieu et de sa durée dans le temps. Ensuite, si vous possédez plusieurs exemplaires de l'album étudié, les enfants le lisent en petits groupes; sinon, vous faites une lecture en grand groupe. Pendant la lecture, ils repèrent les étapes du temps dans l'histoire. Pour conclure, faites une mise en commun de vos trouvailles.

Commentaire

Par exemple, lorsque j'ai fait cette activité avec *L'école* de Ginette Anfousse, les enfants ont tout de suite dit que l'histoire raconterait une seule journée (la première) à l'école et que ce serait à la fin août, parce qu'on commence l'école à cette période. Je dois mentionner que nous étions en septembre au moment de cet exercice. Cela les a sûrement aidés dans l'élaboration de leurs prédictions.

Après une lecture en grand groupe, nous nous sommes aperçus que nos hypothèses sur la durée de l'histoire et l'époque (la saison) étaient excellentes, mais que le sujet n'était pas tout à fait ce que l'on avait prévu... C'est

---

7. J.-C. RIOUX, «Littérarité et historicité», *in Le français aujourd'hui*, vol. 73, p. 19.
8. Suzanne POULIOT, «Le roman historique», *in Lurelu*, vol. 18, n° 3, hiver 1996, p. 6-11.

ici que je leur ai fait remarquer la différence entre le temps de l'histoire et le temps du récit. Ceci peut d'ailleurs faire l'objet d'une session de réflexion, comparer temps de l'histoire et temps du récit. C'est assez difficile à réaliser pour de jeunes enfants, mais possible avec des grands de sixième. ∎

ACTIVITÉ 96 | Durée : 30 min

📖📖 Remets le temps en ordre !

Objectifs	5 et 6
Matériel	N'importe quel album où l'ordre chronologique n'est pas respecté (ex.: *Je boude*, de Ginette Anfousse)

Lisez d'abord l'album que vous avez choisi à tout le groupe ou faites lire les enfants en petits groupes de trois ou quatre, selon le nombre de copies disponibles.

Quand toutes les équipes ont terminé leur lecture, faites ressortir les différentes étapes du récit. « Comment commence le récit ? Qu'est-ce que le personnage fait ou dit ensuite ? » Notez les réponses sur des grandes bandes de papier afin de pouvoir les manipuler par la suite. Une fois toutes les étapes établies, demandez-leur :

« Est-ce qu'une journée (année ou autre) se passe comme cela d'habitude ? Non ? Pourquoi ? »

Ensuite, retournez les enfants dans leur équipe pour remettre la journée ou le récit que vous aurez choisi en ordre chronologique. Finalement, comparez vos nouvelles versions. En conclusion, en tenant compte de l'âge ou de la maturité de votre groupe, demandez-leur pourquoi l'auteur ou l'auteure a décidé d'amorcer son récit de cette façon. Est-ce qu'ils trouvent cette façon de raconter intéressante ?

Une question de quête

Cette question renvoie en premier lieu au « quoi » de l'histoire, c'est-à-dire à l'action du héros. Elle englobe l'action immédiate du héros ainsi que sa quête, cette dernière résumant fréquemment l'idée principale de l'histoire. Pour réaliser sa quête, le héros pose une série d'actions. Le lecteur assiste ainsi à une évolution, une transformation de la situation de départ. Dans *Simon et le petit cirque* de Gilles Tibo, l'histoire s'ouvre sur une première action : Simon invite les gens à venir voir l'incroyable dompteur de chèvres et de cochons. Par cette invitation, il exprime son désir de faire partie d'un cirque et ce désir se manifestera tout au long de l'album. Ce sera le but de sa quête. Reste à savoir quels moyens il déploiera pour atteindre cet objectif. Si on pousse plus loin l'analyse des gestes faits par notre jeune héros, on se demande pourquoi il choisit tel ou tel moyen plutôt qu'un autre, ce qui est le mobile de ses actions, et finalement on cherche à connaître les raisons de ce désir si ardent, ce qui sera le motif de son action.

Pour vous aider à mieux vous représenter l'ensemble des facteurs mis de l'avant pendant une action, voici un tableau représentant les différentes composantes d'une action et de leurs relations. C'est ce que nous pourrions appeler une situation narrative. Évidemment, tous ces items n'ont pas à être présents pour qu'il y ait action. Par exemple, les motifs et mobiles sont souvent élidés dans les livres pour enfants.

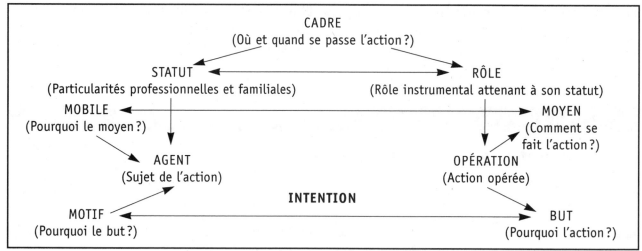

Inspiré des différentes composantes du plan majeur et de leurs relations, Gervais (1990)[9].

Ce concept de situation narrative rend aussi compte du comment et du pourquoi des actions des protagonistes. Si nous appliquons cette grille d'analyse à l'album *Simon et le petit cirque*, il devient plus facile pour les enfants d'approfondir leur connaissance de Simon et de percevoir certaines subtilités insérées dans le récit. C'est d'abord par ses actions que le lecteur définit ce personnage. Voyons, avec l'activité qui suit, comment faire cette étude avec des enfants.

ACTIVITÉ 97   Durée : 30 min

Tchou-tchou

Objectifs	4 et 6
Matériel	• Un album • Fiche nº 25 *Tchou-tchou*, pour mettre dans les wagons • Train de carton et wagons

J'ai dessiné une locomotive et des wagons (une dizaine) sur un carton. Je les ai découpés et plastifiés. Sur la locomotive, j'ai prévu un rectangle dans lequel j'inscris le titre du livre étudié et, sur chaque wagon, il y a une pochette prévue pour insérer un carton réponse. Je plie tout simplement un carton de 20 cm x 28 cm (format paysage). Voilà pour l'équipement. Avec les plus grands et même dans certaines occasions avec les plus petits, j'utilise la fiche reproductible nº 26 *Résumé en tableau*.

Si vous avez assez de copies de l'album étudié, groupez les enfants en équipes. Chaque équipe lit le livre. Si c'est la première fois que je fais cette activité, je reviens en grand groupe une fois la lecture terminée. On détermine le premier événement dans le livre en répondant à toutes les questions. Une fois la fiche remplie, on l'insère dans le premier wagon. Et on continue à remplir des fiches jusqu'à ce que le livre soit entièrement résumé. À l'occasion, je peux remettre les enfants en équipes pour remplir la fiche suivante et nous mettons alors nos réponses en commun.

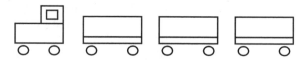

---

9. Bertrand GERVAIS, *Récits et actions, pour une théorie de la lecture*, Longueuil, Le Préambule, coll. « L'Univers des discours », 1990.

Commentaire

Je me suis servi de cette activité pour analyser *Simon et le petit cirque*. J'ai fait cette expérience avec des élèves de deuxième année. La première fois que je me suis servi du train, je l'ai fait en grand groupe. Chaque équipe avait d'abord lu l'album en coopération. Ensuite, en grand groupe, nous avons trouvé les réponses pour chacune des fiches. Au cours d'une deuxième session de travail, chaque équipe devait analyser un album différent. Il y avait toujours deux équipes qui avaient le même album ; ainsi, en grand groupe, nous pouvions comparer les réponses des deux équipes. Je leur ai donné les quatre premiers albums de la série à analyser, ceux qui traitent des saisons. Ces albums respectent tous à peu près la même structure de récit. Au moment de la mise en commun, en mettant les trains les uns sous les autres, nous nous sommes vite aperçus qu'il y avait des similitudes entre chacun des récits. Et c'est comme cela qu'ensemble nous avons pu en extraire la recette. À leur grande surprise, les enfants ont ensuite remarqué que *Simon et le petit cirque* ne respectait pas la recette qu'ils venaient de découvrir.

Comme vous le constatez, je n'ai pas fait cet exercice avec tous les albums de la série, cela aurait diminué le plaisir de lire des enfants. Ils ont donc analysé deux récits au cours d'un festival organisé autour des œuvres de Gilles Tibo. Je vous transmets nos résultats. Si j'ai utilisé le train dans la classe, j'opte ici pour le *Résumé en tableau*, question d'espace. Pour trouver les mots clés, je vous avoue que je me suis permis quelques suggestions... Avec le train, j'inscris le mot clé sur le wagon avec un feutre à l'eau. Fait intéressant, au cours de sessions de lecture « livromagique », les commentaires de plusieurs enfants portaient sur les variantes de la structure du récit.

Mot clé ?	Où ?	Quand ?	Qui ?	Quoi ?	Comment ?	Pourquoi ?
Tentative	dehors	jour	Simon	invite les gens au cirque	crier	*jouer au cirque*
Échec	dehors	jour	chèvres et cochons	démolissent le cirque	défoncer et manger le cirque	?
Tentative	dehors	jour	Marlène et Simon	font les funambules	avec des branches	*jouer au cirque*
Échec	dehors	jour	oiseaux	font tomber Simon	se mettre tous du même côté de sa branche	?
Conseil	dehors sur la montagne	jour (ciel sombre)	grand échassier	donne un conseil	parole	*aider Simon*
Rêve de dompteur	dehors	nuit (lune)	Simon	rêve qu'il dompte des colombes	faire voler en cercle	*jouer au cirque*
Rêve de dompteur	dehors	se projette dans la nuit (étoiles)	Simon	rêve qu'il dompte un tigre	le faire marcher sur un ballon	*jouer au cirque*
Rêve de dompteur	dehors	se projette dans la nuit (étoiles)	Simon	rêve qu'il dompte un éléphant	se balancer sous sa trompe	*jouer au cirque*
Rêve d'acrobate	dehors	se projette dans la nuit (étoiles)	Simon et Marlène	sont acrobates	numéro de trapèzes	*jouer au cirque*
Réaction	dehors	jour	Simon	a une idée	en se reposant	*jouer au cirque*
Succès	dehors	jour	Simon et amis	jouent au cirque	costume de boîtes de carton	

En examinant les résultats, on se rend vite compte que, pour une fois, Simon atteint son objectif, que sa quête n'a pas été déviée. J'ai noté ici les réponses inférées en italique. Dans la classe, j'utilise un crayon-feutre d'une autre couleur. Les enfants ont également remarqué la partie importante du récit réservée au rêve. La linéarité du temps est momentanément rompue, juste le temps de ce rêve grandiose de cirque où la nuit se substitue au jour afin, semble-t-il, de mieux l'illuminer. Et ce magnifique rêve précède le succès de sa quête.

La signification de cette suite se situe dans le domaine de l'interprétation. Autre fait à noter, le rêve de Simon est associé à la nuit. Avec l'emploi du futur simple dans ses paroles, notre jeune héros se projette dans une nuit future pour en ressortir avec une idée lumineuse : se déguiser avec des boîtes de carton. Serait-ce que la nuit porte conseil ? ■

Les éléments du récit

Comme nous venons de le constater, en mettant toutes les situations narratives les unes à la suite des autres et en analysant leur ordre et leurs composantes, nous entrons directement dans la structure du récit. L'élément primordial du récit demeure évidemment l'histoire. Maintenant, voyons ce qui est spécifique au récit. À part le temps du récit et la structure de récit dont nous avons déjà parlé, quels mécanismes sont utilisés par l'auteur pour raconter l'histoire ?

Replaçons-nous dans un contexte de communication. Il y a principalement un émetteur, un message et un récepteur dans le cas d'une conversation avec un voisin. Dans le cas d'un texte littéraire, la situation devient légèrement plus complexe. Le rôle de l'émetteur, toujours présent et indispensable, est assumé par l'auteur. Il transmet son histoire au moyen d'un intermédiaire fictif qui se charge de la narration. Vous avez deviné juste ; il s'agit du narrateur. Ce narrateur peut être un personnage secondaire ou le héros ; il peut aussi être à l'extérieur du récit. Vivant au royaume de la fiction, il s'adresse à un interlocuteur fictif lui aussi. Ce rôle de récepteur dans le récit est assuré par le narrataire. Lui aussi peut être un personnage secondaire ou être à l'extérieur du récit. Il peut cependant être difficilement le héros du récit. Et finalement, le tout est lu par un lecteur.

auteur → narrateur → narrataire → lecteur

Évidemment, chacun des éléments de ce schéma joue un rôle précis dans la communication littéraire. L'auteur est responsable de tout ce qui concerne la rédaction d'un texte littéraire. Il est parfois accompagné d'un illustrateur qui, lui aussi, ajoute sa touche personnelle dans la partie émettrice. Le narrateur assume la narration de l'histoire à l'intérieur même du récit. Le choix du narrateur n'est pas innocent. L'auteur privilégie un point de vue, souligne un sens. Il en va de même pour le narrataire. Par ce choix, l'auteur influe parfois sur la réception de son texte, sur l'effet produit auprès du lecteur. Et, en dernier lieu, vient le lecteur. Tout en lisant, il cherche un sens au texte et, parfois, l'interprète aussi. Si l'auteur fait des choix dans l'élaboration de son récit pour en délimiter le sens, le lecteur aussi fait des choix dans l'interprétation qu'il donne au texte. Ainsi, les sociologues tendent à analyser un récit d'un point de vue sociologique, les psychologues se penchent davantage sur les mobiles et les motifs et leur accordent une valeur psychologique, etc. Chaque lecteur lit avec son regard et ses préoccupations personnels. Notre interprétation ira selon l'optique dans laquelle nous lisons. Le sens reste plutôt stable alors que l'interprétation varie plus ou moins d'un lecteur à l'autre. Nous n'entrerons pas plus avant dans les méandres de la réception du texte littéraire. Ceci se voulait seulement un bref aperçu des différentes approches du lecteur.

Le narrateur

En littérature pour la jeunesse, le héros joue souvent le rôle de narrateur. À titre d'exemple, le personnage de Jiji raconte ses histoires et le Simon de Gilles Tibo en fait tout autant. Tous les deux nous racontent leurs anecdotes selon leur point de vue. Avec ce type de narrateur, l'auteur accentue d'une certaine façon l'importance du héros par rapport à ses actions. De plus, un narrateur n'est pour ainsi dire jamais objectif. Au moment de l'interprétation, il faudra en tenir compte. Le narrateur biaise automatiquement les faits, il raconte sa version. Un bon exemple pour expliciter cette notion de point de vue est l'album de Dominique Jolin, *Au cinéma avec papa*. Je vous en ai d'ailleurs déjà parlé dans le chapitre 3. Il y a aussi *Au lit princesse Émilie*. C'est un album raconté par un narrateur extérieur, mais dont les illustrations entrent souvent carrément en contradiction avec le texte au cours de la description de la petite princesse dans la première partie de l'album. Illustrateurs et écrivains se dissocient. Nous serions ici en présence de deux narrateurs, chacun ayant sa vision des choses.

ACTIVITÉ 98   **Durée : 30 min**

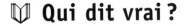

Qui dit vrai ?

Objectifs	3, 5 et 6
Matériel	• *Au lit princesse Émilie* ou *Au cinéma avec papa* • Fiches n° 26 *Résumé en tableau*

Comme amorce, demandez aux enfants s'il leur arrive parfois d'être confrontés à plusieurs versions d'un même événement. Pensons aux chicanes dans la cour de l'école, avec les frères ou les sœurs... Enchaînez en leur révélant que la même chose existe dans les livres. Présentez-leur l'activité comme un jeu de détective et ils devront, à la fin de l'activité, découvrir qui dit vrai.

Groupez les élèves en équipes de deux ou trois, selon le nombre de copies de l'album à votre disposition. La moitié des équipes remplissent la fiche n° 26 *Résumé en tableau* en se basant sur le texte exclusivement. L'autre moitié fait la même chose en se fiant principalement aux illustrations.

Au moment de la mise en commun, les enfants constateront un écart entre les deux versions. Dans le cas de l'album de Dominique Jolin, il est clair que la narratrice, la petite fille, raconte sa sortie au cinéma selon son point de vue, ce qui ne représente pas nécessairement la réalité représentée dans les illustrations... Et, dans l'autre livre, Yayo se permet une lecture ironique

du texte... En conclusion, essayez de déterminer quelle est la bonne version et les raisons qui vous font pencher pour cette dernière. Vous pouvez extrapoler et ramener ce que nous venons de constater dans les livres à différentes situations de la vie. Ainsi, la boucle est bouclée !

Variante de l'activité « Histoires sur un même thème » (p. 106)

Matériel   L'album *Dans la gueule du loup* ou un autre structuré de la même façon (album sans texte comportant plusieurs personnages)

Proposez à vos élèves de devenir écrivains à leur tour. Présentez-leur d'abord cet album. Trois personnages se côtoient : un renard, un loup et un lapin. Il n'y a pas de texte, ce sera aux enfants d'en imaginer un. Séparez votre groupe en équipes. Chaque équipe écrit l'histoire avec un narrateur différent. Par exemple, si vous travaillez avec *Dans la gueule du loup*, la première équipe écrit l'histoire où le renard assume la narration. La deuxième équipe donne la parole au loup. La troisième équipe, c'est le lapin qui raconte cette histoire et, finalement, le dernier groupe écrit l'histoire en utilisant un narrateur externe. Deux équipes peuvent avoir la même tâche si vous avez un grand groupe. Incitez les enfants à mentionner les impressions et les sentiments ressentis par chacun des narrateurs, s'il y a lieu. Les versions seront certainement très différentes les unes des autres. Grâce à cette activité, les enfants verront tout de suite l'importance que le narrateur joue dans un récit.

Commentaire

Je vous conseille d'animer cette activité oralement la première fois. Si cela semble facile au premier coup d'œil, cette idée de point de vue narratif s'avère complexe au moment de la mise en application[10].

Le narrateur peut aussi sembler se situer à l'extérieur du récit comme dans *Un nouvel ami pour Benjamin*. Il nous raconte l'histoire en adoptant le point de vue de Benjamin. En tant que lecteurs, nous accédons aux émotions ressenties par la petite tortue sans qu'elle n'ait besoin de les exprimer à l'intérieur d'un dialogue. Par contre, pour savoir ce que les autres personnages ressentent, pensent, etc., nous disposons seulement de leurs paroles et de leurs actions. Jamais le narrateur ne se permet une incursion dans leur tête.

Dans certains cas cependant, un narrateur externe peut changer de point de vue en cours de lecture. Ce phénomène survient dans *Les grizzlis, au lit*. Quand le lieu se transforme en grotte, le point de vue passe du neutre à celui du petit garçon. Nous entrons ainsi directement dans son imagination et dans sa rêverie. Ces changements sont subtils mais, dans ce cas-ci, ils permettent cette incursion dans le rêve douillet de ce gamin.

Quelquefois, il y a même deux narrateurs qui utilisent le «je». Cette technique d'écriture est utilisée par certains auteurs de romans jeunesse. Pensons aux romans de Robert Davidts, *Le trésor de Luigi* et *Les parfums font du pétard*. Nos deux héros, Jean-Jean et Isabelle, assument à tour de rôle la narration et nous présentent ainsi autant de points de vue sur les événements qui surviennent dans ce récit. La question du narrateur peut devenir très complexe pour des romans destinés à une clientèle adulte... ∎

Si les enfants arrivent facilement à identifier le narrateur lorsqu'il est aussi un des personnages du récit, la tâche se complique lorsqu'ils sont confrontés à un narrateur en dehors du récit. Au début du primaire, les enfants l'associent alors automatiquement à l'auteur mais, un peu plus tard, ils sont capables de les séparer, et même, dans certains cas, ils peuvent l'imaginer. Une façon de les entraîner sur les traces du narrateur et de leur faire concevoir cette entité narrative comme un personnage fictif est de leur faire jouer le récit. L'auteur ne sera pas sur la scène, puisque son travail est terminé. Le narrateur prendra sa place, servira d'intermédiaire entre l'auteur ou l'auteure et les auditeurs. Le projet peut être fait dans l'optique de monter un spectacle d'ombres chinoises (de marionnettes ou d'animation avec un tableau de feutre) pour les tout-petits par exemple. Le narrateur se dévoilera au grand jour contrairement aux livres, où il tend à se cacher derrière les mots. Une autre possibilité : invitez-les à animer un livre en se déguisant comme le narrateur du livre. Ainsi, avant de monter la saynète ou de préparer l'animation, les enfants doivent faire connaissance avec le personnage-narrateur. Pour développer un savoir-faire, c'est toujours préférable d'exercer ses nouvelles connaissances sur de courts textes. Le passage au roman se fera plus doucement par la suite.

---

10. Voici un autre album, avec texte, qui amène les enfants à comparer différentes versions d'une même histoire : Anthony BROWNE, *Une histoire à quatre voix*, Paris, Kaléidoscope, 1998.

📖📖📖 Qui raconte cette histoire ?

Objectifs	6 et découvrir un narrateur externe
Matériel	• Albums où le narrateur est en dehors du récit • Fiche n° 27 *Qui raconte cette histoire ?*

Livres utiles sur le thème de l'amitié

Différents angles d'une relation amicale y sont explorés.

La brouille[11] : La relation de voisinage entre deux lapins s'envenime peu à peu et dégénère en une dispute. Le tout se termine par une réconciliation. (Narrateur omniscient)

Les deux arbres[12] : Un jour, deux arbres amis sont séparés par un mur. L'amitié les poussera à dépasser leurs limites afin de se retrouver. (Narrateur adoptant le point de vue des arbres)

Les vacances de Roberta[13] : Une mauvaise rencontre se termine par une amitié. (Narrateur adoptant le point de vue de l'héroïne)

Magie d'un jour de pluie[14] : Deux amis jouent ensemble. Au sous-sol, leur imagination transforme tout, le jeu devient fantaisie. (Narrateur qui suit les personnages dans leur délire créatif, texte écrit en rimes)

John, Rose et le chat[15] : Histoire de jalousie. John, le chien, et Rose, sa vieille maîtresse, vivent de bons moments tous les deux. Cette douce intimité est menacée par l'arrivée impromptue d'un chat. (Narrateur qui suit davantage le personnage principal, le chien)

L'activité

Séparez votre groupe en équipes. La consigne est de traquer le narrateur en découvrant le plus d'indices possible sur lui et de les noter sur la fiche de travail. Ensuite, d'après leurs résultats, les élèves en dessinent un portrait-robot. Ce portrait leur servira pour la présentation de l'animation de leur livre.

Ce n'est pas un exercice facile ; les indices se cachent dans les mots et parfois dans les illustrations. Par exemple, dans *La Brouille*, le narrateur est ce que nous qualifions d'omniscient. Il sait tout, il voit tout. Un peu comme un dieu. Il peut être à la fois en train de regarder le renard fouiller dans le terrier et aussi être dans le terrier pour voir comment les lapins s'en sortent. (Nous trouvons cette information dans les illustrations.) Il peut nous dire ce que les lapins pensent. Il nous dit que Monsieur Brun (un des deux lapins) jubile probablement intérieurement parce que, sur l'illustration, il n'en a pas l'air. Son voisin, Monsieur Grisou, lui, ne l'entend pas ainsi (dans le texte). Il sait aussi ce que le renard pense : « Tiens, deux casse-croûte qui se battent », se dit-il. Avec ces trouvailles, les jeunes de cette équipe devront inventer un costume ou des accessoires représentant bien ce narrateur très connaissant... Ils peuvent avoir des lunettes spéciales permettant de lire dans les pensées...

11. Claude BOUJON, *La brouille*, Paris, L'école des loisirs, coll. « Lutins poche », 1989.
12. Élisabeth BRAMI, *Les deux arbres*, ill. Christophe Blain, Paris, Casterman, 1997.
13 Silvia FRANCIA, *Les vacances de Roberta*, Paris, Seuil Jeunesse, 1996.
14. Marie-Louise GAY, *Magie d'un jour de pluie*, Saint-Lambert (Québec), Les Éditions Héritage, 1996.
15. Jenny WAGNER, *John, Rose et le chat*, ill. Ron Brooks, Paris, Les Deux Coqs d'or, 1978.

Le narrataire

Le narrataire joue aussi un rôle très important dans un récit, mais il est plus difficile à cerner pour les jeunes du primaire. Comme nous le disions précédemment, le narrataire est le personnage à qui le discours du narrateur est destiné. Par exemple, dans *Devine* de Ginette Anfousse, Jiji, la narratrice, s'adresse à Pichou, le narrataire. Dans *La cachette*, narrataire et lecteur sont confondus. L'enfant lecteur se sent directement concerné par ce «tu» employé par Jiji.

Amusez-vous à demander aux jeunes à qui Jiji parle ou raconte son histoire. Ils vous regarderont avec de grands yeux surpris et vous répondront le plus naturellement du monde «À moi, voyons!» ou «À Pichou!»

Des histoires à structure répétitive

C'est connu, les jeunes enfants éprouvent un plaisir pour la répétition, les rimes et le rythme. Ils aiment lire encore et encore les mêmes histoires. Par exemple, ils aiment relire les histoires que vous leur avez lues. Ils acquièrent, au fil de ces relectures, un sentiment d'accomplissement: ils ont réussi à lire un livre tout seuls. Cette lecture devient plus accessible parce qu'ils connaissent déjà l'histoire.

Les livres construits selon une structure répétitive offrent aussi cette sensation gratifiante d'accomplissement. La connaissance d'un motif répétitif permet à l'enfant une meilleure anticipation, il prévoit plus facilement les événements à venir. Les mots lus s'insèrent automatiquement dans une structure familière, leur sens est à portée des yeux. Les enfants ont l'impression d'avoir lu une quantité impressionnante de mots même si, en réalité, plusieurs d'entre eux étaient les mêmes. Certains de ces albums comportent un texte assez long, parfois un vocabulaire plutôt riche mais, en réalité, ils sont souvent plus faciles à lire qu'un album apparemment simple (histoire moins prévisible, vocabulaire différent à chaque page). La difficulté de la lecture diminue donc et le plaisir de lire a enfin la chance d'émerger des pages du livre désiré.

Les récits de cette nature offrent un apport appréciable dans l'apprentissage de la lecture. Par cette répétition de mots ou de situations, les lecteurs débutants développent de plus en plus leur habileté à déchiffrer les mots et à apporter un sens au texte. Peu à peu ils augmentent ainsi leur confiance en leurs possibilités de lecteurs autonomes.

Des types de récits à structure répétitive

De tout temps, la répétition a été une figure de style très en vogue dans tous les genres de récits. Elle est utilisée régulièrement par beaucoup d'auteurs, même pour les adultes. Elle a donné naissance au récit répétitif ou en boucle. Selon Todorov, ce procédé narratif comprend, en plus de la répétition pure et simple de mots, trois sous-catégories: l'antithèse, la gradation et le parallélisme. L'antithèse, l'art de mettre en opposition deux idées ou deux expressions que l'on rapproche dans le discours pour mieux mettre en évidence leur contraste, est très peu utilisée comme structure de base dans les récits de littérature pour la jeunesse. Nous n'en tiendrons donc pas compte ici.

La répétition de mots

Dans les livres classés très faciles à lire, il y a ceux où les auteurs s'amusent à répéter les mêmes mots, inlassablement. Par exemple, *Le beau ver dodu* nous présente ni plus ni moins qu'une chaîne alimentaire (ver, oiseau, chat, chien). Chacun des chaînons nous est présenté dans les mêmes termes (un beau ver dodu, un bel oiseau dodu, un beau chat dodu, un beau chien dodu) et tous les chaînons emploient des répliques identiques dans chacun des dialogues avec leur proie. En plus d'être un récit à structure répétitive, il est aussi circulaire, c'est-à-dire qu'il revient à son point de départ. Ainsi, le lecteur peut, s'il le désire, recommencer éternellement sa lecture et prendre conscience, en transposant sa lecture dans la vie courante, de l'éternel recommencement de certains faits et gestes de la nature.

Exploitation et animation

Des récits comme ceux-là offrent plusieurs possibilités d'animation et d'exploitation. Ils ouvrent tout naturellement la porte des sciences naturelles. Mettez vos jeunes au défi de trouver une autre chaîne alimentaire, de l'illustrer et de la raconter en réutilisant le même processus narratif.

En ce qui concerne la structure langagière, il favorise l'utilisation des adjectifs qualificatifs. Trouvez un album sans texte de même nature que *Le beau ver dodu*, et les enfants en écriront le texte. Ils devront effectuer une recherche d'adjectifs appropriés et les placer aux bons endroits (avant ou après le nom). Si vous faites cette activité en français langue seconde ou en classe d'immersion, ce n'est pas si facile pour cette clientèle. Vous pouvez utiliser toujours les mêmes épithètes ou les varier d'un animal à l'autre.

La répétition et la gradation

Beaucoup plus répandue, la gradation augmente la difficulté de lecture. Elle consiste à « présenter une suite d'idées ou de sentiments dans un ordre tel que ce qui suit dise toujours un peu plus ou un peu moins que ce qui précède, selon une progression ascendante ou descendante[16] » ou, alors, il s'agit d'ajouter un indice à chaque répétition, à chaque boucle du récit.

La gradation ascendante Dans *Coin-Coin*, ce procédé est utilisé pendant la recherche de Coin-Coin. Chaque personnage rencontré donne à ce dernier un indice additionnel sur sa maman et cet indice est intégré à la répétition. Ainsi, la liste des caractéristiques s'allonge de plus en plus et le nombre de compagnons de route augmente au même rythme. Ils s'accroissent en nombre mais aussi en genre. De la grenouille, Coin-Coin aboutit au flamant. Cette technique d'écriture amuse beaucoup les jeunes lecteurs. Certains auteurs ajoutent une cadence du temps bien marquée comme *Les pantoufles de grand-papa* où, chaque jour, la grand-maman veut jeter les pantoufles de son mari en ajoutant chaque fois une raison de plus en plus grave (en parlant des pantoufles bien sûr). Au bout d'une semaine, le grand-papa se résigne à changer de pantoufles, ses vieilles étant finalement tombées en lambeaux.

La gradation descendante D'autres auteurs, qui utilisent le même principe de la répétition de mots et de la gradation, ne se limitent pas à quelques mots, mais récitent chaque fois une litanie de mots. Les situations sont toujours un peu les mêmes, à quelques petites variantes près, et les enfants répètent avec entrain la ritournelle. Dans *Un merveilleux petit rien*, à chaque boucle du récit, l'auteur reprend inlassablement :

---

16. Bernard DUPRIEZ, *Gradus, les procédés littéraires* (dictionnaire), Christian Bourgeois éditeur, coll. « 10/18 », 1984, p. 221.

— **M**ais non, maman, grand-papa va pouvoir l'arranger.

Le grand-père de Joseph prend la couverture et la retourne de tous bords, tous côtés.

Puis il se met à l'œuvre. Coup de ciseaux par-ci, coup de ciseaux par-là ! Vole vole l'aiguille à travers le tissu.

— Hum, hum ! dit-il enfin, il reste juste assez d'étoffe pour faire...

Chaque fois, le grand-papa réussit à confectionner quelque chose de plus en plus petit. D'une couverture de bébé, il fabriquera un bouton à la toute fin. *Dix dans un lit* est écrit de façon identique. La même ritournelle à chaque page, mais le nombre d'enfants dans le lit diminue à chaque répétition. De dix, on arrive à une petite espiègle qui se fait finalement tirer du lit par les neuf autres.

Exploitation et animation

- En groupe, discutez de ce qui se répète, de ce qui ne se répète pas, de ce qui change, de la façon dont ça change ? Les enfants remarqueront l'addition d'un élément par boucle et l'effet de gradation ascendante ou descendante. Vous pouvez faire un parallèle avec les mathématiques : ordre croissant, décroissant.
- La suite logique à cette première animation est de faire anticiper les enfants une fois qu'ils connaissent le type de gradation auquel ils ont affaire : « Quelle sera la prochaine étape ? le prochain personnage, argument, objet, etc. ? »
- Vous pouvez aussi vous amuser à remettre les histoires en ordre. Chaque équipe de deux peut être responsable d'un carton résumant une des étapes du récit (cartons que vous aurez préparés à l'avance). Une fois qu'ils ont tous lu leur carton, en grand groupe, on essaie de les remettre en ordre en se servant du train.
- Variante plus complexe, chaque équipe a en main toutes les étapes de l'histoire et doit les replacer en ordre. Le secret : observer la gradation. Évidemment, vous faites cette activité avec un livre que vous avez lu, à moins que vos élèves ne soient de très bons lecteurs.
- Encore plus difficile, vous prétendez que les pages du livre (un qu'ils n'ont pas encore lu) sont tombées par terre et qu'ils doivent le reconstituer. Chaque équipe peut avoir le même livre ou un livre différent.

Le parallélisme

Finalement, il y a le parallélisme. Il est constitué de deux séquences au moins dans lesquelles on retrouve des éléments semblables et d'autres différents, le tout voulant mettre en lumière les différences. Il peut y avoir parallélisme en ce qui concerne l'intrigue : ressemblances entre deux destins ou deux unités de récits. Dans la littérature adulte, un très grand nombre de pages séparent parfois ces répétitions mais, chez les tout-petits, elles se suivent les unes les autres. Cependant, avec cette technique, on met rarement deux destins en parallèle. Par contre, le parallélisme dans les unités de récit et en ce qui a trait aux formules verbales utilisées dans des circonstances identiques représente la base même du récit répétitif.

Le parallélisme dans les récits Plusieurs auteurs s'amusent donc à répéter une action similaire comme dans *A.A. aime H.H.* où, chaque jour, Amélie fait quelque chose de différent pour signifier son amour à Henri et finalement lui avouer ouvertement ses sentiments. L'art de la répétition en littérature est un procédé narratif très utilisé, surtout pour les lecteurs débutants. Le corpus des récits répétitifs employant ce procédé est étendu, mais celui-ci se voit parfois dans les premiers romans. Que l'on pense aux petits recueils imaginés par Gilles Tibo, *Les cauchemars du petit géant* et *L'hiver du petit géant*, où chaque chapitre est autonome, un peu comme une nouvelle, mais où chacun présente la même structure narrative. Le lecteur détecte aisément un certain parallélisme entre les différentes situations présentées. Cette lecture s'avère donc des plus faciles tout en restant divertissante pour le lecteur.

Le parallélisme dans les non-récits Quelques non-récits font également bonne figure. À chaque page une situation semblable est présentée sans nécessairement avoir un lien avec la précédente. Si les mots varient à chaque page, l'illustration vient au secours de notre jeune lecteur en panne. Il découvre ainsi un moyen de dépannage efficace et accroît sa capacité de lecture autonome. *Si j'étais un animal* nous entraîne par exemple dans le jeu des « Si j'étais… » L'image nous sert ici de moyen d'anticipation pour lire le texte accompagnateur. D'autres albums de cette catégorie présentent de courtes poésies sans liens narratifs entre elles sinon le thème. *Le dodo des animaux* facilite la lecture en fournissant un indice appréciable sur la situation suivante. Pendant la lecture en grand groupe, incitez les enfants à prédire quel sera le prochain animal et ensuite à trouver l'endroit où il dormira.

Exploitation et animation

- Ces types de non-récits offrent plusieurs possibilités d'animation : associer image et texte, joindre les deux parties d'une même situation, ajouter tout simplement des pages au livre déjà fait, ouvrir sur les sciences humaines en faisant le tour des professions existant dans l'école, à la maison, etc.
- Avec les récits de cette catégorie, faites anticiper aux élèves ce qui arrivera le lendemain ou dans le chapitre suivant, en leur donnant seulement un indice comme le titre ou le début de la nouvelle journée.
- Réinvestissez ce que vous venez de remarquer dans des récits inventés par les enfants. Ils peuvent les jouer (genre séance d'improvisation avec peu de temps pour se préparer), les écrire ou faire un livre collectif comme *Les cauchemars de la salle 21*, qui serait un pendant du recueil de Gilles Tibo.

Le festival Robert Munsch

Finalement, il y a des auteurs qui sont un mélange d'un peu tout cela, le plus connu étant sans nul doute Robert Munsch. La structure de ses récits est un peu plus complexe qu'une simple répétition, comme dans certains albums présentés précédemment. La structure du récit canonique (cadre ou mise en situation - déclencheur-réaction-but-tentative-résultat-fin) est toujours valable à la seule différence que la section but-tentative-résultat forme les boucles du récit et est répétée deux à trois fois avec une surenchère dans le genre des actions posées (gradation ascendante). On remarquera aussi que la mise en situation est souvent escamotée pour arriver tout de suite au déclencheur. Vous pouvez aussi vous servir du schéma de récit comportant plusieurs épisodes[17], tel que suggéré par Sylvie-Anne Maheu dans la revue *Québec-Français*[18]. Chaque épisode correspond à une des boucles du récit.

La préparation du festival

Au cours de ce festival, les enfants aborderont divers aspects des albums de cet auteur. Bien sûr, ils les liront, mais aussi ils découvriront la recette généralement employée par Robert Munsch, définiront les personnages et joueront avec eux. Le but avoué de ce festival : chaque enfant deviendra, le temps d'un instant, un petit Robert Munsch en herbe en créant un nouvel album à inclure dans cette série. Le but implicite est de développer leurs capacités de

---

17. C. DEMERS et G. TREMBLAY, *Pour une didactique renouvelée de la lecture : du cœur, des stratégies, de l'action…*, guide pédagogique, Rimouski, Éditions de l'Artichaut, 1992.
18. Sylvie-Anne MAHEU, « Enseigner les schémas de récit, est-ce dès les premières années », *Québec-Français*, n° 100, hiver 1996, p. 55-57.

lecteur autonome en leur faisant découvrir la structure du récit et les préférences de l'auteur quant aux personnages et aux intrigues. Ils consacreront par la suite moins d'énergie intellectuelle dans la compréhension de l'organisation générale du récit et dégusteront davantage le plaisir des mots.

Ce projet peut se préparer à tous les niveaux du primaire, de la première à la sixième année, en français langue seconde, immersion ou langue maternelle. Il suffit de l'adapter au niveau des enfants auxquels vous vous adressez. Les activités présentées ici s'étalent sur une dizaine de jours. J'y consacre environ une heure par jour.

Avant de commencer le festival, je photocopie pour chaque enfant un petit livret (fiche nº 28 *Souvenir de lecture*) dans lequel il ou elle pourra laisser une trace de sa lecture. Autre solution proposée, vous pouvez aussi préparer un passeport de lecture du style Communication-Jeunesse. Vous en trouverez un vierge dans le matériel reproductible fourni par cet organisme ; vous n'avez plus qu'à y inscrire les titres de la série.

JOUR 1

1. **Amorce :** Lecture et animation en grand groupe de l'album *Le dodo*. Je le choisis souvent pour commencer parce que tous les enfants ou presque ont une routine particulière avant l'heure du dodo. Rares sont les enfants qui acceptent volontiers d'aller se coucher. Ils ont tous une histoire à raconter à ce propos. Si votre auditoire est plus vieux, ils peuvent se souvenir de ce qu'ils faisaient, eux, quand ils étaient petits ou de ce que leur petit frère ou leur petite sœur fait, et raconter comment il ou elle réagit à cette routine.

   • Anticipation : Présentez l'album, regardez les illustrations, le nom de l'auteur. « Quel genre d'histoire est-ce que nous aurons dans cet album ? Connaissez-vous l'auteur ? »

2. **Pendant la lecture :** invitez les élèves à répéter avec vous les ritournelles et les bruits. Faites-les deviner qui sera le prochain à monter l'escalier pour venir coucher le petit Simon.

3. **Retour sur le texte :** « Est-ce que nos prédictions étaient bonnes ? Qu'est-ce que tu as aimé ? Qu'est-ce que tu as trouvé drôle ? Etc. »

4. **Suite :** Présentez-leur le projet de festival sur Robert Munsch. Déterminez avec vos élèves ce que vous pourriez faire de spécial pendant ce festival. Notez les idées au tableau et faites une sélection finale. Évidemment, les enfants disent tous qu'ils veulent lire ses livres et regarder les vidéos de cet auteur si c'est possible. Vous pouvez les aiguiller afin de trouver d'autres idées : vouloir écrire des livres comme lui ou lui écrire une lettre.

5. Pour faire connaissance avec ses livres, faites l'activité « Je veux ma page couverture ! » (p. 15). Il y a une fiche reproductible toute prête pour travailler cette série à la fin de ce chapitre (fiche nº 29 *Je veux ma page couverture !*).

6. Je boucle l'activité en présentant à mes élèves leur album de souvenirs. Sur la page couverture, ils dessineront les personnages qu'ils auront aimés au fil de leur lecture. Je les laisse ensuite lire pendant une quinzaine de minutes avec un partenaire ou individuellement. Nous appelons cela la lecture « livromagique », ce qui est différent de la lecture dans les livres pédagogiques.

1. Je commence la session par une quinzaine de minutes de lecture «livromagique». On amorce le cercle de discussion sur nos lectures. Six ou sept enfants nous présentent leur album préféré de cette série (parmi ceux qu'ils ont déjà lus). Ils nous lisent leur passage préféré, nous donnent les raisons de leur choix, etc. Quand je fais cette activité, les jeunes s'assoient sur une chaise spéciale. Ils se sentent encore plus importants! Rien ne vous empêche de séparer la session de travail en deux. Vous pouvez faire cette section le matin et la suite l'après-midi.

2. Lecture et animation en grand groupe de *Où es-tu, Catherine?*

3. Pour enchaîner, je demande aux élèves ce que nous devons savoir pour pouvoir écrire un album dans le style de Robert Munsch. Évidemment, ils répondent qu'ils doivent con-naître la recette de l'auteur. Alors, on cherche les similitudes entre les deux récits. « Qu'est-ce qui ressemble à l'histoire d'hier? Avec ce que tu as déjà lu de Robert Munsch, qu'est-ce que tu peux me dire sur sa recette pour écrire ses livres? » Je note leurs réponses sur des bandes de papier que j'agrafe à un tableau d'affichage. Nous discutons aussi de la pertinence de chacune des idées apportées soit en vérifiant, soit en échangeant nos idées.

Voici ce que les enfants ont trouvé après quelques sessions de discussion et de lecture. À la fin, nous avons regroupé les idées par sujets. Quand il y avait des récits qui ne correspondaient pas à ce que nous avions trouvé, nous ajoutions un carton d'une couleur différente «Sauf dans _____». S'il y avait trop de sauf, cette règle devenait automatiquement obsolète.

Tout ce qui parle des illustrations ou de l'organisation graphique du livre	Tout ce qui parle des personnages
• Les dessins sont drôles et vont avec le texte. • Les dessins donnent plus de renseignements; ils montrent des choses que le texte ne dit pas. • Ce sont toujours des albums. • Le texte est à gauche et les images sont à droite. • Il y a toujours un résumé de l'histoire en arrière.	• Le héros dit qu'il va faire quelque chose et il ne le fait pas. (Il fait le contraire de ce qu'il a dit.) • Les choses que les enfants font, les parents n'aiment pas ça du tout. • Les héros sont toujours des enfants. • Il y a juste des personnes comme personnages. • Les parents demandent toujours quelque chose. • Il y a toujours au moins **un enfant** et des adultes.
Tout ce qui concerne l'histoire	
• Ce sont des vraies choses mais, dans la vie, ça n'arrive pas comme Robert Munsch le dit. • Il répète toujours les mêmes mots, les mêmes questions, etc., dans l'histoire. • Robert Munsch utilise des mots drôles (pipi, la chanson du dodo, les marqueurs super indélébiles, etc.). • Il met des bruits.	• Il parle du point de vue de l'enfant; c'est comme si c'était des enfants qui disaient l'histoire. • Il saute dans l'histoire au début. Il ne présente pas les personnages. • Il répète souvent les mêmes choses. Les personnes font la même chose, mais pas exactement de la même façon.

1. Je commence toujours par 15 min de lecture «livromagique» et ensuite vient le cercle de discussion sur les livres.

2. Aujourd'hui, ce sont eux qui feront la lecture collective. Faire l'activité «Lecture à haute voix» (p. 12) avec *Un bébé alligator*.

3. Retour sur la lecture en nous questionnant sur ce que nous pourrions ajouter dans notre banque de bandes. Je fais aussi remarquer aux élèves l'usage des tirets ou des guillemets pour marquer les paroles des personnages.

JOUR 4

1. Toujours la lecture « livromagique » pendant 15 min et le cercle de discussion pour commencer la session de travail.

2. Fiche n° 25 *Tchou-tchou*, légèrement modifiée. Chaque équipe a un livre différent à lire en équipe. Ensuite, je remets aux équipes un ensemble de cartons sur lesquels j'ai écrit le résumé ou le texte intégral de chacune des situations narratives. Leur tâche : ils doivent les remettre en ordre en utilisant le petit train. J'inscris sur les wagons les différentes parties de la structure de récit. J'ai opté pour le schéma de récit comportant plusieurs épisodes ; il est plus facile à comprendre pour les petits. (Voir fiche n° 30 *Schéma de récit comportant plusieurs épisodes*.)

Commentaire

Aux plus grands, je fournis la structure et ils doivent remplir la fiche n° 30 *Schéma de récit comportant plusieurs épisodes*.

En conclusion, nous comparons nos résultats. Évidemment, chaque récit montre une structure similaire aux autres. ■

JOUR 5

1. Lecture « livromagique » pendant 15 min et cercle de discussion.

2. Maintenant que nous connaissons la structure du récit, il ne nous reste plus qu'à approfondir les personnages. Chaque équipe lit un album différent. Aujourd'hui, ils devront suivre à la trace soit les enfants, soit les adultes des albums : leurs actions, leurs paroles, etc. Je leur fournis une fiche sur le personnage (voir fiche n° 31) où ils doivent noter leurs trouvailles. La moitié des équipes enquêtera sur les enfants ; l'autre, sur les adultes. Vous pouvez aussi utiliser les fiches sur les personnages *Le tour du personnage en coopératif* (voir fiches n°s 12 à 19) placées à la fin du chapitre 2.

3. Au moment du retour en groupe, nous comparons nos résultats. Comment sont les enfants en général ? Comment sont les adultes en général ?

JOUR 6

1. Lecture « livromagique » pendant 15 min et cercle de discussion.

2. Animation et lecture d'un album de votre choix.

3. Lancez le projet d'écriture. D'abord, pour les aider, on fait une chasse aux idées de titres ou de problématiques. Je les inscris toutes au tableau. Chacun s'en choisit un ou une. Ils imaginent tout de suite leurs personnages. Ils font une liste de leurs noms, rôles et caractéristiques principales sur un petit carton.

Noms	Rôles	Caractéristiques principales

4. Revoyez ensemble les différentes étapes de l'histoire en mettant l'accent cette fois-ci sur la mise en situation. Pour cela, relisez les débuts de quelques albums.

5. Période d'écriture de la mise en situation.

6. Les élèves qui le désirent peuvent lire devant les autres enfants ce qu'ils ont déjà écrit. Les auditeurs sont ensuite invités à commenter de façon constructive.

1. Lecture « livromagique » pendant 15 min et cercle de discussion.
2. Animation et lecture d'un album de votre choix.
3. Amusons-nous avec les personnages. Séance d'improvisation. Simon du *Dodo* rencontre Guillaume de *Papa, réveille-toi*. Lieu : camp de vacances. Temps : avant de se coucher. Qu'est-ce qu'ils disent ? Qu'est-ce qu'ils font ? Préparez une série de cartons qui donnent le lieu, le temps et une piste pour l'action principale. Demandez aux enfants de vous aider ; vous serez surpris de leurs idées !
4. Période d'écriture : Écrivez le déclencheur et la réaction. Ensuite, les élèves continuent à leur rythme. Si vous avez un ordinateur, ils peuvent transcrire la copie finale à l'ordinateur. Personnellement, je les laisse en écrire une partie et je complète la saisie de leur texte. J'en fabrique un petit livre qu'ils devront par la suite illustrer.

En conclusion, on écrit notre lettre collective à Robert Munsch. Les enfants lui ont dit ce qu'ils aimaient, l'ont questionné sur différents points et nous avons mis les photocopies de certains livres choisis au hasard.

Nous sommes allés présenter nos livres dans d'autres classes et ils font maintenant partie de la bibliothèque de notre classe. À la fin de l'année, les enfants rapportent les livres à la maison.

En route vers le fantastique

Plus populaire chez les adolescents, mais quand même présente chez les plus jeunes, la littérature fantastique occupe un créneau bien particulier. Généralement, quand nous pensons récit fantastique, nous pensons épouvante, surnaturel, livre de gars… Ce n'est pas nécessairement le cas, même chez les adultes. Cortazar[19] a écrit quelques nouvelles fantastiques où l'insolite domine. Le lecteur ne sait plus où situer la réalité et cette hésitation crée chez lui un sentiment d'étrangeté et non d'angoisse. Ce type d'écrit vient rejoindre ce que Todorov[20] affirme à propos du fantastique. Il accorde plus d'importance à l'effet produit chez le lecteur et les personnages qu'à la présence d'événements surnaturels. Cette attention prêtée à l'effet produit chez le lecteur et les personnages est très intéressante. Par contre, plusieurs praticiens contestent cette définition de Todorov ; ils la trouvent trop étroite, limitée.

La littérature fantastique exige du lecteur de « suspendre son incrédulité, d'accepter le plongeon dans un univers peu familier[21]. » Le lecteur accepte d'emblée de subir l'incertitude comme il accepte de se faire peur quand il va dans un manège pour vivre des sensations fortes. Il rentre dans le jeu… Malheureusement, peu d'auteurs écrivent dans cette catégorie pour les jeunes du primaire. Certains osent et les enfants en redemandent. Ils adorent frissonner…

Le doute, l'insolite, l'étrange et l'angoisse règnent dans l'univers fantastique. Ce genre s'inspire d'une sensation bizarre qui nous habite parfois. Freud la décrit ainsi

19. Julio CORTAZAR, *Les armes secrètes*, Paris, Gallimard, coll. « Folio », n° 448, 1963.
20. Tzvetan TODOROV, cité dans *La littérature fantastique*, Jean-Luc Steinmetz, Paris, P.U.F., coll. « Que sais-je ? », n° 907, 1990.
21. Francine PELLETIER, *Initiation aux littératures de l'imaginaire*, Montréal, Médiaspaul, p. 3.

dans son essai sur le sujet: « [...] inquiétante étrangeté est cette variété particulière de l'effrayant qui remonte au depuis longtemps familier[22] ». C'est un mélange d'incertitude et d'angoisse face à quelque chose d'insolite dans un univers plus ou moins familier... Par divers procédés d'écriture, la littérature fantastique recrée cette sensation d'inquiétante étrangeté chez le lecteur et les personnages qu'elle met en scène. Dans le corpus fantastique pour le primaire, la connotation angoissante est presque toujours évacuée, laissant toute la place à l'incertitude de ce qui arrive. Les événements racontés pourraient être anxiogènes, mais la façon dont les auteurs les racontent les dédramatise en quelque sorte.

Les caractéristiques du genre

Le merveilleux ou l'insolite ancré dans la réalité quotidienne

Les textes fantastiques se caractérisent d'abord par une « intrusion brutale du mystère dans la vie réelle[23] ». Et ce mystère, de nature merveilleuse ou étrange, ne peut être expliqué par des lois de physique ou de logique quelconques, mais par un autre fait tout aussi mystérieux. Le fantastique se démarque ainsi de la science-fiction: la science réussit toujours à expliquer les phénomènes les plus étranges. Cette intrusion crée ainsi une rupture parfois brusque, parfois insidieuse, dans la réalité quotidienne jusque-là exposée dans le récit. Ce rattachement à un univers parfaitement réel le distingue du monde merveilleux des contes de Perreault par exemple. Face à ce phénomène bizarre, le héros du récit comme le lecteur naviguent dans l'incertitude. Le doute sur la réalité des événements fantastiques demeure toujours présent. Il tient le lecteur en haleine et nourrit son imagination. La raison est mise ici à rude épreuve.

Actions et raisons

Apparition, possession, destruction et métamorphose représentent les quatre grands champs d'activités typiques du fantastique. La possession et la destruction sont rarement exploitées dans les œuvres écrites pour les jeunes du primaire. Par contre, l'apparition et la métamorphose marquent souvent l'instant où le quotidien bascule dans l'insolite. Les ambiances passent de familières et sécurisantes à troubles et étranges. Ces phénomènes bizarres sont généralement provoqués par des émotions fortes vécues par le protagoniste. Ils agissent ainsi comme une catharsis, permettant au héros de se libérer d'un trop-plein émotif.

Personnages

Cette arrivée soudaine du *merveilleux* dans la réalité permet l'apparition de personnages de tout acabit. Sorcières, magiciens, fantômes, revenants, démons, automates, poupées animées, doubles, monstres, dragons et autres créatures fantastiques peuplent ces récits.

22. Sigmund FREUD, *L'inquiétante étrangeté et autres essais*, trad. Bertrand Féron, Paris, Gallimard, coll. « Folio essais », 1985, p. 215.
23. Pierre-G. CASTEX, *in La littérature fantastique*, Jean-Luc Steinmetz, Paris, P.U.F., coll. « Que sais-je? », n° 907, 1990.

À la découverte de...

Objectifs	3, 4 et 6

Matériel	• Albums où le narrateur est en dehors du récit
	• Fiche n° 27 *Qui raconte cette histoire ?*

Pour familiariser les jeunes avec ce genre littéraire tout à fait particulier, je commence toujours en leur présentant des albums qui se situent à la frontière du fantastique. Chaque équipe a donc en main un album différent et les enfants doivent détecter ce qui rend ce récit spécial et l'expliquer à tout le groupe au moment de la mise en commun. Vous pouvez les aider en leur donnant des pistes de réflexion : « Pensez aux personnages, aux actions spéciales qui surviennent, aux ambiances, aux lieux et accessoires ; est-ce que ce qui est raconté est vraiment arrivé ou non d'après le narrateur ? Qui raconte cette histoire ? Est-ce qu'on peut faire confiance au narrateur ? »

Livres utiles

NADJA. *La petite fille du livre*. Paris, L'école des loisirs, 1997.

Une écrivaine écrit l'histoire d'une petite fille maltraitée, qui vient finalement sonner à sa porte.

PAPINEAU, Lucie. *Casse-Noisette*, ill. Stéphane Jorish. Saint-Lambert (Québec), Héritage, 1996.

Reprise du célèbre conte d'Hoffman, un des pionniers dans le genre fantastique. Texte se situant à la frontière du fantastique.

BROWNE, Anthony. *Tout change*. Paris, Kaléidoscope, 1990.

Un matin avant de partir chercher sa mère, le père de Karl lui dit que les choses vont changer à partir de maintenant. Dans la maison, tout change, tout se transforme. Beaucoup de clins d'œil à la naissance.

OTTLEY, Matt. *La nuit de Faust*. Paris, Kaléidoscope, 1996.

Le chien Faust se réveille en pleine nuit et voit des créatures bien étranges. Est-ce le fruit de son imagination ou la réalité ?

SHELDON, Dyan. *Le chant des baleines*, ill. Gary Blythe, Paris, L'école des loisirs, 1990.

La grand-mère de Lili lui raconte une expérience qu'elle a vécue avec les baleines quand elle était petite. À son tour, Lili donnera un cadeau aux baleines pour les entendre chanter et danser. Les a-t-elle vraiment vues ou n'était-ce qu'un rêve ?

VAN ALLSBURG, Chris. *Les mystères de Harris Burdick*. Paris, L'école des loisirs, 1985.

Collections de dessins sans liens entre eux sinon leur étrangeté. Ils sont tous accompagnés d'un titre et d'une phrase, ce qui vient amplifier l'effet étrange. L'introduction écrite par l'auteur met tout de suite le lecteur ou la lectrice sur le mode du doute.

Au moment de la mise en commun, procédez par catégories. Discutez d'abord des personnages, ensuite des actions, etc. Si vous le désirez, vous pouvez vous faire un tableau récapitulatif.

Personnages	**Actions**	**Ambiances**	**Lieux**	**Autres**

Le festival fantastique

Le fantastique ouvre une porte sur les émotions fortes, l'insolite, le bizarre. La série de petits romans de Marie-Francine Hébert me semble tout indiquée pour faire découvrir ce genre souvent laissé à quelques garçons... L'intérêt de cette série réside d'abord dans sa facilité de lecture et la longueur de ses textes. Il sera facile d'amener les enfants à comprendre comment et pourquoi le fantastique se produit. Souvent, les jeunes vont adorer les lire sans nécessairement en comprendre les multiples facettes. Par ce festival, ils auront l'occasion d'approfondir leur compréhension tout en lisant des textes qui les touchent de près. Sous chacune des colères de l'héroïne se cache une émotion, une injustice que tous les enfants ressentent un jour ou l'autre. L'amplitude de l'émotion vécue par cette fillette de neuf ans fait à tout coup basculer son univers et l'anormal intervient, déviant le cours des événements. L'incertitude ainsi créée passionne et accroche le lecteur. Le suspense s'alimente d'ailleurs de ce doute et l'histoire finit toujours en points de suspension.

Pendant ce festival, les enfants analyseront un roman en grand groupe et un autre en petites équipes. Ils auront bien sûr la possibilité de lire pour le plaisir. En acquérant une plus grande connaissance de la structure du récit et des éléments spécifiques à ce genre, ils savoureront peut-être davantage la langue de l'auteur. Un pendant écriture et arts plastiques est aussi possible comme vous le verrez.

Série de romans par Marie-Francine Hébert

Tous les romans de cette série sont parus aux éditions de la courte échelle dans la collection «Premiers romans». Les illustrations sont de Philippe Germain. Il y a neuf titres : *Un monstre dans les céréales* (1988), *Un blouson dans la peau* (1989), *Une tempête dans un verre d'eau* (1989), *Une sorcière dans la soupe* (1990), *Un fantôme dans le miroir* (1991), *Un crocodile dans la baignoire* (1993), *Une maison* *dans la baleine* (1995), *Un oiseau dans la tête* (1997) et *Un dragon dans les pattes* (1997).

Structure générale des récits de Méli-Mélo

Cette série de textes colle bien au schéma de récit à plusieurs épisodes. (Voir à la fin de ce chapitre.) J'ajoute cependant quelques critères afin de mieux en définir les paramètres tout en touchant davantage aux personnages. Dans le premier chapitre, l'auteure met en place tous les éléments nécessaires à la crédibilité de l'histoire : décor, personnages avec qui Méli va interagir au cours de cette histoire, objet de mécontentement, raison du sentiment d'injustice entraînant la fameuse colère de notre jeune héroïne. Les chapitres ne débutent pas tous exactement de la même manière ; certains commencent par une description plus générale comme *Un blouson...* ou *Une maison...*, d'autres sont précédés d'un avertissement du genre : «Tu ne peux pas imaginer ce qui m'est arrivé ! Une vraie histoire à dormir debout !» Et il y a un cas, *Un monstre...*, où l'auteure amorce son récit dans le vif du sujet : la colère de Méli.

Le fantastique apparaît généralement à la toute fin du premier chapitre, au plus tard dans le deuxième. C'est ici que l'histoire démarre. À partir de ce moment, la nature des événements ne suit plus un cours prédéfini, mais s'adapte à chacune des intrigues. L'aventure fantastique de Méli dure le temps de quatre événements majeurs qui correspondent ni plus ni moins à la séparation des chapitres pour aboutir au dénouement final et se conclure par une fin heureuse tout en laissant planer l'incertitude quant à la part du rêve et de la réalité.

Dans chacune de ses aventures, Méli pousse inéluctablement sa colère trop loin et la panique finit souvent par s'emparer d'elle, réalisant ce qu'elle a provoqué. Mentionnons que l'élément fantastique obéit à la lettre à ses fantasmes. En plus, si nous examinons les rapports de Méli avec son entourage, la situation initiale s'inverse toujours à la fin.

Matériel à préparer avant de commencer le festival

- Pour que les enfants gardent une trace de leur lecture, je leur prépare soit des passeports de lecture (semblables à ceux de Communication-Jeunesse), soit un journal de lecture où ils pourront inscrire, en plus du titre du livre, l'émotion forte vécue par Méli et ses causes, ce qu'eux feraient dans ces cas-là ou ce qu'ils ont fait quand ça leur est arrivé ; je leur fais écrire leurs commentaires sur leur lecture (s'ils ont aimé ou pas et pourquoi) ou noter tout simplement les belles expressions qui les ont touchés. J'écris ces possibilités sur une affiche et ils en choisissent une ou deux. Ils peuvent me demander d'y répondre s'ils le désirent.

- Prévoyez également plusieurs exemplaires de chacun des romans si c'est possible. Vous pouvez demander à des parents d'aller chercher des exemplaires à la bibliothèque municipale. Assurez-vous que les exemplaires soient tous de la même version. Je vous conseille trois exemplaires de chaque roman, sinon les élèves devront partager un exemplaire et lire en groupe.

- J'utilise un grand tableau à pochettes ou plusieurs trains pour garder les trouvailles des enfants sur la structure de récit (Voir l'activité « Tchou-tchou », p. 144.)

- Pour l'animation de *Un Monstre dans les céréales*, je prépare trois grands dessins : un de Méli, un du père et un du monstre. J'ajoute à cela une série de petits monstres que nous collerons sur les affiches en cours de lecture.

JOUR 1 — Bloc A (60 min)

1. Avant de commencer votre festival fantastique, demandez aux enfants de votre groupe s'ils connaissent déjà ce qu'est la littérature fantastique. Notez leurs réponses sur des bandes de papier et agrafez-les à un tableau d'affichage. Au fil de vos lectures, ensemble, vous définirez mieux le fantastique. Ensuite, organisez l'activité décrite précédemment, question de faire connaissance avec ce type de récit. Au retour en grand groupe, vérifiez si vous pouvez ajouter ou écarter temporairement les critères qui constituent le fantastique.

2. **Amorce :** Avant de commencer la lecture du roman *Un Monstre dans les céréales*, définissez ensemble ce qu'est un monstre (aspect physique, mental, etc.).

3. **Anticipation :** Présentez le livre et prévoyez son contenu d'après le résumé et l'illustration.

4. **Pendant la lecture :** Lisez le début du premier chapitre et demandez aux enfants s'ils seraient contents de passer une fin de semaine seuls avec leur père. Toutes les réponses sont possibles étant donné la variété des milieux rencontrés dans une classe. Essayez de comprendre pourquoi Méli, elle, est mécontente. Continuez la lecture jusqu'à la fin du deuxième chapitre. Faites-leur également remarquer les expressions belles ou originales dans le texte.

5. **Retour sur la lecture :** Collez les petits monstres sur les affiches représentant le personnage qui a mérité le titre de monstre en inscrivant dessus l'épithète appropriée. Par exemple, dans cet extrait, le père de Méli la traite de monstre, en parlant de sa coiffure, sous-entendant ainsi qu'elle est de mauvais goût. C'est pourquoi on donne un monstre *affreux* à Méli. Pour sa part, Méli qualifie gentiment le monstre à deux reprises. Le monstre gagne ainsi deux petits monstres *gentils*.

- Est-ce que nos anticipations étaient bonnes ou non ?
- Le monstre a-t-il vraiment fait un clin d'œil ou est-ce dû à l'imagination de Méli ?
- Comment se sentait Méli le matin ? Que veut dire méli-mélo ?
- Remplissez la fiche de la mise en situation et le démarrage de l'histoire ensemble. Je me sers du *Schéma de récit comportant plusieurs épisodes* (voir fiche n° 30) que je retranscris sur des fiches.

<table>
<tr><td colspan="2" align="center">**Mise en situation**</td></tr>
</table>

Mise en situation	**Démarrage**

<table>
<thead>
<tr><th align="center">Mise en situation</th></tr>
</thead>
</table>

Mise en situation

Personnages
_____

Temps
_____

Lieu
_____

Situation de départ
_____
_____

Émotions
vécues par _____
(nom du personnage principal)

Démarrage

Arrivée du fantastique
_____

D'où vient l'idée
_____

Réaction de _____
(nom du personnage principal)

6. **Écriture :** Donnez le titre du troisième chapitre ; les élèves ont entre 10 et 15 min pour en écrire le contenu possible. Spécifiez bien qu'ils ne doivent pas conclure immédiatement, car il reste encore cinq chapitres à lire !

JOUR 1 — Bloc B (60 min)

1. Vous pouvez animer cette section plus tard dans la journée. Il est important de mettre les enfants en contact avec les autres livres et de les inciter à lire eux-mêmes. Pour présenter la collection, je vous propose l'activité, «Je veux ma page couverture !» (p. 15), présentée au chapitre 1. Évidemment, je ne classe pas *Un monstre dans les céréales* parmi les livres à découvrir !

2. Présentation ensuite du passeport ou du journal fantastique et explication de l'usage possible du journal. Les élèves peuvent, s'ils le désirent, inclure les albums qu'ils ont lus au début de la séance de littérature. Chaque jour, ils seront invités à y inscrire leurs impressions de lecture.

3. Lecture «livromagique» pendant une quinzaine de minutes (lecture autonome). Les élèves devraient être capables de lire les deux premiers chapitres. Puis, si vous avez opté pour le journal de lecture, demandez-leur d'écrire une ou deux phrases commentant ce qu'ils viennent de lire.

JOUR 2 — Bloc A (60 min)

1. **Groupes de lecture :** Regroupez les enfants d'après les livres qu'ils ont choisis la veille. Chaque membre du groupe lit le même livre. Normalement, ils ont tous terminé la lecture des deux premiers chapitres. Ils discutent de ce qu'ils ont lu et remplissent les fiches de la mise en situation et du démarrage, comme on l'a fait la veille en grand groupe. Au moment de la mise en commun, je me sers du tableau à pochettes. Je glisse les réponses de chaque équipe dans la colonne appropriée. Ce qui est similaire d'un roman à l'autre saute tout de suite aux yeux.

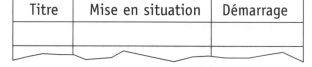

Titre	Mise en situation	Démarrage

2. **Amorce :** Quelques enfants lisent ce qu'ils ont écrit la veille pour le chapitre 3. Discussion et commentaires sur les trouvailles.

3. **Pendant la lecture :** Lisez les chapitres 3 et 4, collez les monstres au fil de la lecture et faites remarquer certaines belles expressions dans le texte.

4. Retour sur la lecture : Essayez de voir comment se sent Méli.

- Retournez sur les expressions relevées.
- Remplissez ensemble les fiches événements 1 et 2. Pour chacun des événements, nous indiquons également la réaction de Méli.

```
┌─────────────────────────────────────┐
│              Événement              │
│  _____  │
│  _____  │
│  _____  │
│  _____  │
│                                     │
│  Réaction de _____  │
│              (nom du personnage principal) │
└─────────────────────────────────────┘
```

5. Travail d'équipe : Si le cœur vous en dit, déterminez avec les enfants qui, selon Méli, est le plus monstrueux des deux : le père ou le monstre. Vous pouvez comparer ce qu'elle dit du monstre et de son père (faire des listes sur une feuille séparée en deux colonnes). Une fois que vous aurez conclu que c'est le père le plus monstrueux, demandez aux enfants qui serait le plus monstrueux des trois : le monstre, le père ou Méli... Et eux, est-ce qu'il leur arrive d'être monstrueux ? Dans quelles circonstances ?

6. Écriture : En leur donnant le titre du chapitre 5, ils écrivent ce qu'eux y mettraient. Je leur accorde environ 10 à 15 min.

JOUR 2 — Bloc B (75 min)

1. Lecture « livromagique » pendant 15 min. Les élèves devraient pouvoir lire les chapitres 3 et 4. Si certains éprouvent des difficultés, ils peuvent se faire aider par un ou une partenaire de leur équipe. Annotation dans leur journal.

2. **Sortie en beauté :** Pourquoi ne pas s'inventer un monstre ? Faites ressortir les caractéristiques physiques possibles d'un monstre. Laissez les enfants imaginer ce que serait leur monstre. Vous pouvez utiliser du pastel ou de la gouache. Mettez tous ces monstres en commun en les découpant et en les collant sur une murale que vous pourriez intituler *La forêt des monstres*.

JOUR 3 — Bloc A (60 min)

1. **Groupes de lecture :** De retour dans leurs équipes, les élèves discutent de ce qu'ils ont lu et complètent les fiches des événements 1 et 2, comme on l'a fait la veille en groupe. Pendant la mise en commun, on continue à remplir le tableau à pochettes. On regarde ce qui est semblable.

2. **Amorce :** Quelques enfants lisent ce qu'ils ont écrit la veille pour le chapitre 5. Discussion et commentaires sur les trouvailles.

3. **Pendant la lecture :** Lisez les chapitres 5 et 6, collez les monstres au fil de la lecture et relevez certaines belles expressions dans le texte. Dans le chapitre 6, le monstre laisse des traces ; demandez aux enfants de deviner ce qu'il se prépare à faire. Comment Méli et son père pourront-ils se débarrasser du monstre ?

4. **Retour sur la lecture :** Remplissez les fiches événements 3 et 4 pour chacun des événements.

Commentaire

Si le cœur vous en dit, comparez à nouveau ce que Méli dit du monstre et de son père (faire une liste pour chacun des commentaires sur une feuille séparée en deux colonnes). Une fois que vous aurez conclu que c'est le monstre le plus monstrueux, demandez aux élèves qui est vraiment le plus monstrueux des trois personnages aujourd'hui... ■

5. **Écriture :** Vous donnez le titre du chapitre 7 et les élèves écrivent comment ils concluraient cette histoire. Je leur accorde environ 10 à 15 min.

1. Lecture « livromagique » pendant 15 min. Les élèves devraient pouvoir lire les chapitres 5 et 6. Annotation dans leur journal.

2. Terminez le projet d'art *La forêt des monstres*, si ce n'est déjà fait.

1. **Groupes de lecture :** Retour des enfants dans les équipes et discussion sur ce qu'ils ont lu. Les élèves complètent les fiches des événements 3 et 4, comme on l'a fait la veille en groupe. Attention, certains romans de cette collection ne contiennent que six chapitres ; le dénouement et la fin se retrouvent donc dans le dernier chapitre. Les enfants ne révèlent pas la fin tout de suite. À la mise en commun, on continue à remplir le tableau à pochettes. On regarde ce qui est semblable. Qu'est-ce qui provoque l'arrivée du fantastique dans la vie de Méli ? Qu'est-ce qui cause un retour à la *normalité* ? Faites une liste des émotions fortes qui l'ont fait basculer dans le fantastique.

2. **Amorce :** Quelques enfants lisent ce qu'ils ont écrit la veille pour la conclusion. Discussion et commentaires sur les trouvailles.

3. **Pendant la lecture :** Pendant la lecture du dernier chapitre, collez les monstres au fur et à mesure. Continuez à relever les expressions originales du texte.

4. **Retour sur la lecture :** « Après avoir lu la conclusion, pouvez-vous dire s'il y a vraiment eu un monstre ? » Tous les enfants ne penseront pas la même chose. Chacun doit défendre son point de vue. Il n'y a pas de bonne réponse. Faites-leur remarquer qui est le narrateur. Est-ce qu'il y a confirmation de ses dires ?

Commentaire

Remplissez les sections « conséquences » et « fin de l'histoire » de la fiche n° 30 *Schéma de récit comportant plusieurs épisodes*.

Ensuite, comparez la relation de Méli avec les différents membres de son entourage : son père, sa mère et son petit frère Mimi. Vous remarquerez un renversement complet de la situation. ■

	Au début	À la fin
Son père	Ne la comprend pas	Très complice avec lui
Sa mère	La comprend très bien	Ne pourrait pas comprendre
Mimi	Jalouse de lui parce qu'il a l'attention de sa mère	L'aime beaucoup

1. Lecture «livromagique» pendant 15 min. Les élèves devraient pouvoir finir leur roman, si ce n'est déjà fait. Pour ceux qui ont terminé leur roman, je mets à leur disposition d'autres romans de la série des Méli-Mélo afin que tous les enfants aient quelque chose à lire.

2. **Sortie en beauté:** Comme nous l'avons remarqué plus tôt, la colère est souvent le déclencheur du fantastique dans cette série. Tous les enfants ont vécu au moins une grosse colère dans leur vie. Pourquoi ne pas faire un livre collectif dans lequel chacun décrirait sa plus grosse colère? Les enfants peuvent tout simplement la raconter en décrivant réellement ce qui s'est passé ou s'en servir comme amorce pour inventer un récit. Une partie est réelle, la colère, le reste peut être fictif.

1. **Groupes de lecture:** De retour dans leurs équipes, les élèves discutent de leur lecture. «Est-ce que la fin nous confirme si ce qui est arrivé dans l'histoire est vrai ou pas?» En équipe, ils préparent une petite critique du livre qu'ils devront présenter au reste de la classe. Qu'est-ce qu'ils ont aimé dans leur lecture? Est-ce qu'ils ont relevé de belles expressions? Pourquoi recommandent-ils ce roman?

2. **Retour en grand groupe:** Ils présentent leur critique. Les autres peuvent leur poser des questions s'ils le désirent.

3. **Lecture et animation:** Je commence la lecture d'un autre roman. Si les élèves me font des recommandations, j'opte pour le livre qu'ils me suggèrent. Souvent ils me demandent de lire un autre roman de Marie-Francine Hébert. On ne recommencera pas les fiches comme activité de retour sur la lecture; on fera simplement une discussion libre.

1. Lecture «livromagique» pendant 15 min et annotation dans leur journal.

2. **Écriture:** On continue d'écrire nos plus grosses colères. Vous pouvez aussi décrire la vôtre... Quand ils ont fini de rédiger leur copie finale, les enfants illustrent leur texte.

SEMAINES SUIVANTES

Vous pouvez facilement poursuivre le festival pendant encore deux semaines.

1. **Groupes de lecture:** Tous les jours, les élèves se rencontrent pour discuter de leur lecture. Vous pouvez les mettre en groupes homogènes, c'est-à-dire que tous les membres du groupe lisent le même roman, ou vous pouvez les mélanger. Ils ont environ 5 min pour échanger leurs commentaires.

2. **Lecture «livromagique»:** C'est important que les élèves continuent à lire tous les jours de façon autonome dans la classe et continuent aussi leur journal de lecture.

3. **Lecture animée:** Il est important de continuer à leur lire à haute voix tous les jours. Vous continuez à lire des livres de cette série ou vous en profitez pour leur présenter d'autres auteurs. Demandez à votre bibliothécaire de vous faire des suggestions.

4. **Écriture:** Une fois le livre collectif sur les colères terminé, mettez les élèves au défi d'écrire un récit fantastique. Les élèves peuvent se servir des illustrations de l'album *Les mystères de Harris Burdick* comme source d'inspiration. Le travail se fait individuellement ou en équipe de deux (chacun écrit sa phrase à tour de rôle). À votre choix.

Il était une fois les contes

Tous les enfants connaissent au moins quelques contes, les plus populaires étant peut-être *Les trois petits cochons*, *Le petit chaperon rouge*, *Blanche-Neige* ou *Cendrillon*. Le loup a acquis sa mauvaise réputation dans ces histoires venues des temps anciens. Les contes figurent en tête de liste dans la littérature pour la jeunesse. Demandez à un adulte de vous nommer un récit pour les enfants et, neuf fois sur dix, le titre d'un conte lui vient en premier à l'esprit. Jadis, les contes s'adressaient à tous, grands et petits. Le conteur rassemblait les foules et les entraînait dans un monde féerique. Depuis le XVIIe siècle, le conte est destiné plus particulièrement aux enfants. Son aspect moral, malgré tout son côté ludique, le prédisposait probablement tout naturellement à sa fonction édifiante auprès de la jeunesse. Les enfants en redemandaient et en désirent toujours autant aujourd'hui.

Tous les enfants se sont fait lire des contes ou en ont déjà lus eux-mêmes. Ces récits se lisent facilement à cause justement de cette connaissance acquise par les jeunes. Alors, me direz-vous, quelle est la nécessité d'étudier le conte s'il est si connu des enfants ? La réponse est en partie dans la question. Tout simplement parce que les enfants aiment ces histoires. Peu importe leur âge, les jeunes se laissent emporter par la magie du conte. Aussi, pourquoi ne pas leur en faire découvrir de nouveaux, moins connus mais tout aussi passionnants. C'est avec des contes que j'ai eu le plus de succès en français langue seconde ou encore en immersion au second cycle pour amener certains enfants à écrire et à exprimer leurs opinions sur différents sujets. Par le biais d'histoires, archi-connues quelquefois, nous aboutissons à des merveilles.

Selon Bruno Bettelheim[24], les contes répondent également à un besoin des enfants en fournissant une réponse à leurs angoisses profondes. « Les contes de fées ont pour caractéristique de poser des problèmes existentiels en termes brefs et précis. L'enfant peut ainsi affronter ces problèmes dans leur forme essentielle, alors qu'une intrigue plus élaborée lui compliquerait les choses[25]. » Toujours selon cet auteur, le conte est un des rares types de récit qui présente, d'une certaine façon, toutes les facettes du monde : les bons et les mauvais côtés. La mort, l'abandon, la solitude, etc., tout est représenté et chaque problématique trouve une fin heureuse. Le héros, auquel l'enfant s'identifie, triomphe toujours de l'injustice ou du mal. L'univers manichéen des contes facilite la compréhension des enfants. Les personnages sont entièrement bons ou mauvais ; la nuance et la complexité n'existent pas. Les détails superflus sur la personnalité des héros sont éliminés. Le narrateur va toujours à l'essentiel, ce qui en fait un récit généralement assez court et d'une grande lisibilité, sans intrigue trop compliquée. Autre avantage : les enfants qui éprouvent certaines difficultés en lecture se sentiront rassurés de lire une histoire qu'ils connaissent déjà bien.

Les caractéristiques du conte

Entrée en matière

Le fameux *Il était une fois*, ou *En ce temps-là*, nous transporte immédiatement dans un univers merveilleux où tout est possible. Ces phrases d'introduction opèrent à la manière des formules magiques, comme le célèbre *Sésame ouvre-toi*. Ainsi, dès les premiers mots, les jeunes et les moins jeunes entrent d'emblée dans la fiction, acceptant de se laisser emporter dans un ailleurs merveilleux. Le temps et le lieu

---

24. Bruno BETTELHEIM, *Psychanalyse des contes de fées*, trad. Théo Carlier, Paris, Robert Laffont, coll. « Pluriel », 1976.
25. *Idem*, p. 23.

géographique vaguement évoqués renforcent l'impression de se situer dans un monde à part. En général, les autres genres littéraires cherchent plutôt à s'ancrer dans la réalité afin de créer un sentiment de crédibilité chez le lecteur.

Personnages

Les personnages de contes sont extrêmement typés. Il n'y a rien qui ressemble plus à une princesse qu'une autre princesse... Ils sont monolithiques, unidimensionnels et sans aucune profondeur. Le beau est très beau et le laid est d'une très grande laideur. Il n'y a aucune ambivalence possible. Le narrateur nous révèle le strict minimum à leur sujet, juste ce qu'il nous faut pour comprendre l'intrigue. À cause de l'univers manichéen des contes, le système de personnages est formé d'oppositions simples, le bon contre le méchant.

Le conte est aussi le royaume des personnages fabuleux. Les fées, les magiciens, les sorcières, les dragons, les ogres, les animaux parlants et tous les autres interviennent comme si c'était normal, comme si leur présence faisait partie du quotidien, de la norme. Le lecteur, à son tour, grâce aux paroles d'ouverture, les accepte sans sourciller.

Types d'intrigues

La plupart du temps, le conte raconte l'histoire d'une quête remplie de rebondissements en tout genre. Beaucoup d'invraisemblances surviennent dans ces récits : un haricot pousse jusqu'aux nuages, une fille dort cent ans, des objets accomplissent des choses extraordinaires, un chat devient l'agent de son maître, etc. Tous ces événements irréalistes enrichissent la fiction avouée.

Les thèmes de la quête sont multiples : la recherche de la richesse pour suppléer à une trop grande pauvreté, le désir de réparer une injustice, une perte, l'obligation de partir et de pourvoir seul à ses besoins, de prouver sa puissance malgré sa petitesse, etc. Chacune de ces histoires soutient une thèse morale : dans *Les trois petits cochons*, la paresse est punie, et le travail acharné récompensé. Certains contes que Bettelheim qualifie d'amoraux n'opposent pas le bien et le mal, mais prouvent que les plus faibles peuvent aussi réussir dans la vie. *Le chat botté*, où le chat vient en aide à son maître en est un bon exemple. Les moyens pour réussir sont peut-être parfois discutables... Ainsi, dans chaque conte se dissimule une morale reflétant les valeurs de la société dont il est issu.

La fin est toujours heureuse. Ils vécurent heureux et eurent beaucoup d'enfants, vous connaissez ? Selon Bettelheim, cette fin joue un rôle important pour l'enfant. « L'enfant apprend qu'en formant une véritable relation interpersonnelle il échappera à l'angoisse de séparation qui le hante [...] Ces contes disent aussi que cette conclusion est impossible si l'enfant (contrairement à ce qu'il croit et espère) s'accroche éternellement aux jupes de sa mère[26]. » Cette fin heureuse offre également à l'enfant une vision rassurante du monde malgré toute la cruauté et la violence dont les contes sont remplis (meurtres, combats, souffrances morales et physiques). Le bien gagne sur le mal même si le mal peut parfois l'emporter pendant une courte période.

Structure du conte

Plusieurs chercheurs se sont penchés sur les contes afin d'en établir une structure universelle. Vladimir Propp[27], précurseur de l'analyse structurale, a dégagé 36 fonctions communes à une centaine de contes russes. Ces fonctions représentent les actions importantes des personnages dans le déroulement du récit. Cette structure ne correspond malheureusement pas à tous les contes.

---

26. *Idem*, p. 26.
27. Vladimir PROPP, *Morphologie du conte*, trad. Marguerite Derrida et Tzvetan Todorov, Paris, Seuil (Points), coll. « Poétique », n° 12, 1965 et 1970.

Dans la foulée de Propp, un certain nombre de chercheurs ont continué de scruter la question et, finalement, nous aboutissons aujourd'hui à une panoplie de structures. Martine Girard[28] en dénombre sept valables dans sa conclusion. Quant à moi, je me garderai bien de trancher la question. Je me contenterai bien humblement de vous mentionner quelques grandes lignes communes à la majorité de ces structures. J'utilise beaucoup le schéma de récit en plusieurs épisodes pour retracer le cheminement suivi par le héros. Chaque épisode de ce schéma laisse toute la place au type d'actions ayant lieu.

D'abord, à part la fameuse phrase d'ouverture, la majorité des contes commencent par une mise en situation où les personnages nous sont présentés avec leur problématique particulière. Généralement, il s'agit d'un manque que le héros cherche à combler. La situation de départ se trouve souvent inversée à la fin. Cendrillon, la plus misérable de la maison devient l'élue du prince ; le cadet, l'enfant le moins fortuné de la famille, finit par être le mieux nanti ; les enfants qu'on veut perdre en forêt reviennent avec une fortune et la famille redevient heureuse, etc.

Avant d'arriver à cette fin heureuse, le parcours du héros est parsemé d'embûches et d'épreuves qu'il devra vaincre. Parfois, le mal gagne momentanément : la marâtre de Blanche-Neige réussit à l'anéantir, mais le beau prince lui permet de revenir à la vie par un heureux hasard...

Certains contes adoptent une structure répétitive. Pensons aux *Trois petits cochons*, ou aux *Trois barbichus* où les répétitions cadencent le récit : répétition de mots et similitude de situations.

Le festival de contes

Un festival de contes, comme tous les festivals, s'organise de différentes manières. De nombreuses possibilités s'offrent à vous : la semaine du Petit chaperon rouge, la semaine des Trois petits cochons, le mois du conte, etc. Vous l'adapterez selon vos disponibilités et votre clientèle.

La semaine des *Trois petits cochons* ou du *Petit chaperon rouge*

Il existe tellement de versions de ces contes que j'ai pensé présenter plusieurs versions dans un temps très court, question de les comparer et de voir quelle était notre version préférée. Lorsque j'ai planifié cette activité, j'ai prévu une semaine pour la réaliser. Or, cette semaine s'est finalement étirée sur deux semaines.

Avant le festival

- Il faut d'abord plusieurs versions du même conte que vous répartirez entre les différentes équipes de votre groupe. J'essaie d'en trouver suffisamment pour former des équipes de deux ou trois maximum, chaque équipe ayant une version différente. Dans votre sélection, n'oubliez pas d'inclure des versions infidèles comme *Le petit capuchon rouge* ou *Le petit chaperon vert*, afin de vous amuser un peu. Un film de ce même conte est aussi apprécié.

- Fiche reproductible n° 20, *On compare les héros*. Ici, nous allons plutôt comparer des récits. Je change donc tout simplement le titre de la fiche en *On compare les récits*.

---

28. Martine GIRARD, « Le conte : pas seulement une histoire d'enfants », *in Des livres et des jeunes*, automne 1993, n° 45, p. 14-19.

JOUR 1

1. Animation de la lecture du conte que vous avez sélectionné.

2. Répartition des contes en précisant aux élèves qu'ils ont tous une version différente. Leur tâche: lire le conte et préparer la présentation sous forme de théâtre de marionnettes. Les élèves devront bien sûr lire le conte, mais également se répartir les rôles et les répliques.

3. Rapport sur leur travail: qui fait quoi?

4. En conclusion, discussion sur leur lecture: «Est-ce qu'ils ont bien compris leur lecture? Est-ce qu'ils sont contents de leur version? Pourquoi?»

JOUR 2

1. Lecture et animation d'une autre version du conte sélectionné.

2. Ensemble, remplir la fiche n° 20 *On compare les héros*. Établir les différences entre les deux versions que vous avez présentées.

3. Les élèves continuent le travail entrepris la veille. Pour les marionnettes, la façon la plus simple est de dessiner les personnages et de les coller sur des gros bâtons à café. Vous pouvez décider que chaque équipe prépare tout son matériel de soutien (marionnettes, décor, accessoires) ou que certains éléments peuvent n'être réalisés qu'une seule fois, comme le décor en arrière-plan (ex.: la forêt du petit chaperon rouge).

4. **Retour en grand groupe:** discussion sur le travail effectué et sur les difficultés de fonctionnement. Si la répartition des répliques est terminée, les enfants devront bien sûr les étudier à la maison. Ils les transcrivent sur des feuilles.

JOURS 3 ET 4

1. Lecture et animation du conte *Le loup et les sept chevreaux* si vous avez choisi *Le petit chaperon rouge* ou le début du mini-roman *Les trois sagouins* si vous avez choisi *Les trois petits cochons*.

2. Discussion sur les ressemblances entre les deux contes, s'il y a lieu.

3. Travail sur le projet de marionnettes, pratique des équipes.

4. Retour en grand groupe: discussion sur le travail effectué et organisation de l'horaire de présentation.

JOUR 5

1. Présentation du film.

2. Discussion sur les différences et les similitudes entre les récits.

3. **Travail de groupe:** Pratique pour la présentation du lundi suivant.

4. **Retour en grand groupe:** Ce qui reste à faire, est-ce qu'on est prêt?

1. Présentation des différentes équipes.
2. Discussion des différentes versions. «Quelle est ta version préférée? Pourquoi?»
3. **Conclusion:** Ce que nous avons aimé et moins aimé; si c'était à refaire, ce qu'on pourrait changer.

Sortie en beauté

Si votre groupe est vraiment enthousiaste, les élèves peuvent inventer une nouvelle version du conte ou transformer un conte de leur choix.

Le mois du conte

Pendant le mois du conte, les enfants découvriront ou redécouvriront certains contes moins connus, riront de certaines versions folichonnes et écriront un conte collectif ou personnel. Les activités possibles sont nombreuses, à vous de les choisir. Cette fois-ci, plutôt qu'une démarche organisée par journée, je vous propose une banque d'activités possibles que vous répartissez au cours du mois. Vous pouvez aussi intégrer la semaine des Trois petits cochons dans ce mois du conte si le cœur vous en dit.

Avant le mois du conte

1. La première démarche à effectuer consiste à regrouper le plus grand nombre possible de livres de conte. Vous pouvez avoir différentes versions d'un même conte.
2. Un passeport ou journal de lecture est toujours utile.
3. Fiche reproductible n° 20 *On compare les héros*. Ajoutez-lui une colonne.
4. Fiche reproductible n° 26 *Résumé en tableau*, séparée en petites fiches individuelles. Vous pouvez refaire l'activité «Tchou-tchou» (p. 144).

Journée type

1. Animation et lecture d'un conte au choix.
2. Pourquoi raconte-t-on des contes? Qu'est-ce que ces histoires ont de particulier? Qu'est-ce qui se cache dans les contes? Faites découvrir aux enfants la morale de l'histoire que vous venez de lire.
3. Discussion des différentes caractéristiques du conte. Aiguillez leur réflexion en leur posant des questions sur les personnages possibles, etc. Les enfants connaissent déjà les contes, ils vont vous en citer plusieurs. Je procède de la même façon que pour le festival Robert Munsch. J'aime leur faire découvrir qu'ils sont

capables de remarquer beaucoup de choses. Ils verront que certains éléments ne se retrouvent pas nécessairement dans tous les contes. Regroupez les items par catégories: objets, lieux, personnages, etc.

Commentaire

Cette discussion peut être précédée ou remplacée par une des activités proposées dans la banque.

4. Lecture «livromagique» pendant 15 min et discussion en petits groupes pendant 5 min sur ce qu'ils viennent de lire.

Banque d'activités

ACTIVITÉ 101 — Durée : 40 min

📖 Personnage type

Objectifs	3, 6 et 9
Matériel	• Série de contes • Fiche nº 20 *On compare les héros*, à laquelle il faut ajouter une colonne

Chaque équipe de trois enfants doit faire un portrait-robot d'un personnage fréquemment rencontré dans les contes : princesse, fée, ogre, loup, prince, cadet de la famille, mère, etc. L'équipe choisit des contes dans lesquels son personnage est présent. Elle compare les différentes princesses de leurs trois contes. Les élèves peuvent avoir en main la fiche nº 19 *On compare les héros*.

Commentaire

Pour le retour en grand groupe, chaque équipe présente le résultat de sa recherche. Pour contredire les enfants, montrez-leur ou lisez-leur un conte plus espiègle comme *La princesse à la robe de papier* ou *Princesse Éloise cherche prince charmant*. Le personnage de la princesse ne correspond plus à ce que l'équipe a trouvé. Discutez des raisons... ▪

ACTIVITÉ 102 — Durée : 40 min

📖 Création de personnages de conte

Objectifs	Objectifs en art dramatique : expression écrite
Matériel	Fiche nº 31 *Fiche sur le personnage*

Chaque enfant choisit son personnage de conte préféré et en invente un nouveau. Il lui donne les caractéristiques de base et le présente ensuite au groupe. Au moment de sa présentation, l'enfant explique aussi pourquoi il aime ce type de personnage. Avant de débuter cette activité, il est préférable de faire un remue-méninges sinon vous aurez un grand nombre de princesses...

Commentaire

Vous pouvez animer des ateliers d'art dramatique avec cette banque de personnages. ▪

📖 Montre ton conte

Objectif	8

Matériel	Chaque enfant apporte son conte préféré.

En adoptant la forme du *Montre et raconte* où ils apportent un objet pour le présenter à la classe, cette fois-ci, les enfants nous présentent leur conte préféré. Ça peut être leur conte du moment ou celui qu'ils adoraient quand ils étaient petits. Ils en lisent un extrait et nous exposent les raisons de cette préférence.

Variante

Un partenariat avec une classe de plus petits est aussi possible. Les plus âgés peuvent aller lire un conte à leur partenaire plus jeune une fois par semaine.

📖 Créatures fantastiques

Objectifs	Objectifs en art plastique : créer un animal fantastique, créer des surfaces texturées

Matériel	• Album qui contient des créatures incroyables comme dans *Les plumes du dragon* • Pastel ou feutres

Après avoir observé les illustrations surprenantes du conte qui fourmillent de créatures absolument incroyables, faites fabriquer par les enfants une créature tout à fait originale. Ou encore, observez les dragons de différents albums et organisez une exposition de dragons.

📖 Boîtes à surprises

Objectifs	Objectifs en arts plastiques : recréer une scène en trois dimensions, découper, coller

Matériel	• Boîtes de carton • Retailles de toutes sortes de papier, tissus, etc. • Chaque enfant a son livre de conte préféré.

En vous inspirant des contes déjà lus, proposez aux enfants de recréer en trois dimensions une scène de leur conte préféré dans une boîte à chaussures ou une boîte d'un autre format. Sur le couvercle, inscrivez une devinette portant sur le conte choisi. Pour connaître la réponse, les observateurs devront ouvrir la boîte. Les enfants verront alors la scène à l'intérieur de la boîte et le titre du conte inscrit à l'intérieur du couvercle.

ACTIVITÉ 106

📖 Le tour du monde

Objectifs	Objectifs en sciences humaines: explorer la carte du monde
Matériel	• Une carte du monde • Dix contes venant de différents pays

Il existe des contes provenant de tous les continents. Profitez-en pour faire un tour du monde grâce aux contes. Chaque jour, vous choisissez un conte de provenance différente. Sur une carte du monde, vous placez une petite épingle-drapeau sur le pays visité. Cependant, faites attention, car certains contes n'indiquent que vaguement leur origine: Europe, Arabie, Afrique, etc. Discutez aussi de la morale: est-ce valable pour nous aussi?

ACTIVITÉ 107

📖 Les contes réinventés

Objectif	9
Matériel	Fiche n° 20 *On compare les héros*, modifiée pour comparer deux récits

Comparez *Le petit capuchon rouge* et *Le petit chaperon rouge* ou *Le petit chaperon vert*; *Le nouvel habit du directeur* et *Le nouvel habit de l'empereur*; *La belle et la bête* et *Le monstre poilu*, etc. Rires garantis! Cette activité se fait en grand groupe ou en équipes. Chaque équipe peut lire une combinaison différente.

Commentaire

Après vous être bien amusés, pourquoi ne pas essayer aussi de réinventer un conte, de le transformer?

Pour faire écrire les élèves, j'emprunte la démarche proposée par J.M. Carré et Francis Debyser[29]. Ceux-ci se sont inspirés de la recherche de Propp pour réaliser cette activité d'écriture dirigée. Je vous résume ici les 13 étapes qu'ils proposent.

1. a) Choisis un héros: prince, princesse, soldat, voyageur, enfant, pauvre paysan, etc.

   b) Dessine le héros que tu as choisi et donne-lui un nom. Écris le début de ton conte en présentant ton héros et l'endroit où il vit.

2. Il manque quelque chose à ce héros pour être heureux: un objet, l'amour, la richesse, un animal magique, quelque chose qu'on lui a pris, etc. Les enfants continuent d'écrire la mise en situation en présentant ce qui lui manque.

3. Quelqu'un renseigne ou conseille le héros: une fée, un vieux sage, un message mystérieux, un parent, etc. C'est le point de départ de l'histoire. Raconte comment cette rencontre se déroule.

4. Le héros part à l'aventure. Raconte comment s'effectue son départ et où il va.

5. En chemin, le héros rencontre un ami qui l'aidera à surmonter les épreuves à venir. Raconte cette rencontre.

6. Les épreuves: tâche insurmontable, mauvais sort, animaux méchants, énigmes, combats, etc. Raconte comment le héros réussit à vaincre ces obstacles.

29. J.M. CARRÉ et Francis DEBYSER, *Jeu, langage et créativité, les jeux dans la classe de français*, Paris, Hachette Larousse, coll. «Le français dans le monde/B.E.L.C.», 1978.

7. Le héros arrive finalement à son but. Décris le lieu : une île, un château, une forêt, etc.

8. C'est là qu'habite son ennemi. Comment est-il ? Un méchant roi, un grand bandit, un mauvais génie, un troll, un géant, etc. Présente ce personnage.

9. Le héros est d'abord vaincu par son ennemi : blessé, laissé pour mort, chassé très loin, etc. Raconte cette bataille.

10. L'ami du héros vient à sa rescousse : en le délivrant, en lui donnant un conseil, en lui apprenant un secret, etc. Raconte ce que cet ami fait et comment le héros reprend des forces.

11. Le héros affronte une seconde fois son ennemi et cette fois-ci il gagne. Il s'empare de ce qu'il est venu chercher. Raconte cette seconde rencontre et explique comment le héros réussit à vaincre son ennemi.

12. Le héros rentre chez lui. Il peut être poursuivi ou non par son ennemi ou les alliés de son ennemi. Raconte ce retour glorieux.

13. Raconte la fin de l'histoire. ▪

📖📖 L'écriture d'un conte

Objectifs	Objectifs en expression écrite
Matériel	Fiches sur lesquelles les directives sont inscrites

Donnez le choix aux enfants d'écrire un conte traditionnel ou moderne.

Nous débutons l'écriture du conte tous ensemble, mais les enfants n'écrivent pas tous à la même vitesse. Les consignes étant sur des fiches numérotées, quand les écrivains en herbe ont terminé une étape, ils peuvent commencer la suivante immédiatement, sans avoir à attendre le reste de la classe.

Le roman policier

Depuis qu'Edgar Allan Poe a écrit *Le double assassinat sur la rue Morgue* (1841), plusieurs auteurs ont suivi ses traces et le roman policier a conquis de nombreux adeptes. Au fil des années, ce genre a évolué, s'est diversifié. Du roman classique, communément appelé le « roman à énigme », le « roman-problème » ou le « roman-jeu », il est devenu le « roman noir », le « thriller », le « hard boiled ».

Dans le domaine de la littérature pour la jeunesse, les auteurs se concentrent surtout autour du roman à énigmes sans pour autant se limiter exclusivement à ce style. Ces romans policiers racontent une enquête afin d'élucider un mystère, en apparence incompréhensible. Comparons cette lecture à une devinette qu'il faut résoudre : à partir d'indices, il faut trouver le tout. L'auteur propose ainsi une sorte de jeu : il met au défi le lecteur de résoudre l'énigme plus rapidement que le détective. Cela demande de la part du lecteur un type de lecture particulier.

Richard Saint-Gelais[30] parle de lecture interactive. Face au récit de détection, les lecteurs mettent en marche différents processus : interrogations, inférences, hypothèses (justes ou non), et ainsi de suite, jusqu'à la conclusion finale, la solution de l'énigme. Si le jeune lecteur veut trouver la solution avant la fin, il remarque des détails, les indices disséminés dans le texte, les analyse sommairement, ne se laisse pas berner par les pièges tendus par l'auteur, les fausses pistes, etc.

Les caractéristiques du roman policier

Personnages

Dans tout bon roman policier, trois personnages principaux occupent la scène : le détective, le criminel et la victime. Selon la tradition, le détective est le héros du roman. En littérature jeunesse, il est, la plupart du temps, accompagné par au moins un autre enfant. Garçons et filles se partagent la vedette. Contrairement au roman classique où les détectives observent et analysent, les détectives en herbe passent à l'action et suivent les pistes du coupable. Ils vivent toutes sortes d'aventures et passent par toute une gamme d'émotions. Si nos jeunes détectives sont doués d'un certain sens de l'observation, leurs déductions semblent manquer quelquefois d'un peu de subtilité. Souvent, la solution finale nous démontre une mauvaise interprétation des indices. Le mystère s'éclaircit et le malentendu apparaît dans tout son éclat.

Les deux autres personnages nécessaires à l'intrigue policière restent souvent dans l'ombre, au stade de l'allusion. Le ou la coupable est habituellement un adulte. S'il est malhonnête, il agresse, rarement cependant, ses victimes. Bien sûr, il est toujours démasqué et puni à la fin de l'histoire. Évidemment, lorsqu'il s'agit d'un malentendu, ces deux personnages s'avèrent finalement absents du récit.

Types d'activités

En définitive, un roman policier de détection se résume à l'histoire d'une enquête et à l'histoire d'un crime, le crime jouant alors le rôle de déclencheur. Une des règles du roman policier pour adultes est la présence d'un meurtre. En littérature jeunesse, il se fait rarissime. Certains auteurs osent parfois l'introduire, mais le vol ou la contrebande remportent la palme des crimes commis. Et même, dans les romans pour les plus jeunes, le délit est souvent remplacé par un événement bizarre, surprenant. Par exemple, dans *Sophie et le monstre aux grands pieds*, d'Henriette Major, la petite Sophie cherche à élucider la provenance de ces pistes immenses laissées dans la neige. Non, le monstre ne se cachera pas à la fin du chemin tracé ! L'enquête occupe donc la plus grande part du récit : après la découverte du méfait, le lecteur suit les cogitations du fin limier.

Le thriller, lui, met davantage l'accent sur le crime. Les éléments majeurs en sont la menace (qui crée le suspense), l'attente (qui a pour effet secondaire d'allonger le temps) et finalement la poursuite (qui, elle, comprime le temps). Un exemple de thriller, *L'assassin impossible*, de Laurent Chabin. Dans ce roman, les jeunes ne jouent pas vraiment aux détectives mais sont confrontés à une disparition, peut-être même à un meurtre mystérieux. Ils se sentent vraiment menacés. Le suspense est au rendez-vous.

Structure du récit

La nature de ce genre empêche la présence d'un narrateur omniscient. Souvent, un des enfants du groupe assume la narration, ou alors un narrateur en dehors du récit s'en charge. Il suit les détectives à la trace sans jamais laisser voir qu'au fond il connaît déjà la solution… Certains auteurs s'amusent avec la narration. Dans *Un cadavre de classe*, Robert Soulières met en place un narrateur très présent même s'il n'est pas un personnage du roman…

30. Richard SAINT-GELAIS, « Détections science-fictionnelles », *in Tangence*, n° 38, décembre 1992, p. 74-84.

À la manière d'une devinette, le récit commence par une énigme : le crime. Au fil des pages, nous assistons à la reconstruction de ce qui s'est passé avant le crime ; on remonte le temps avec l'enquêteur. Les retours en arrière sont fréquents.

Le récit de détection est régi par des règles de construction assez rigides :

1. l'énoncé du problème ;
2. la présentation des données essentielles à la découverte de la solution ;
3. le développement de l'enquête et la présentation de la solution ;
4. la discussion des indices.

Pour que l'intrigue soit bien ficelée, que tout se passe de manière intelligible et que les actes et les indices se recoupent, l'histoire se déroule normalement en circuit fermé ou restreint. Ainsi, le hasard rencontré dans la vie réelle est éliminé. Le raisonnement logique accapare toute la place. Dans le roman jeunesse, peu d'auteurs respectent les règles du roman classique. Les auteurs les plus près du roman classique évitent le quatrième point. Le récit se clôt une fois le coupable découvert ; le ou la détective n'explique pas comment, grâce à sa grande capacité d'observation et de déduction, il ou elle a découvert la solution.

Si la structure narrative a ses règles, la composition aussi. En 1928, Van Dine a écrit les 20 règles que tout bon auteur de roman policier devrait respecter. Plusieurs les ont suivies religieusement tandis que d'autres les ont transgressées. Ils ont ainsi créé de nouvelles tendances du genre policier avec comme résultats la naissance du roman noir, du thriller, etc.

1. Le lecteur et le détective doivent avoir des chances égales de résoudre le problème.
2. L'auteur n'a pas le droit d'employer vis-à-vis du lecteur des trucs et des ruses autres que ceux que le coupable emploie vis-à-vis du détective.
3. Le véritable roman policier doit être exempt de toute intrigue amoureuse.
4. Le coupable ne doit jamais apparaître sous les traits du détective ou d'un membre de la police.
5. Le coupable doit être déterminé par une série de déductions et non pas par accident, par hasard ou par confession spontanée.
6. Dans tout roman policier, il faut par définition un policier. Or, ce personnage doit faire son travail et il doit le faire avec application. Sa tâche consiste à réunir les indices qui nous mèneront à l'individu qui a fait le mauvais coup dans le premier chapitre.
7. Un roman policier sans cadavre, cela n'existe pas. J'ajouterais même que « plus le cadavre est mort », mieux cela vaut.
8. Le problème policier doit être résolu à l'aide de moyens strictement réalistes.
9. Il ne doit y avoir, dans un roman policier digne de ce nom, qu'un seul véritable détective.
10. Le coupable doit toujours être une personne qui a joué un rôle plus ou moins important dans l'histoire, c'est-à-dire quelqu'un que le lecteur connaît et qui l'intéresse.
11. L'auteur ne doit jamais choisir un criminel parmi le personnel domestique. C'est une solution trop facile.
12. Il ne doit y avoir qu'un seul coupable, sans égard au nombre d'assassinats commis.
13. Les sociétés secrètes, les mafias, n'ont pas de place dans le roman policier.
14. La manière dont est commis le crime et les moyens qui doivent amener à la découverte du coupable doivent être rationnels et scientifiques.
15. Le fin mot de l'énigme doit être apparent tout au long du roman, à condition que le lecteur soit assez perspicace pour le saisir.
16. Il ne doit pas y avoir dans le roman policier de longs passages descriptifs, pas plus que d'analyses subtiles ou de préoccupations « atmosphériques ».
17. L'écrivain doit s'abstenir de choisir le coupable parmi les professionnels du crime.
18. Ce qui a été présenté comme un crime ne peut pas, à la fin, se révéler comme un accident ou un suicide.
19. Le motif du crime doit toujours être strictement personnel.
20. Voici quelques exemples de façons de découvrir le ou la coupable que tout auteur qui se respecte n'utilisera pas :
    • comparer un bout de cigarette aux cigarettes que fume le coupable ;
    • séance de spiritisme truquée où le criminel se dénonce ;
    • fausses empreintes digitales ;
    • alibi constitué par l'utilisation d'un mannequin ;
    • chien qui n'aboie pas, révélant ainsi quelqu'un de familier ;
    • frère jumeau du suspect ou un parent qui lui ressemble à s'y méprendre ;
    • sérum de vérité ;
    • meurtre commis devant des policiers ;
    • emploi d'associations de mots pour découvrir le coupable ;
    • déchiffrement d'un cryptogramme par le détective ou découverte d'un code chiffré.

Depuis l'établissement de ces règles, le roman policier a évidemment beaucoup évolué. Ces règles offrent toujours des pistes intéressantes pour une analyse éventuelle des romans policiers que vous aurez choisis. Le but d'un « spécial policier » n'est certainement pas de faire apprendre toutes ces règles par cœur aux enfants. Je vous les transmets à titre de référence, comme pistes de réflexion. Vous pourrez ainsi mieux diriger vos élèves vers des pistes intéressantes.

Spécial policier

Matériel à préparer avant de commencer le festival

- Pour que les enfants gardent une trace de leur lecture, je leur prépare soit des passeports de lecture (comme ceux de Communication-Jeunesse), soit un journal de lecture où ils pourront inscrire, en plus du titre du livre, leurs commentaires sur leur lecture (s'ils ont aimé ou pas et pourquoi), s'ils trouvent que c'est une enquête bien menée ou non, s'ils pensent avoir trouvé le coupable, si la solution était trop facile, trop difficile, etc.

- Prévoyez plusieurs exemplaires de certains des romans si vous décidez d'étudier un auteur en particulier. Prévoyez aussi plusieurs romans policiers pour la lecture « livromagique ».

- Pour l'animation de la série des Notdog de Sylvie Desrosiers, je prépare quatre grands dessins : un de chacun des membres des inséparables (Jocelyne, Agnès et John) et un du fameux chien Notdog.

JOUR 1 · Bloc A (60 min)

1. Comme toujours, j'aime que les enfants découvrent eux-mêmes les caractéristiques d'un genre. Chaque fois, ils s'aperçoivent qu'ils en connaissent beaucoup plus qu'ils ne le pensent. Réaliser cela les rassure sur leur capacité de lecteur. Cette fois encore, les enfants disent tout ce qu'ils savent du roman policier. S'ils n'en ont pas lu, ils ont vu des films policiers au cinéma ou à la télévision. Inscrivez leurs réponses sur des bandes et agrafez-les au tableau d'affichage intitulé *Un roman policier c'est...*

2. Ensuite, organisez l'activité « On forme des équipes de trois » (p. 35). Comme matériel, j'utilise les titres du recueil *L'affaire Léandre et autres nouvelles policières*, le nom d'un ou de plusieurs personnages et le premier paragraphe. Une fois les équipes formées, partez à la découverte de ces récits.

En petits groupes les enfants remplissent une grille où le type d'activités, de personnages et de lieux est étudié. Certaines équipes peuvent travailler sur une même nouvelle. Les enfants pourront ainsi mieux comparer leurs résultats et s'entraider au besoin.

Activités principales	personnages	lieux

Au retour en grand groupe, comparez les résultats obtenus sur le tableau d'observation avec ce que les enfants ont dit précédemment. Il devrait normalement y avoir plusieurs similitudes.

3. Je finis la séance par la lecture et l'animation d'un petit roman policier, *Les doigts rouges* par exemple.

1. Vous pouvez animer cette section un peu plus tard dans la journée. Je mets à la disposition des enfants une série de romans policiers. Vous retrouverez une bibliographie à la fin de cette section. La meilleure bibliographie demeure toujours celle de votre bibliothécaire, les livres étant déjà sur les tablettes. Je vous conseille l'activité «Je veux ma page couverture!» (p. 15)

2. Présentation du passeport ou du journal et explication de l'usage possible de ces outils.

Les enfants peuvent, s'ils le désirent, inclure les nouvelles qu'ils ont lues au début de la séance de littérature. Chaque jour, ils seront invités à y inscrire leurs impressions de lecture.

3. Lecture «livromagique» pendant une quinzaine de minutes (lecture autonome). Ensuite, si vous avez opté pour le journal de lecture, demandez aux élèves d'écrire une ou deux phrases commentant ce qu'ils viennent de lire.

1. Lecture et animation du petit roman *Qui a tué Minou-Bonbon?*
   - Amorce: Qui ou que pourrait être Minou-Bonbon?
   - Anticipation: Présentez le livre et prédisez son contenu d'après le résumé.
   - Pendant la lecture: Lisez et arrêtez-vous de temps en temps pour essayer de trouver qui est le coupable, si vous êtes d'accord avec le détective.
   - Retour sur la lecture: Est-ce que nos suppositions étaient bonnes ou non? Est-ce qu'il y avait assez d'indices pour nous permettre de trouver le coupable?

2. Fiche reproductible n° 26 *Résumé en tableau*. On peut la compléter en grand groupe ou en équipes. Une fois le tableau terminé, il est facile de voir la construction du récit. Pour avoir un roman policier traditionnel, il manque une seule partie: celle qui concerne la discussion des arguments à la fin. Vous pouvez, si vous le désirez, ajouter cette partie manquante sur le tableau d'affichage commencé la veille *Un roman policier, c'est...* Vous devriez maintenant avoir les quatre étapes qui construisent un roman policier en plus de quelques indications sur le contenu de l'intrigue, selon les directives de Van Dine. Il n'est évidemment pas nécessaire de les trouver toutes.

1. Lecture «livromagique» pendant 15 min.

2. **Groupes de lecture.** (*Voir festival fantastique.*) Discussion sur la lecture pendant 5 min.

Banque d'activités

Maintenant que le « spécial policier » est lancé, voici une banque d'activités possibles. Vous les choisissez pour répondre à vos besoins et à ceux de votre clientèle. Tous les jours, je lis à haute voix à mes élèves, pendant au moins 15 min un roman policier et eux aussi lisent pendant une quinzaine de minutes (lecture « livromagique »). J'aime bien rencontrer les groupes de lecture quotidiennement.

1. Pour varier votre lecture à haute voix, reprenez l'activité n° 26, « Continue tout seul » (p. 24).
2. Vous pouvez leur lancer un défi de lecture. (*Voir p. 8.*)
3. Vous pouvez reprendre l'activité « On compare deux héros » (p. 68).
4. Vous pouvez mettre fin à ce festival en invitant un vrai détective dans votre classe, en écrivant à votre détective fictif préféré ou à votre auteur de romans policiers de prédilection, même s'il est mort.

ACTIVITÉ 109 — Durée : 40 min

📖 Fiches signalétiques

Objectifs	3, 6 et 9
Matériel	• Petits romans policiers • Fiche n° 32 *Fiche signalétique*

Chaque équipe lit un roman différent. Ces livres peuvent être ou non du même auteur. On obtient cependant un meilleur portrait si tous les enfants travaillent sur le même détective. Si les élèves choisissent des détectives différents, ils peuvent les comparer par la suite, ce qui peut aussi être intéressant ! Dans un premier temps, les enfants lisent des nouvelles ou des petits romans et poursuivent leur travail en remplissant la fiche signalétique. Le travail se termine par une mise en commun des résultats.

ACTIVITÉ 110 — Durée : 1 ou 2 sessions de 30 min

📖📖 Qui est le coupable ?

Objectifs	Objectifs en art dramatique : improvisation, jeux de rôles
Matériel	Fiches signalétiques déjà faites auparavant

Animez une session d'art dramatique. Il faut un crime, un lieu et un ou deux personnages secondaires. Divisez votre groupe en équipes de trois ou quatre enfants. Chaque équipe prépare la mise en scène d'un crime. L'élément inconnu : les détectives. Au moment de la présentation, un membre de l'équipe expose le crime, présente sommairement les personnages entourant la victime. Les deux détectives seront choisis au hasard. Les enfants sélectionnés pigeront à leur tour la fiche signalétique d'un détective [réalisée au cours de l'activité «Fiches signalétiques» (p. 179)]. Ils devront adopter le comportement de ces personnages pour résoudre le crime.

ACTIVITÉ 111   **Durée : 30 min**

📖 Les grands esprits se rencontrent

Objectifs	2 et 4

Matériel	• Chapeau ou boîte • Noms de détectives sur de petits cartons

Mettez dans un chapeau tous les noms de détectives que vous avez rencontrés au cours de vos lectures. Vous allez simuler la rencontre de deux détectives à la cafétéria du service de police. Chaque participant ou participante pige un nom dans le chapeau. Sans se présenter, les détectives discutent de leur dernière enquête. D'après la conversation, l'assistance ou l'autre détective doit essayer de deviner qui est son interlocuteur. Pour cela, il faut bien sûr avoir lu au moins un livre où ce détective enquête afin de pouvoir raconter sa dernière affaire.

ACTIVITÉ 112   **Durée : 30 min**

📖 Nouveaux détectives

Objectif	Objectif en expression écrite: description de personnages

Matériel	Fiche n° 32 *Fiche signalétique*

Après avoir rempli des fiches sur des détectives dont on a lu les aventures, pourquoi ne pas créer un détective à partir de cette fiche et le dessiner par la suite? Cette activité peut se faire individuellement ou en équipe.
Une fois la partie création terminée, faites une présentation des nouveaux détectives de l'agence.

Durée : 3 ou 4 sessions de 40 min

ACTIVITÉ 113

📖📖 Écrire un roman policier

Objectif	Objectif en expression écrite: rédaction d'une nouvelle policière

Vous pouvez maintenant clore ce «spécial policier» en rédigeant une nouvelle policière. Vous avez toujours le choix d'en écrire une collectivement, en équipe ou individuellement. Voici quelques étapes qui vous aideront peut-être à débuter et à diriger la période d'écriture :

1. Invention de l'énigme : Choix du crime et du coupable. Il faut trouver la solution avant d'écrire afin de pouvoir laisser des indices au lecteur en cours d'écriture.

2. Choix du détective : vous pouvez utiliser les détectives que vous avez créés avec l'activité «Nouveaux détectives» (p. 180).

3. Début de la période d'écriture : Situation initiale : présentation des différents personnages impliqués, du lieu et même de certaines circonstances. Vous pouvez relire le début de quelques romans pour vous aider à amorcer vos histoires.

4. Énoncé du problème : Le crime a eu lieu et le détective arrive sur les lieux.

5. Présentation des indices remarqués sur les lieux du délit.

6. Développement de l'enquête avec présentation des indices conduisant à la solution. En mentionner également d'autres pouvant induire les lecteurs en erreur.

7. Présentation de la solution et découverte du ou de la coupable.

8. Discussion des indices et fin.

Suivre les traces d'un auteur de roman policier

Vous pouvez décider d'étudier un auteur particulier. J'avais choisi moi-même la série des Notdog de Sylvie Desrosiers. Ces livres sont tous parus aux éditions de la courte échelle dans la collection «Roman Jeunesse». Il y en a maintenant onze :

La patte dans le sac, Qui a peur des fantômes ?, Le mystère du lac Carré, Où sont passés les dinosaures ?, Méfiez-vous des monstres marins, Mais qui va trouver le trésor ?, Faut-il croire en la magie ?, Les princes ne sont pas tous charmants, Qui veut entrer dans la légende ?, La fille venue du froid, Qui a déjà touché à un vrai tigre ?.

L'écriture de l'auteure évolue au fil des romans. Le style strictement policier du début glisse maintenant tout doucement vers le fantastique. Ainsi, dans son premier roman, *La patte dans le sac*, nous retrouvons la majeure partie des ingrédients du roman policier classique et nous obtenons un petit roman bien construit. Si l'enquête est mince, suivre le narrateur s'avère malgré tout intéressant. En effet, il fait semblant de tout nous dire, de tout savoir mais, en réalité, il nous cache des pensées pertinentes à la résolution de l'enquête. Il sélectionne minutieusement ce qu'il nous transmet. *La fille venue du froid* met en scène une jeune fille bien étrange, mi-humaine, mi-louve. Lorsqu'elle rencontre John, elle se trouve à l'étape du choix entre ses deux natures. Nous nous trouvons en présence d'un roman hybride, mi-policier, mi-fantastique. Il est intéressant d'étudier avec les enfants cette évolution, ce glissement d'un genre à un autre, d'un roman à l'autre. On y retrouve une constance cependant : nos trois inséparables amis et le fameux Notdog sont toujours appelés à mener une enquête.

Une banque d'activités pour l'animation de la série de Notdog

Dans une journée type, je réserve toujours une partie à l'animation et à la lecture à haute voix, et une autre à la lecture « livromagique ». Ma démarche ressemble à celle adoptée dans le « festival fantastique ».

1. Lecture à haute voix : Je me réserve la lecture de *La patte dans le sac*, le premier de la série. Quand nous en avons terminé la lecture, nous pouvons constater qu'il s'inscrit dans la pure tradition du roman policier. Dans ce premier livre, il est aussi intéressant d'espionner le narrateur... Quelles sont les pensées qu'il nous révèle et quelles sont celles qu'il nous cache ? Comment réussit-il à nous manipuler ?

Commentaire

Comme retour sur la lecture, vous pouvez remplir peu à peu la fiche reproductible n° 26 *Résumé en tableau*. ■

2. Lecture en chœur : Plutôt que de lire toute seule, étant donné qu'il y a beaucoup de dialogues, je me fais aider par les enfants. Je nomme des enfants qui joueront les rôles des différents protagonistes de l'histoire. Je m'attribue celui du narrateur.

3. Écriture en parallèle : À la fin de chaque période de lecture à haute voix, demandez aux enfants d'écrire le chapitre suivant. Le lendemain, vous commencez par la lecture de quelques chapitres inventés par les élèves.

ACTIVITÉ 114

Durée : 5 sessions de 30 min

📖📖 Évolution d'un auteur

Objectifs	2, 5 et 6
Matériel	Fiche n° 26 *Résumé en tableau*

Groupez vos élèves en équipes. Chaque équipe doit lire un roman de la série des Notdog. Tous les jours, les enfants se rencontrent pour discuter de leur lecture et remplir la fiche n° 26 *Résumé en tableau*. Les plus faibles se font aider par les autres membres de l'équipe.

À la fin de la semaine, on fait une mise en commun. Je vous conseille de présenter les livres dans l'ordre de leur parution afin de mieux vous rendre compte de la progression. Les équipes peuvent se servir de leur fiche de travail pour faire leur présentation ou tout simplement résumer leur lecture en omettant la fin, évidemment. En comparant les différents éléments de ces récits, les enfants perçoivent le glissement de l'auteure vers le fantastique.

ACTIVITÉ 115

📖📖 Portrait de bande

Objectif	3
Matériel	Affiches des héros de ces romans : Jocelyne, Agnès, John et Notdog

Au fur et à mesure de la lecture de ces romans, les enfants écrivent leurs remarques sur les différents personnages du groupe sur des bandes de papier et les agrafent aux affiches. Ainsi, au bout d'une semaine, nous avons un portrait assez clair de leur personnalité. Bien entendu, il ne faut pas oublier le chien.

ACTIVITÉ 116

📖📖 Qui est coupable ? (variante)

Objectifs	Objectifs en art dramatique : improvisation, jeux de rôles
Matériel	Résultat de l'activité « Portrait de bande »

Réutilisez les connaissances acquises sur nos quatre héros dans un jeu de création. Cette fois-ci, les détectives sont connus. Les équipes décident toujours du crime, du lieu et des personnages secondaires. Comment résoudront-ils cette nouvelle énigme au moment de la mise en scène ? Cette activité peut se prolonger par l'écriture collective d'un nouveau roman de la série.

ACTIVITÉ 117

📖📖 On compare deux héros (variante)

Objectifs	3 et 9
Matériel	Fiche n° 20 *On compare les héros*, transformée en *On compare deux bandes*

Reprenez l'activité « On compare deux héros », (p. 68) mais, cette fois-ci, comparez des bandes. La bande de Notdog et de ses amis a déjà été bien étudiée. Allez voir les romans de la bande des cinq écrits par Enid Blyton. Je donne un roman à lire par équipe. Cela signifie que je prolonge le travail d'une autre semaine. Cette fois-ci, les élèves n'ont pas à analyser le roman, seulement à examiner les personnages de Blyton. Vous allez faire des trouvailles intéressantes. Les temps ont peut-être changé...

Conclusion

Bien sûr, il reste encore beaucoup de genres littéraires à exploiter. Qu'on pense aux fables, aux romans d'amour, d'aventures, etc. Avec les activités présentées dans ce dernier chapitre, j'espère que la notion de genre vous est devenue plus limpide.

En étant ainsi exposés à différents types de récits, les jeunes lecteurs acquièrent plus de talent à dépister les indices qu'ils rencontreront au cours de leur lecture. Sans avoir à savoir par cœur ce qu'est la structure du roman policier, ils ont maintenant des attentes, ils le reconnaissent dès les premières phrases. Les livres deviennent un terrain connu où les enfants se sentent peut-être dorénavant plus à l'aise et plus confiants à leur contact. Cela ne veut pas dire qu'ils aimeront automatiquement tous les genres que vous leur présenterez, mais ils seront moins récalcitrants à les lire. Ils auront été sensibilisés à plusieurs genres et seront mieux outillés pour préciser leurs goûts littéraires.

Par-dessus tout, lire devient une activité qu'ils ont le goût de pratiquer plus souvent. J'adore enseigner les mathématiques et être obligée de demander à certains élèves de ranger leur livre de lecture ! Ça me prouve que j'ai réussi. Ils aiment lire.

FICHE 24 Autrefois - Aujourd'hui

Nom : _____

Inscris dans la première colonne les objets que l'on retrouvait autrefois et, dans la seconde colonne, ceux qui les remplacent aujourd'hui.

Titre du livre : _____

Autrefois	Aujourd'hui
1-	
2-	
3-	
4-	
5-	
6-	
7-	
8-	
9-	
10-	

Nom : _____

Remplis le tableau suivant pour résumer les actions qui se déroulent dans ton livre.

Titre du livre : _____   **Wagon :** _____

Où ? _____   Quand ? _____

Qui ?

_____

Fait quoi ?

_____

_____

_____

_____

_____

Comment ?

_____

_____

_____

Pourquoi ?

_____

_____

_____

_____

_____

Résumé en tableau

Nom : _____

Remplis le tableau suivant pour résumer les actions qui se déroulent dans ton livre.

Titre du livre : _____

Mot clé	_____ _____
Où ?	_____ _____
Quand ?	_____ _____
Qui ?	_____ _____
Quoi ?	_____ _____
Comment ?	_____ _____
Pourquoi ?	_____ _____

FiCHE 27   Qui raconte cette histoire ?

Nom : _____

Titre du livre : _____

Portrait-robot du narrateur d'après les indices trouvés

Les indices trouvés sur le narrateur

_____
_____
_____
_____
_____
_____
_____
_____
_____
_____
_____
_____
_____
_____
_____

Chapitre 4

✂

Festival Robert Munsch

Album de souvenirs

Nom : _____

✂

Titre du livre : _____

Drôles de bruits : _____

Ce que j'ai aimé dans cet album

_____

_____

_____

_____

Album de souvenirs, pages intérieures de l'album.
À monter sur une feuille format légal et à photocopier recto verso.

Chapitre 4

Résumés	Titres
Si votre père était somnambule et que, la nuit venue, il se promenait un peu partout, que feriez-vous? Guillaume a vécu ce problème et a même trouvé une solution aux promenades nocturnes de son père.	
Pour son anniversaire, Josiane fait un vœu, puis elle souffle les bougies de son gâteau. Comme par magie, ses souhaits se réalisent.	
Adèle est fâchée. À l'école, tout le monde la copie, même la maîtresse. Jusqu'au jour où... Une histoire échevelée et pleine de fantaisie.	
Chaque fois que l'on demande à Pascal s'il veut aller faire pipi, celui-ci répond non. Jusqu'à ce que...	
Jonathan découvre une station de métro un peu bizarre.	
Du nouveau dans le quartier? Eh oui! c'est le papa de David. Il mange énormément et il est très gentil.	
Lucie habite une ferme et son père élève des cochons. Elle croit que ces animaux sont stupides. Mais attention...	
C'est l'anniversaire de Mireille. Et elle demande à ses parents d'inviter toute l'école.	
L'hiver, il faut bien se résigner à porter des vêtements chauds. Mais Thomas ne l'entend pas ainsi.	
Quand Benjamin amène sa petite sœur à l'école, tout va bien jusqu'au moment où elle se met à crier, crier, crier...	

Schéma de récit comportant plusieurs épisodes

Titre de l'album : _____

1. Mise en situation

Personnages : _____

Temps : _____

Lieu : _____

Situation de départ : _____

2. Démarrage

_____

_____

3. L'intrigue

Premier événement :

_____

_____

Deuxième événement :

_____

_____

Troisième événement :

_____

_____

4. Conséquences

_____

_____

5. Fin de l'histoire

_____

_____

Nom du personnage : _____

Nom du livre : _____

Dessine le personnage que tu as suivi et écris au moins trois ou quatre choses que tu as apprises sur lui dans ce livre.

_____

_____

_____

_____

_____

_____

_____

_____

_____

_____

_____

Nom : _____

Fiche signalétique de :
_____
Titre du livre : _____

1. Traits physiques : _____

_____

2. Talents intellectuels : _____

_____

3. Qualités et défauts importants : _____

_____

4. Goûts particuliers ou manies : _____

_____

5. Objet de prédilection : _____

_____

6. Biographie sommaire : _____

_____

7. Entourage : _____

_____

Récits fantastiques

BROWNE, Anthony. *Tout change*. Paris, Kaléidoscope, 1990.

CHABIN, Laurent. *L'argol et autres nouvelles curieuses,* ill. Jocelyne Bouchard. Waterloo, Michel Quintin, coll. « Nature jeunesse », 1997.

CHABIN, Laurent. *L'œil du toucan*, ill. Rémy Simard. Montréal, Boréal, coll. « Boréal junior », 1998.

CHABIN, Laurent. *Le rêveur polaire*, ill. Luc Mélançon. Montréal, Boréal, coll. « Boréal junior », 1996.

DAHL, Roald. *Sacrées sorcières*, ill. Quentin Blake, trad. Marie-Raymond Farré. Paris, Gallimard, coll. « Folio junior », 1994.

DELERM, Philippe. *Sortilège au Muséum*. Paris, Magnard Jeunesse, coll. « Les fantastiques », 1996.

DUCHESNE, Christiane. *Le bonnet bleu*, ill. Béatrice Leclercq. Montréal, Hurtubise HMH, coll. « Plus », 1998.

ENDE, Michael. *L'histoire sans fin*. Paris, Le livre de poche, 1984.

HÉBERT, Marie-Francine. *Un blouson dans la peau*. Montréal, Les éditions de la courte échelle, coll. « Premier roman », 1989.

HÉBERT, Marie-Francine. *Un crocodile dans la baignoire*. Montréal, Les éditions de la courte échelle, coll. « Premier roman », 1993.

HÉBERT, Marie-Francine. *Un dragon dans les pattes*. Montréal, Les éditions de la courte échelle, coll. « Premier roman », 1997.

HÉBERT, Marie-Francine. *Un fantôme dans le miroir*. Montréal, Les éditions de la courte échelle, coll. « Premier roman », 1991.

HÉBERT, Marie-Francine. *Un monstre dans les céréales*. Montréal, Les éditions de la courte échelle, coll. « Premier roman », 1988.

HÉBERT, Marie-Francine. *Un oiseau dans la tête*. Montréal, Les éditions de la courte échelle, coll. « Premier roman », 1997.

HÉBERT, Marie-Francine. *Une maison dans la baleine*. Montréal, Les éditions de la courte échelle, coll. « Premier roman », 1995.

HÉBERT, Marie-Francine. *Une sorcière dans la soupe*. Montréal, Les éditions de la courte échelle, coll. « Premier roman », 1990.

HÉBERT, Marie-Francine. *Une tempête dans un verre d'eau*. Montréal, Les éditions de la courte échelle, coll. « Premier roman », 1989.

HUBERT-RICHOU, Gérard. *Maudite épave*. Paris, Magnard Jeunesse, coll. « Les fantastiques », 1998.

LANGLOIS, Alain. *La garde-robe démoniaque*, ill. Rémy Simard. Montréal, Pierre Tisseyre, coll. « Papillon », 1998.

MARQUIS, André. *Un navire dans une bouteille*, ill. Natacha Sangalli. Montréal, Tryptique, 1998.

NADJA. *La petite fille du livre*. Paris, L'école des loisirs, 1997.

OTTLEY, Matt. *La nuit de Faust*. Paris, Kaléidoscope, 1996.

PAPINEAU, Lucie. *Casse-Noisette*, ill. Stéphane Jorish. Saint-Lambert (Québec), Héritage, 1996.

SERNINE, Daniel. *La magicienne bleue*. Montréal, Pierre Tisseyre, coll. « Papillon », 1991.

SHELDON, Dyan. *Le chant des baleines*, ill. Gary Blythe. Paris, Pastel, L'école des loisirs, 1990.

STAPLES LEWIS, Clives. *L'armoire magique*, trad. Anne-Marie Dalmais. Paris, Flammarion, coll. « Castor poche junior », 1989.

TESTA, Nicole, ill. de Stéphane Jorisch. *L'œil de la nuit*. Saint-Lambert (Québec), Héritage, coll. « Libellule », 1998.

VAN ALLSBURG, Chris. *Jumanji*. Paris, L'école des loisirs, 1983.

VAN ALLSBURG, Chris. *Les mystères de Harris Burdick*. Paris, L'école des loisirs, 1985.

Récits policiers

BRIÈRE, Paule. *Vol chez Maître Corbeau*, ill. Jean Morin. Montréal, Boréal, coll. « Boréal Maboul », série « Les Enquêtes de Joséphine la Fouine », 1998.

CHABIN, Laurent. *L'araignée souriante*. Montréal, Hurtubise HMH, coll. « Plus », 1998.

CHABIN, Laurent. *L'assassin impossible*. Montréal, Hurtubise HMH, coll. « Atout », 1997.

CHABIN, Laurent. *Sang d'encre*. Montréal, Hurtubise HMH, coll. « Atout policier », 1998.

COLLECTIF. *L'affaire Léandre et autres nouvelles policières*. Montréal, Pierre Tisseyre, coll. « Conquête », 1987.

CONVARD, Didier. *Les trois crimes d'Anubis*. Paris, Magnard jeunesse, coll. « Les policiers », 1997.

DAVIDTS, Robert. *Les parfums font du pétard*. Montréal, coll. « Boréal Junior », 1992.

DESROSIERS, Sylvie. *Faut-il croire en la magie ?*, ill. Daniel Sylvestre. Montréal, Les éditions de la courte échelle, coll. « Roman Jeunesse », série Notdog.

DESROSIERS, Sylvie. *La fille venue du froid*, ill. Daniel Sylvestre. Montréal, Les éditions de la courte échelle, coll. « Roman Jeunesse », série Notdog.

DESROSIERS, Sylvie. *La patte dans le sac*, ill. Daniel Sylvestre. Montréal, Les éditions de la courte échelle, coll. « Roman Jeunesse », série Notdog.

DESROSIERS, Sylvie. *Le mystère du lac Carré*, ill. Daniel Sylvestre. Montréal, Les éditions de la courte échelle, coll. « Roman Jeunesse », série Notdog.

DESROSIERS, Sylvie. *Les princes ne sont pas tous charmants*, ill. Daniel Sylvestre. Montréal, Les éditions de la courte échelle, coll. « Roman Jeunesse », série Nodog.

DESROSIERS, Sylvie. *Mais qui va trouver le trésor ?*, ill. Daniel Sylvestre. Montréal, Les éditions de la courte échelle, coll. « Roman Jeunesse », série Notdog.

DESROSIERS, Sylvie. *Méfiez-vous des monstres marins*, ill. Daniel Sylvestre. Montréal, Les éditions de la courte échelle, coll. « Roman Jeunesse », série Notdog.

DESROSIERS, Sylvie. *Où sont passés les dinosaures ?*, ill. Daniel Sylvestre. Montréal, Les éditions de la courte échelle, coll. « Roman Jeunesse », série Notdog.

DESROSIERS, Sylvie. *Qui a déjà touché à un vrai tigre ?*, ill. Daniel Sylvestre. Montréal, Les éditions de la courte échelle, coll. « Roman Jeunesse », série Notdog.

DESROSIERS, Sylvie. *Qui a peur des fantômes ?*, ill. Daniel Sylvestre. Montréal, Les éditions de la courte échelle, coll. « Roman Jeunesse », série Notdog.

DESROSIERS, Sylvie. *Qui veut entrer dans la légende ?*, ill. Daniel Sylvestre. Montréal, Les éditions de la courte échelle, coll. « Roman Jeunesse », série Notdog.

GUILLET, Jean-Pierre. *Enquête sur la falaise*. Michel Quintin, coll. « Nature jeunesse », 1992.

GUILLET, Jean-Pierre. *Mystère aux Îles-de-la-Madeleine*. Waterloo, Michel Quintin, coll. « Nature jeunesse ».

GUINAND-BOCKSBERGER, Corinne. *L'affaire des bijoux*, ill. Hervé Blondon. Paris, Épigones, coll. « Maximômes », 1994.

MAJOR, Henriette. *Sophie et le monstre aux grands pieds*, ill. Garnotte. Saint-Lambert (Québec), Héritage, coll. « Pour lire avec toi », 1988.

PÉRIGOT, Joseph. *Qui a tué Minou-Bonbon ?*, ill. Frédéric Rébéna. Paris, Syros, coll. « Souris noire », 1986.

SOULIÈRES, Robert. *Un cadavre de classe*. Montréal, Soulières, coll. « Graffiti », 1997.

VAN Dine *in* boileau-Narcejac, Le roman-policier, Paris, Petite Bibliothèque Payot, 1964, p. 106-113.

VILLARD, Marc. *Les doigts rouges*, ill. Loustal. Paris, Syros, coll. « Souris noire ».

Contes

CLÉMENT, Claude. *L'Homme qui allumait les étoiles*, ill. John Howe. Paris, Casterman, 1993.

DEDIEU, Thierry. *Feng, fils du vent*. Paris, Seuil, 1995.

DEDIEU, Thierry. *Yakouba*. Paris, Seuil, 1994.

ESTERL, Arnica. *Les plumes du dragon*, ill. Olga et Andrej Dugin. Paris, Casterman, 1994.

FARIBAULT, Marthe. *Le petit Chaperon rouge*, ill. Mireille Levert. Saint-Lambert (Québec), Héritage jeunesse, 1995.

GAY, Marie-Louise. *Les trois petits cochons*. Saint-Lambert (Québec), Héritage jeunesse, 1994.

GILMAN, Phoebe. *Un merveilleux petit rien*, trad. Marie-Andrée Clermont. Richmond Hill (Ontario), Scholastic Canada, 1992.

GRAVEL GALOUCHKO, Annouchka. *Sho et les dragons d'eau*. Willowdale (Ontario), Annick Press, 1995.

JESSEL, Tim. *Amorak*, Toulouse, éd. Milan, 1994.

KRAUSS MELMED, Laura. *Les bébés de lune*, ill. Jim Lamarche. Paris, Bayard, 1995.

KRYLORLA, Vladyana. *Le chandelier géant*, ill. Rafe Martin, trad. Christiane Duchesne. Richmond Hill (Ontario), Scholastic Canada, 1993.

MACGILL-CALLAHAN, Sheila. *Les enfants de Lir*, ill. Gennadij Spirin, trad. Arnaud de la Croix. Paris, Les albums Duculot, Casterman, 1993.

TIMMERMANS, Félix. *Un bateau du ciel*, ill. Stéphane Poulin, trad. Jean Fugère. Laval, Les 400 coups, coll. « Les grands albums », 1998.

WOLF, Gita. *Mala et la perle de pluie*, ill. Annouchka Gravel Galouchko. Willowdale, (Ontario), Annick Press, 1996.

YAKO. *Le chasseur d'arc-en-ciel*. Laval, Les 400 coups, coll. « Monstres, Sorcières, et autres Fééries », 1998.

Contes à saveur écologique

DUCHESNE, Christiane. *Un dessin pour Tara*, ill. Pierre Pratt. Hull, éd. Jeunesse, Agence canadienne de développement international, 1989.

ECO, Umberto. *Les Gnomes de Gnou*, ill. Eugenio Carmi. s. l., Grasset & Fasquelle, coll. « Grasset jeunesse », 1993.

GRAVEL GALOUCHKO, Annouchka. *Le jardin de monsieur Préfontaine*. Laval, Les 400 coups, coll. « Les grands albums », 1997.

GUILLET, Jean-Pierre. *La fête à l'eau*, ill. Gilles Tibo. Waterloo, Michel Quintin, coll. « Contes écologiques », 1993.

GUILLET, Jean-Pierre. *La machine à bulles*, ill. Gilles Tibo. Waterloo, Michel Quintin, coll. « Contes écologiques », 1994.

GUILLET, Jean-Pierre. *La poudre magique*, ill. Gilles Tibo. Waterloo, Michel Quintin, coll. « Contes écologiques », 1992.

VIGNEAULT, Gilles. *Gaya et le petit désert*, ill. Jacques A. Blanpain. Montréal, Nouvelles éditions de l'Arc, coll. « Histoires à conter dans la main », 1994.

Contes réinventés

BICHONNIER, Henriette. *Le monstre poilu*, ill. Pef. Paris, Gallimard, coll. « Folio benjamin », 1982.

CALMENSON, Stéphanie. *Le nouvel habit du directeur*, ill. Denise Brunkus. Richmond Hill (Ontario), Scholastic Canada, 1991.

CARDUCCI, Lisa. *Chèvres et loups*, ill. Béatrice Leclercq. Montréal, Hurtubise HMH, coll. « Plus », 1996.

DELAUNOIS, Angèle. *La chèvre de Monsieur Potvin*, ill. Philippe Germain. Saint-Lambert (Québec), Soulières, coll. « Ma petite vache a mal aux pattes », 1997.

DELAUNOIS, Angèle. *Les trois petits sagouins*, ill. Philippe Germain. Montréal, Pierre Tisseyre, coll. « Sésame », 1998.

DUBÉ, Jasmine. *Le petit Capuchon rouge*, ill. Doris Barrette. Saint-Hubert (Québec), Les éditions du Raton Laveur, 1992.

DUBÉ, Jasmine. *Le petit Capuchon rouge*, ill. Doris Barette. Saint-Hubert (Québec), Le Raton Laveur, 1992.

LAVERDURE, Daniel, ill. Magali. *Princesse Éloise cherche prince charmant*. Montréal, Pierre Tisseyre, coll. « Coccinelle », 1990.

MUNSCH, Robert. *La princesse dans une robe de papier*, ill. Michael Marchenko. Richmond Hill (Ontario), Scholastic Canada, 1980.

RENO, Alain. *Un Tartare pour le bonhomme Sept Heures*. Laval, Les 400 coups, coll. « Monstres, Sorcières et autres Fééries », 1997.

SOLOTAREFF, Grégoire, *Le petit Chaperon vert*, ill. Nadja. Paris, L'école des loisirs, coll. « Renardeau », 1989.

Récits à structure répétitive

BOJANOWSKI, Nathalie-Anne. *Si j'étais un animal*, ill. Benoît Laverdière. Saint-Hubert (Québec), Le Raton Laveur, 1997.

GILMAN, Phoebe. *Un merveilleux petit rien!*, trad. Marie-Andrée Clermont. Richmond Hill (Ontario), Scholastic Canada, 1992.

REES, Mary. *Dix dans un lit*. Paris, Nathan, 1988.

Autres

ANFOUSSE, Ginette. *Devine*. Montréal, Les éditions de la courte échelle.

ANFOUSSE, Ginette. *Je boude*. Montréal, Les éditions de la courte échelle.

ANFOUSSE, Ginette. *L'école*. Montréal, Les éditions de la courte échelle.

ANFOUSSE, Ginette. *La cachette*. Montréal, Les éditions de la courte échelle.

ANFOUSSE, Ginette. *Le savon*. Montréal, Les éditions de la courte échelle.

BITTNER, Wolfgang. *Les grizzlis au lit*, ill. Gusti, trad. Michelle Nikly. s. l., Nord-Sud, 1996.

BOUJON, Claude. *La brouille*. Paris, L'école des loisirs, coll. « Lutins poche », 1989.

BLYTON, Enid. Paris, Hachette, coll. « Bibliothèque rose »

BOURGEOIS, Paulette. *Un nouvel ami pour Benjamin*, ill. Brenda Clark, trad. Christiane Duchesne. Richmond Hill (Ontario), Scholastic Canada, 1997.

BRAMI, Elisabeth. *Les deux arbres*, ill. Christophe Blain. Paris, Casterman, 1997.

BROWNE, Anthony. *Une histoire à quatre voix*. Paris, Kaléidoscope, 1998.

CARRIER, Roch. *Le chandail de hockey*, ill. Sheldon Cohen. Toronto, Livres Toundra, 1984.

CARRIER, Roch. *Le joueur de basket-ball*, ill. Sheldon Cohen. Toronto, Livres Toundra, 1996.

CARRIER, Roch. *Le plus long circuit*, ill. Sheldon Cohen. Toronto, Livres Toundra, 1991.

CARRIER, Roch. *Un champion*, ill. Sheldon Cohen. Toronto, Livres Toundra, 1991.

CARROLL, Lewis. *Tout Alice*, trad. Henri Parisot. Paris, GF-Flammarion, 1979.

CORTAZAR, Julio. *Les armes secrètes*. Paris, Gallimard, coll. « Folio », n° 448, 1963.

CREIGHTON, Jill. *L'heure des poules*, ill. Pierre-Paul Pariseau, trad. Christiane Duchesne. Richmond Hill (Ontario), Scholastic Canada, 1995.

DAVIDTS, Robert. *Le trésor de Luigi*. Montréal, coll. « Boréal Junior », 1993.

DUBÉ, Pierrette. *Au lit princesse Émilie*, ill. Yayo. Laval, Le Raton Laveur, 1995.

FARMER, Patti. *A. A. aime H. H.*, ill. Daniel Sylvestre, trad. Cécile Gagnon. Richmond Hill (Ontario), Scholastic Canada, 1998.

FRANCIA, Silvia. *Les vacances de Roberta*. Paris, Seuil Jeunesse, 1996.

GAUTHIER, Bertrand. *Zunik dans La pleine lune*, ill. Daniel Sylvestre. Montréal, Les éditions de la courte échelle.

GAUTHIER, Bertrand. *Zunik dans Le championnat*, ill. Daniel Sylvestre. Montréal, Les éditions de la courte échelle.

GAUTHIER, Bertrand. *Zunik dans Le chouchou*, ill. Daniel Sylvestre. Montréal, Les éditions de la courte échelle.

GAUTHIER, Bertrand. *Zunik dans Le dragon*, ill. Daniel Sylvestre. Montréal, Les éditions de la courte échelle.

GAUTHIER, Bertrand. *Zunik dans Le grand magicien*, ill. Daniel Sylvestre. Montréal, Les éditions de la courte échelle.

GAUTHIER, Bertrand. *Zunik dans Le rendez-vous*, ill. Daniel Sylvestre. Montréal, Les éditions de la courte échelle.

GAUTHIER, Bertrand. *Zunik dans Le spectacle*, ill. Daniel Sylvestre. Montréal, Les éditions de la courte échelle.

GAUTHIER, Bertrand. *Zunik dans Le wawazonzon*, ill. Daniel Sylvestre. Montréal, Les éditions de la courte échelle.

GAUTHIER, Bertrand. *Zunik dans Je suis Zunik*, ill. Daniel Sylvestre. Montréal, Les éditions de la courte échelle.

GAY, Marie-Louise. *Magie d'un jour de pluie*. Saint-Lambert (Québec), Héritage, 1986.

JOLIN, Dominique. *Au cinéma avec papa*, Saint-Hubert (Québec), Le Raton Laveur, 1991.

JOLIN, Dominique. *Le bobo de Toupie*. Saint-Lambert (Québec), Dominique et cie, coll. « Chatouille ».

JOLIN, Dominique. *Toupie a peur*. Saint-Lambert (Québec), Dominique et cie, coll. « Chatouille ».

JOLIN, Dominique. *Toupie dit Bonne nuit*. Saint-Lambert (Québec), Dominique et cie, coll. « Chatouille ».

JOLIN, Dominique. *Toupie joue à cache-cache*. Saint-Lambert (Québec), Dominique et cie, coll. « Chatouille ».

JOLIN, Dominique. *Toupie se fâche*. Saint-Lambert (Québec), Dominique et cie, coll. « Chatouille ».

JOLIN, Dominique. *Un ami pour Toupie*. Saint-Lambert (Québec), Dominique et cie, coll. « Chatouille ».

MARI, Iela. *Mange que je te mange*. Paris, L'école des loisirs.

PONTI, Claude. *Le bébé bonbon*. Paris, L'école des Loisirs, 1995.

POULAIN, Stéphane. *As-tu vu Joséphine ?* Toronto, Livres Toundra, 1986.

POULAIN, Stéphane. *Peux-tu attraper Joséphine ?* Toronto, Livres Toundra, 1987.

POULAIN, Stéphane. *Pourrais-tu arrêter Joséphine ?* Toronto, Livres Toundra, 1988.

RATHMAN, Peggy. *Chloé la copieuse*, trad. Cécile Gagnon. Richmond Hill (Ontario), Scholastic Canada, 1991.

SARA. *Dans la gueule du loup*. Paris, Épigones, coll. « La langue au chat », 1990.

STEHR, Frédéric. *Coin-coin*. Paris, L'école des loisirs, coll. « Minimax », 1985.

TIBO, Gilles. *L'hiver du petit géant*. Montréal, Québec/Amérique, coll. « Mini-Bilbo », 1997.

TIBO, Gilles. *Le dodo des animaux*, ill. Sylvain Tremblay. Saint-Lambert (Québec), Héritage, coll. « Petits secrets bien gardés », 1996.

TIBO, Gilles. *Les cauchemars du petit géant*. Montréal, Québec/Amérique, coll. « Mini-Bilbo », 1997.

TIBO, Gilles. *Simon et le petit cirque*. Toronto, Livres Toundra.

TOLKIEN, John Ronald Reuel. *Bilbo le hobbit*, ill. Evelun Drouhin, trad. Francis Ledoux. Paris, Hachette, coll. « Le livre de poche Jeunesse », 1992.

VAN LAAN, Nancy. *Le beau ver dodu*, ill. Marisabina Russo. Paris, L'école des loisirs, coll. « Lutin poche », 1991.

WAGNER, Jenny. *John, Rose et le chat*, ill. Ron Brooks. Paris, Les Deux Coqs d'or, 1978.

WATSON, Joy. *Les pantoufles de grand-papa*, trad. Lucie Duchesne, ill. Wendy Hodder. Richmond Hill (Ontario), Scholastic Canada, 1988.

Références

BETTELHEIM, Bruno. *Psychanalyse des contes de fées*, trad. Théo Carlier. Paris, Robert Laffont, coll. « Pluriel », 1976.

CARRÉ, J.M. et Francis DEBYSER. *Jeu, langage et créativité, les jeux dans la classe de français*. Paris, Hachette Larousse, coll. « Le français dans le monde/B.E.L.C », 1978.

DEMERS, C. et G. TREMBLAY. *Pour une didactique renouvelée de la lecture : du cœur, des stratégies, de l'action...*, guide pédagogique. Rimouski, éd. de l'Artichaut, 1992.

DENHIÈRE, Guy et Serge BEAUDET. *Lecture, compréhension de texte et science cognitive*. Paris, P.U.F. coll. « Le Psychologue », 1992.

DUPRIEZ, Bernard. *Gradus, les procédés littéraires (dictionnaire)*. Christian Bourgeois éditeur, coll. « 10/18 », 1984.

FAYOL, Michel. *Le récit et sa construction, une approche de psychologie cognitive*. Delachaux & Niestlé Éditeurs, coll. « Actualités pédagogiques et psychologiques », 1985.

FREUD, Sigmund. *L'inquiétante étrangeté et autres essais*, trad. de Bertrand Féron. Paris, Gallimard, coll. « Folio essais », 1985.

GERVAIS, Bertrand. *Récits et actions, pour une théorie de la lecture*. Le Préambule, coll. « L'Univers des discours », 1990.

GIRARD, Martine. « Le conte : pas seulement une histoire d'enfants », *in Des livres et des jeunes*, automne 1993, n° 45, p. 14-19.

MAHEU, Sylvie-Anne *in Québec-Français*, n° 100, hiver 1996.

PELLETIER, Francine. *Initiation aux littératures de l'imaginaire*. Montréal, Médiaspaul.

PENNAC, Daniel. *Comme un roman*. Paris, Gallimard, 1992.

POULIOT, Suzanne. « Le roman historique » *in Lurelu*, vol. 18, n° 3, hiver 1996, p. 6-11.

PROPP, Vladimir. *Morphologie du conte*, trad. Marguerite Derrida et Tzvetan Todorov. Paris, Seuil (Points), coll. « Poétique » n° 12, 1965 et 1970.

RIOUX, J.-C. « Littérarité et historicité » *in Le français aujourd'hui*, vol. 73, p. 19-31.

SAINT-GELAIS, Richard. « Détections science-fictionnelles » *in Tangence*, n° 38, décembre 1992, p. 74-84.

STEINMETZ, Jean-Luc. *La littérature fantastique*. P.U.F. coll. « Que sais-je ? », n° 907, 1990.

STURGEON, Debbie. *À livres ouverts*. Montréal, Les Éditions de la Chenelière, 1994.

TODOROV, Tzvetan. « Les catégories du récit littéraire », *in Communications*, 8, *L'analyse structurale du récit*, Paris, Seuil, coll. Points, 1981.

Chenelière/Didactique

A APPRENTISSAGE

Apprendre et enseigner autrement
P. Brazeau, L. Langevin
- GUIDE D'ANIMATION
- VIDÉO N° 1 DÉCLENCHEUR
- VIDÉO N° 2 UN SERVICE-ÉCOLE POUR JEUNES À RISQUE D'ABANDON SCOLAIRE
- VIDÉO N° 3 LE PARRAINAGE ACADÉMIQUE
- VIDÉO N° 4 LE MONITORAT D'ENSEIGNEMENT
- VIDÉO N° 5 LA SOLIDARITÉ ACADÉMIQUE

Au pays des gitans
Recueil d'outils pour intégrer l'élève en difficulté dans la classe régulière
Martine Leclerc

Être prof, moi j'aime ça !
Les saisons d'une démarche de croissance pédagogique
L. Arpin, L. Capra

Intégrer les matières de la 7e à la 9e année
Ouvrage collectif

La gestion mentale
Au cœur de l'apprentissage
Danielle Bertrand-Poirier,
Claire Côté, Francesca Gianesin, Lucille Paquette Chayer
- COMPRÉHENSION DE LECTURE
- GRAMMAIRE
- MÉMORISATION
- RÉSOLUTION DE PROBLÈMES

L'apprentissage à vie
La pratique de l'éducation des adultes et de l'andragogie
Louise Marchand

L'apprentissage par projets
Lucie Arpin, Louise Capra

Le cerveau et l'apprentissage
Mieux comprendre le fonctionnement du cerveau pour mieux enseigner
Eric Jensen

Les intelligences multiples
Guide pratique
Bruce Campbell

Les intelligences multiples dans votre classe
Thomas Armstrong

Les secrets de l'apprentissage
Robert Lyons

Par quatre chemins
L'intégration des matières au cœur des apprentissages
Martine Leclerc

Pour apprendre à mieux penser
Trucs et astuces pour aider les élèves à gérer leur processus d'apprentissage
Pierre-Paul Gagné

Stratégies pour apprendre et enseigner autrement
Pierre Brazeau

Vivre la pédagogie du projet collectif
Collectif Morissette-Pérusset

Ec ÉDUCATION À LA COOPÉRATION

Ajouter aux compétences
Enseigner, coopérer et apprendre au postsecondaire
Jim Howden, Marguerite Kopiec

Apprendre la démocratie
Guide de sensibilisation et de formation selon l'apprentissage coopératif
C. Évangéliste-Perron, M. Sabourin, C. Sinagra

Apprenons ensemble
L'apprentissage coopératif en groupes restreints
Judy Clarke et coll.

Découvrir la coopération
Activités d'apprentissage coopératif pour les enfants de 3 à 8 ans
B. Chambers et coll.

Je coopère, je m'amuse
100 jeux coopératifs à découvrir
Christine Fortin

La coopération au fil des jours
Des outils pour apprendre à coopérer
Jim Howden, Huguette Martin

La coopération en classe
Guide pratique appliqué à l'enseignement quotidien
Denise Gaudet et coll.

L'apprentissage coopératif
Théories, méthodes, activités
Philip C. Abrami et coll.

Le travail de groupe
Stratégies d'enseignement pour la classe hétérogène
Elizabeth G. Cohen

Structurer le succès
Un calendrier d'implantation de la coopération
Jim Howden, Marguerite Kopiec

E ÉVALUATION ET COMPÉTENCES

Comment construire des compétences en classe
Des outils pour la réforme
Steve Bisonnette, Mario Richard

Construire la réussite
L'évaluation comme outil d'intervention
R. J. Cornfield et coll.

Le plan de rééducation individualisé (PRI)
Une approche prometteuse pour prévenir
le redoublement
Jacinthe Leblanc

**Le portfolio au service de l'apprentissage
et de l'évaluation**
Roger Farr, Bruce Tone
Adaptation française : Pierrette Jalbert

Portfolios et dossiers d'apprentissage
Georgette Goupil
• Vidéocassette

Profil d'évaluation
Une analyse pour personnaliser votre pratique
Louise M. Bélair
• Guide du formateur

G GESTION DE CLASSE

À la maternelle... voir GRAND !
Louise Sarrasin, Marie-Christine Poisson

Apprendre... c'est un beau jeu
L'éducation des jeunes enfants dans un centre
préscolaire
M. Baulu-MacWillie, R. Samson

Construire une classe axée sur l'enfant
S. Schwartz, M. Pollishuke

Je danse mon enfance
Guide d'activités d'expression corporelle
et de jeux en mouvement
Marie Roy

La classe interculturelle
Guide d'activités et de sensibilisation
Cindy Bailey

La multiclasse
Outils, stratégies et pratiques pour la classe multiâge
et multiprogramme
Colleen Politano, Anne Davies
Adaptation française : Monique Le Pailleur

Le conseil de coopération
Un outil pédagogique pour l'organisation de la vie
de classe et la gestion des conflits
Danielle Jasmin

L'enfant-vedette (vidéocassette)
Alan Taylor, Louise Sarrasin

Quand les enfants s'en mêlent
Ateliers et scénarios pour une meilleure motivation
Lisette Ouellet

Quand revient septembre...
Jacqueline Caron
• Guide sur la gestion de classe participative
(volume 1)
• Recueil d'outils organisationnels (volume 2)

L LANGUE ET COMMUNICATION

À livres ouverts
Activités de lecture pour les élèves du primaire
Debbie Sturgeon

Attention, j'écoute
Jean Gilliam DeGaetano

Conscience phonologique
*Marilyn J. Adams, Barbara R. Foorman,
Ingvar Lundberg, Terri Beeler*

École et habitudes de lecture
Étude sur les perceptions d'élèves québécois
de 9 à 12 ans
Flore Gervais

Histoire de lire
La littérature jeunesse dans l'enseignement
quotidien
Danièle Courchesne

Le français en projets
Activités d'écriture et de communication orale
Line Massé, Nicole Rozon, Gérald Séguin

Le théâtre dans ma classe, c'est possible !
Lise Gascon

Plaisir d'apprendre
Louise Dore, Nathalie Michaud

Une phrase à la fois
Brigitte Stanké, Odile Tardieu

**POUR PLUS DE RENSEIGNEMENTS OU POUR
COMMANDER, COMMUNIQUEZ AVEC NOTRE
SERVICE À LA CLIENTÈLE AU (514) 273-8055.**

Chenelière/McGraw-Hill
7001, boul. Saint-Laurent
Montréal (Québec)
Canada H2S 3E3
Téléphone : (514) 273-1066
Télécopieur : (514) 276-0324
chene@dlcmcgrawhill.ca

**Chenelière
McGraw-Hill**